Dieser Band gehört zu einem auf 16 Bände angelegten Abriß der deutschen Literatur vom Mittelalter bis zur Gegenwart, dessen Charakteristikum auf dem Wechselspiel von Text, Darstellung und Kommentar beruht.
Die Reihe ist als Einführung vor allem für Schüler und Studenten konzipiert. Sie dient selbstverständlich auch allen anderen Interessierten als Kompendium zum Lernen, als Arbeitsbuch für einen ersten Überblick über literarische Epochen.
Das leitende Prinzip ist rasche Orientierung, Übersicht und Vermittlung der literaturgeschichtlichen Entwicklung durch Aufgliederung in Epochen und Gattungen. Die sich hieraus ergebende Problematik wird in der Einleitung angesprochen, die auch die Grundlinien jedes Bandes gibt. Jedem Kapitel steht eine kurze Einführung als Überblick über den Themen- oder Gattungsbereich voran. Die signifikanten Textbeispiele und ihre interpretatorische Aufschlüsselung werden ergänzt durch bio-bibliographische Daten, durch eine weiterführende Leseliste, ausgewählte Forschungsliteratur und eine synoptische Tabelle, die die Literatur zu den wichtigsten Ereignissen aus Politik, Wirtschaft, Kunst und Wissenschaft in Beziehung setzt.

Die deutsche Literatur

Ein Abriß in Text und Darstellung

Herausgegeben von
Otto F. Best und Hans-Jürgen Schmitt

Band 1

Philipp Reclam jun. Stuttgart

Mittelalter I

Herausgegeben von
Hans Jürgen Koch

Philipp Reclam jun. Stuttgart

Allgemeine Angaben zu Leben und Werk der Autoren finden sich an den im Inhaltsverzeichnis mit einem Sternchen versehenen Stellen.

Für meine Kinder
Anne und Matthias

Universal-Bibliothek Nr. 9601 [4]

Schrift: Linotype Garamond-Antiqua. Printed in Germany 1979
Herstellung: Reclam Stuttgart
ISBN 3-15-009601-4

Inhalt

Einleitung

Ein Versuch, die deutschsprachige Literatur des Mittelalters im – stark verkürzten – Überblick darzustellen, muß heute mehr denn je seine Voraussetzungen bedenken: der wissenschaftlich gebräuchliche Begriff »Mittelalter« verweist in seiner literaturhistorischen Be- und Abnutzung auf andere Inhalte, Entwicklungen und Begrenzungen als etwa im Umkreis der Geschichtswissenschaft oder der Kulturgeschichte. Historische Periodisierung setzt den Beginn des frühen Mittelalters mit dem Ende der Völkerwanderung; kulturhistorische Betrachtung gliedert die Einheit »Mittelalter« grob in drei Kulturperioden: Früh-, Hoch- und Spätmittelalter; sprach- und literaturgeschichtlich beginnt das eigentliche Mittelalter erst in der mittelhochdeutschen Periode, ab etwa 1160. Die Inkongruenz des einen Begriffs mit drei Aspekten seines Inhalts scheint nur deutlicher als mancher andere, »moderne« Ansatz auf die Problematik zu verweisen, unter der die Mittelalter-Germanistik heute steht.
Diese Darstellung der deutschen Literatur des Mittelalters in Text und Erklärung konzentriert sich bewußt noch einmal auf einen Epochenbegriff »Mittelalter«, der einen historischen Zeitraum von 750, dem Auftreten erster deutschsprachiger Literaturbelege, bis etwa 1450 umfaßt; eine Epoche, die in wesentlichen Bereichen bestimmt ist durch die Übernahme des Christentums als »Staatsreligion«, die Entwicklung einer neuen Sprache, die unter religiös-kirchlichen und machtpolitischen Gesichtspunkten orientierte Aneignung einer christlich-antiken Kultur und Tradition sowie durch gesellschaftliche Umwälzungen, aus denen Feudalherrschaft, höfisches Rittertum und städtisches Bürgertum entstanden.

I. Althochdeutsche und frühmittelhochdeutsche Periode: 750–911–1170

Der Begriff »Althochdeutsch« bezeichnet zunächst und ursprünglich einen sprachgeschichtlich bestimmbaren Tatbestand; wie für kaum eine andere Epoche beinhaltet er zugleich auch den Beginn einer vor allem aus historischen Voraussetzungen erklärbaren geistesgeschichtlichen Entwicklung. Mit der Reichsgründung Karls des Großen wird die machtpolitische Umgruppierung seit der Völkerwanderung für Europa vorerst abgeschlossen. Das geistig-kulturell aktive Zentrum der Welt verlagert sich aus dem Mittelmeerraum in das fränkische Rheingebiet. Gegen das oströmisch-byzantinische Kaisertum ist der imperiale Herrschaftsanspruch Karls des Großen nur durchsetzbar, wenn es gelingt, den germanischen Stämmen und Gruppierungen politisch wie auch kulturell und sprachlich die einende, gemeinsame Basis zu geben: in der karolingischen Zeit erfährt das Wort *thiudisk* bezeichnenderweise seinen Bedeutungswandel von germanisch-einheimisch »volkssprachig« zu »deutsch«, wird der Begriff »lingua theodisca« für die germanischen Sprachen des Reiches zum gemeinsamen Namen, der als »deutsche Sprache« in bewußter Opposition zur »lingua romana«, der römischen Sprache, benutzt wird.

Die zielstrebige Förderung und Einübung der neuen Sprache war die Voraussetzung für eine Vermittlung der Grundlagen des Christentums als der neuen, geistig einigenden »Staatsreligion« germanischer Völker. Kirchliche Missionsarbeit stützte sich vor allem auf die geistigen Grundlagen und die Schriften der christlichen Spätantike, auf die Autorität lateinischer Schriften der Kirchenväter und Exegeten sowie auf die Vermittlung der spätantiken Schulwissenschaften, der »artes«. Zu ihrer Vermittlung und Aneignung bedurfte es nicht nur übersetzerischer Fähigkeiten der Missionare, sondern vor allem einer intensiveren Bildungsarbeit als Voraussetzung für das Verständnis christlicher Lehr- und

Glaubensgrundlagen. In der *Admonitio generalis* (789) ließ Karl der Große die Grundzüge seiner Bildungspolitik formulieren, die sich unter anderem, nach Auskunft Einhards (um 770 bis 840), auch die Schaffung einer deutschen Grammatik zum Ziel setzte. Nach dem Tod Karls des Großen (814) löste sich die von ihm und seinem Berater Alkuin (um 730 bis 804) begründete Hofakademie auf. Die bisher zentral und von der Person des Kaisers getragenen Bildungsbemühungen gingen auf die Klöster und ihre Schulen über. Hier ist es vor allem das Kloster Fulda unter Abt Hrabanus Maurus (um 780 bis 856), das zum neuen Zentrum wird. Für den fränkischen Raum bestimmend sind neben Fulda die Klöster von Weißenburg und Lorsch; im Alemannischen Reichenau, St. Gallen und ihr Ableger Murbach im Elsaß; im bairischen Gebiet St. Emmeram in Regensburg sowie Freising und Salzburg. Alle in diesen Zentren verfaßten, kopierten oder übersetzten Texte zeigen kaum individuelle Schreibermerkmale, dafür aber deutliche Spuren des regionalen Dialekts, der realen Sprachverhältnisse; sie liefern damit ein Indiz für die Schwierigkeiten bei der Heranbildung einer deutschen Sprache. Spätestens hier wird deutlich, daß der Begriff »Althochdeutsch« eine Abstraktion ist und keineswegs den Rückschluß auf das Vorhandensein einer einheitlichen Literatursprache über einer Vielzahl von Stammessprachen erlaubt.

Althochdeutsche Literatur ist in der karolingischen Zeit bis 911 »Gebrauchsliteratur« zur Vermittlung christlicher Bildung und Glaubenslehre; sie entsteht in den Klöstern, geschrieben und übersetzt von zumeist anonymen, gebildeten Geistlichen, deren Wissenschaftssprache das Latein ist. (Auf der Synode von Inden [Kloster bei Aachen] 817 wird Latein als Schriftsprache wieder durchgesetzt.) Durch Glossensammlungen, wie den *Abrogans*, geschieht zunächst die schulmäßige Einübung des neuen Wortschatzes und seiner Inhalte; die Glossographie setzt sich durch die althochdeutsche Zeit fort und mündet in die großen Glossensammlungen des 10. und 11. Jahrhunderts. Auf dem Weg über Interlinearglossen kommt es zu ersten Übersetzungen von Credo, Vaterunser, Beichtformeln, Taufgelöbnissen und Katechismus. Mit dem *Isidor*-Traktat entsteht dann eine erste zusammenhängende Übersetzungsarbeit, ein erster deutlicher Versuch zu konsequentem Deutsch.

Heliand und *Altsächsische Genesis* sind die aus Fulda stammenden frühen Belege, die geistigen Grundlagen der Evangelien germanischen Vorstellungen und Lebensformen nahezubringen. Bis 871 blieb die Literatur eine Prosaliteratur, nur vereinzelt, wie in der *Altsächsischen Genesis*, erscheint der germanische Stabreimvers. Seit Otfried in seinem *Evangelienbuch* (863/871) den stablosen, paarigen Endreimvers »erfand«, wird Literatur zunehmend Versdichtung, auch wenn sie vorerst kirchliche Gebrauchsliteratur bleibt.

Fast gleichzeitig mit dem Zerfall des karolingischen Reiches verstummt ab 910/911 für 150 Jahre die deutsche Literatur fast vollständig. Einzig Roswitha von Gandersheim (um 935 bis nach 973) gewinnt politische und mit ihren Legendendichtungen und Dramen auch literarische Bedeutung; Notkers Übersetzungen antiker Autoren (*Boëthius* und *Psalmen*) sind Beiträge zu einer Schulbuchliteratur der Klöster. Für die Zeit um 1050 ist allerdings auch der *Ruodlieb* anzusetzen, ein Ritterroman in Hexametern, der vor einer bald einsetzenden Phase der Weltverneinung bereits deutliche Züge höfisch-ritterlicher Kultur und Anschauungen zeigt.

Nach der großen Zäsur setzt deutschsprachige Literatur wieder ein mit neuen geistigen und religiösen Ansprüchen. Ausgehend von dem 910 gegründeten Benediktinerkloster Cluny (in Burgund) dringt über die Klöster Gorze (Lothringen) und Trier sowie Hirsau und St. Blasien eine kirchliche Bewegung nach Deutschland vor, die Weltfeindschaft, Weltflucht, Askese und Jenseitserwartung predigt, die eine Reform der Kirche fordert und damit auch politisch in den Investiturstreit eingreift.

War die Literatur der ersten Periode von 750 bis 911 auf die Vermittlung der christlichen Lehre ausgerichtet, so hat die Literatur der Reformbewegung die Aneignung und dogmatische Fundierung der Heilslehre sich als Aufgabe gesetzt. Die nun einsetzende, das Mittelalter zunehmend beherrschende Scholastik versucht die theologische Begründung von Wissenschaft, die rational-aufklärerische Ordnung kirchlicher Lehren und Schriften. Zwischen Weltverachtung, Scholastik und Mystik bilden sich in dieser Zeit bis 1170 Kräfte, die das Mittelalter bis zum Beginn der Neuzeit bestimmen.

Literatur in dieser Zeit wird zur Dichtung, auch wenn sie aus ihren Zielsetzungen kirchliche Gebrauchsliteratur bleibt: Bibeldichtung, Legende, Reimpredigt, Marienlyrik. Willirams *Paraphrase des Hohen Liedes* (um 1060) steht am Beginn neben *Ezzos Gesang* (1063), beide setzen inhaltlich-formale Akzente für die Zeit. Vor dem Ausbruch des Investiturstreits entsteht als Bibeldichtung die *Wiener Genesis*; Nokers *Memento mori*, eine asketische Bußpredigt in Reimen, lebt mit dem Geist von Cluny und Hirsau, der auch im *Priesterleben* des Heinrich von Melk und in seinem *Memento mori* (um 1160) noch bis ans Ende dieser frühmittelhochdeutschen Periode wirksam bleibt. Über die kirchliche Legendendichtung (*Annolied*, um 1085) dringen aber auch weltliche Motive und Darstellungen in die Dichtungen der Geistlichen ein, die jedoch aus heilsgeschichtlicher Perspektive gesehen und verstanden werden; auch dann, wenn es sich um geschichtliche Stoffe handelt: *Kaiserchronik* (1135 bis nach 1147), *Alexanderlied* (1140/50), *Rolandslied* (um 1170). Gegen Ende dieses Zeitabschnitts treten in der »Spielmannsdichtung«, einer verweltlichten Legendendichtung *(Salman und Morolf; Sanct Oswald; Orendel)*, und in der Mariendichtung *(Marienlied von Melk; Mariensequenz von Muri)* neue inhaltliche und formale Elemente auf, die eine Verbindung zur frühhöfischen Dichtung deutlich machen.

Aus der machtpolitisch erzwungenen, mühevollen Einübung in eine neue Sprache, aus der Aneignung neuer geistig-religiöser Inhalte war die Literatur der karolingischen Periode (750–911) nach einer Zeit des scheinbaren Stillstands (911 bis 1060) aufgegangen in einer auch sprachlich freieren, zunehmend selbstsicheren Gestaltung vorgegebener Stoffe (1060 bis 1170); der sprachlichen Emanzipation folgte die Öffnung der Literatur für neue Themen und Stoffe bei unveränderten Intentionen ihrer vorwiegend geistlichen Verfasser: den Laien, dem Christenmenschen die Voraussetzungen und den Sinn seines irdischen Daseins zu vermitteln, ihn aus dieser Welt in die Heilserwartung zu führen.

II. Literatur des Rittertums in der Stauferzeit: 1170–1230

Die deutsche Sprache war kaum 500 Jahre alt, als sie um 1170/80 wiederum, wie schon in der karolingischen Literatur, zum Vehikel fremder Denkmuster und Themen benutzt wird. Die Übernahme provenzalischer Lyrik in die deutsche Sprache, die Übertragung der Epik Chrestiens de Troyes dürfte zumindest anfänglich nicht weniger schwierig gewesen sein als eine geglückte Übersetzungsleistung in althochdeutscher Zeit. Aus den literarischen Leistungen dieser sechs Jahrzehnte von 1170 bis 1230 hat sich die Germanistik im 19. Jahrhundert ihr Mittelalterbild stilisiert und in wesentlichen Elementen bis heute intakt erhalten; aus den formal und inhaltlich esoterischen Literaturwerken einer begrenzten Schicht von sozialen Aufsteigern hat die Romantik ihre Mittelalter-Idolatrie gespeist, während die Renaissance von dieser Epoche und ihren Emanationen noch schlicht als vom »finsteren Zeitalter« sprach. Sicherlich hat jedes Mittelalterbild seine je eigenen, zeitbedingten Voraussetzungen, aber man sollte sich hier der Relativität bewußt sein, der engbegrenzten Gültigkeit auch eines germanistischen Mittelalterbegriffs, der in der Betrachtung und Interpretation esoterischer Gesellschaftskunst das Rittertum zum Ideal verklärt. Wie diese Ritterschicht ihre literarisch gepflegten Begriffe von Nächstenliebe, Recht und Ehre in der Realität »bewährte«, zeigt ein Blick auf die Geschichte der Kreuzzüge und der Kreuzfahrerstaaten im Orient oder auch nur auf die Rechtsordnung und Strafpraxis der Zeit.

In der Chronologie dieser Zeit der Klassik ritterlicher Gesellschaftskunst lassen sich vier Abschnitte erkennen. Das Jahrzehnt von 1170 bis 1180 ist eine Phase der Vorbereitung und ersten literarischen Blüte, in der sich der neue Stand und damit die Dichtung vom religiös-kirchlichen Dienst emanzipiert, die Welt zurückgewinnt und sich in die Übernahme der französischen Vorlagen einübt. Diese frühhöfische Phase bringt neben Marienlyrik (Priester Wernher, *Driu liet von der maget*) auch die Spielmannsdichtung hervor; in ihr entsteht Heinrich von Veldekes *Eneit* und Eilhart von Oberges *Tristrant*; die Minnelyrik löst sich aus der Simplizität der donauländischen Formen und erreicht in Meinloh von Sevelingen einen ersten Höhepunkt.

Zwischen 1180 und 1220 liegt die zweite, die eigentliche Blütezeit der höfisch-ritterlichen Dichtung.

Die beiden Jahrzehnte des Aufstiegs, 1180 bis 1200, sind bestimmt vor allem durch die Epik und Lyrik Hartmanns von Aue, die Lyrik Heinrichs von Morungen, Albrechts von Johansdorf und Reinmars. Schon um 1200 wird die Wende, der Abschwung aus der idealistischen Höhe, deutlich. Walthers Auseinandersetzung mit Reinmar, Wolframs *Parzival*, das *Nibelungenlied* bestimmen das erste Jahrzehnt bis 1210 in seiner Hinwendung zu Weltdienst und Wirklichkeit.

Abschied von höfischer Idealität vollzieht sich vollends zwischen 1210 und 1220: Walthers politische Dichtung, seine Lieder der neuen Minne; Neidharts Tanzlieder; Wolframs *Willehalm* und *Titurel*; schließlich Gottfrieds *Tristan* – das Werk eines Stadtbürgers.

Bis 1230 folgt ein Jahrzehnt des Ausklangs: Walthers resi-

gnierend-lehrhafte Altersdichtung; Heinrich von Morungen stirbt 1222; Heinrich von dem Türlîn versucht sich mit *Der Aventiure Crône* (um 1220) an einem höfischen Epos, aber Unsicherheiten im stilistischen Zugriff und die ziellose Reihung abenteuerlicher Episoden signalisieren das Ende. Die lehrhaft-mahnende Spruchdichtung Freidanks (*Bescheidenheit*; um 1230) und die Schwänke des Stricker verweisen bereits auf die Gattungstypologie des späten Mittelalters.
Die ritterliche Gesellschaftskunst setzt also keineswegs unvermittelt ein. Sie wurde möglich erst durch eine tiefgreifende Umschichtung und Veränderung der gesellschaftlichen Strukturen: die Emanzipation des ritterlichen Lehens- und Dienstadels von Klerus, Kirche und Königtum, die Entstehung neuer wirtschaftlicher Bedingungen in den Stadtgründungen (von der Natural- zur Geldwirtschaft), das Aufkommen eines Stadtbürgertums, die Ausbreitung von weltlicher Gelehrsamkeit und Wissenschaft an den neugegründeten Universitäten. Ritterliche Kultur bildet sich aus der Opposition gegen nichtadlige Pfaffen, Bürger und Bauern einerseits und aus dem zunehmenden Selbstbewußtsein des eigenen Standes neben Königen und Fürstenhöfen andererseits. In den politischen Auseinandersetzungen zwischen Papst und Kaiser, in den Erfahrungen der Kreuzzüge gewinnt das Rittertum die Erkenntnis seiner politischen und realen Bedeutung für die Erhaltung des Reiches; in der französischen Hofkultur findet es soziale und ethische Vorbilder, die Sprache für die metaphysische Überhöhung der eigenen Standes-»Ideologie«. Es ist sicher, aber von der germanistischen Forschung bisher kaum ins Kalkül gezogen, daß sich hinter dieser höfischen Kultur der zum Ritterstand aufgestiegenen Ministerialen auch konkrete macht- und gesellschaftspolitische Auseinandersetzungen abspielten. Sollte je eine Psychopathologie des Ritterkults und seines Minnesangs versucht werden, so wäre vor allem zu untersuchen, inwieweit sich der neue Stand kompensatorisch mit einer geistigen Emanzipation und metaphysisch orientierten Intellektualität »be-

gnügen« mußte, weil ihm die materiellen Mittel zur machtpolitischen Etablierung fehlten.
Die für jede aufsteigende Schicht typischen Merkmale jedenfalls sind erkennbar, nicht zuletzt in der Aneignung adliger Lebensweisen und Kultur. Mit dem kompensierenden Eifer des Emporkömmlings bemächtigt sich das Rittertum der Kultur seiner »Leitschicht«, in die hineinzuwachsen ihm die Geduld fehlt, organisiert es seine elementaren Anerkennungsbedürfnisse in einer »Ideologie«, die das Vorbild übertreffen muß, um ihre Richtigkeit zu bestätigen. Die neue Ethik ist Standesethik, ihre Verbindlichkeit wird mit missionarischem Eifer verbreitet, durch sie wird der reale Machtanspruch und Machtzuwachs kultiviert. Das Ideal vom äußerlich und innerlich geadelten Menschen, von einem ritterlichen Dasein, das Gott und der Welt in Demut und Bewährung gefällig ist, dieses Ideal im »ritterlichen Tugendsystem« muß auch vor dem Hintergrund zeitgenössischer Chroniken gesehen werden: darin ist mehr von Hunger, Raub, Mord und Plünderung die Rede als von Bildung, Minne oder edlem Turnierwettbewerb unter den Rittern. Das Mittelalter war in jeder Hinsicht eine Epoche der ungeheuren, unterschwelligen Spannungen, der Umschichtung aller Werte und Orientierungen, der Umbrüche und Zusammenbrüche alter Ordnungen. Walthers Spruchdichtung etwa liefert dafür Belege, ebenso wie die Lyrik Reinmars oder die Lieder Neidharts.
Die Realitäten einer aus den Fugen geratenen Zeit sind die Folie, vor der ritterliche Hofkultur errichtet wird, vor der höfisch-ideales Dasein gesehen werden muß. Diese Realität zu verändern, kompensatorisch zu überhöhen, war die mit musterschülerhaftem Eifer ergriffene Aufgabe des neuen Standes. Vorbildhaftes Elite-Dasein brauchte seine eigenen Formideale, die aus wenigen zentralen Begriffen und ihrer ständigen Verfeinerung gebildet wurden. Höfisch bedeutete mehr als den Gegensatz zu *dörper,* mehr als nur höfisches Leben; denn *hövesch* ist das Grundwort, dem sich die gesamte Terminologie ritterlicher Standesethik und ästhetischer Bil-

dung zuordnet. In *mâze*, *fröide*, *zuht* und *hohem muot* lebt der Ritter, ordnet er sich den Regeln seines Standes unter, bei Verzicht auf jede Individualität. Der Begriff *minne* veranschaulicht beispielhaft diese Entpersönlichung des einzelnen um der erzieherischen Idee willen: Minnedienst geschieht um seiner selbst willen, die Frau steht als Symbol für ein höheres Wesen und in Opposition zu dem in *trûren* und *wân* anbetenden Ritter. Erhörung des Minnesingers ist nicht vorgesehen; wo sie stattfindet, brechen die Konflikte mit der Gesellschaft auf, mit Merkern und Neidern. Minnelyrik ist die formal und inhaltlich von der Gesellschaft sanktionierte Form einer Verehrung, die zumeist der verheirateten Frau des eigenen Herrn und Fürsten galt und nur durch strenge Regeln vor dem Abgleiten in eine offene Ehebruchspoesie bewahrte. Zu ständiger *arebeit* spornt die Idee an, nicht der Erfolg, nicht die Erfüllung, nicht der Zweck – es sei denn die eigene Läuterung, die selbsterzieherische Wirkung und die transzendierende Hinwendung zu Gott. Diese beständige, gesellschaftlich vereinbarte Übersteigerung eigener Möglichkeiten und Ansprüche mußte zum Rückschlag führen, wo in der Konfrontation mit der Realität die Unwirklichkeit als Unmöglichkeit entlarvt wurde, wo das Verhältnis zu Gott keineswegs mehr unproblematisch war.

Die Lyrik des Minnesangs liefert in ihrer Entwicklung von 1160 bis 1220 den Beweis für die Aporien ihres, d. h. des gesellschaftlichen Anspruchs. Durch esoterische Kunstübung will sie den Menschen, will sie Sänger und Gesellschaft erziehen, veredeln, erhöhen. In der Überwindung aller besungenen Freude und Lust liegt die Erfüllung. Jeder Erlebnisgehalt wird, wider besseres Wissen, geleugnet. Minnesang ist nicht eine Gattung, sondern vor allem ein Thema, eine Ideologie. Walthers Auseinandersetzung mit Reinmar, die Lyrik Hartmanns und Wolframs Tagelieder zeigen die Unsicherheiten hinter dieser Standeskunst, die sich schließlich nur noch in die Ironie Neidhartscher Derbheiten retten konnte. In der Epik liefern die märchenhaften Stoffe und Gestalten

der keltischen Artussage den Rahmen für die Darstellung der Probleme und ungelösten Fragen in der ritterlichen Gesellschaft. In einer von wirklichkeitsfremden Mächten, von Drachen, Zauberern und Feen bevölkerten Welt hinter der Welt kann sich der Held durch Niederlage, Irrungen und Erkenntnis bewähren. Gleichnishaft und stellvertretend für die Gesellschaft sucht er das zentrale Zeitproblem zu lösen: wie man Gott und der Welt gefallen könne – in einem gestörten Verhältnis zu beiden. Die von Wolfram offen erkannte Fiktion einer historischen Authentizität der epischen Stoffe und Vorlagen, wie sie von der Gesellschaft gefordert wurde – deshalb die ständige Bearbeitung derselben französischen Vorlagen durch die Dichter und ihre Berufung auf die Quellen –, dieser Wahrheitsanspruch gegen die Fiktion wirft ein bezeichnendes Licht auf die Konfliktlage, in der die höfische Gesellschaft lebte. Hartmann von Aue hat in seinen Epen diese Problematik konsequent und bis zur Erschöpfung der Idee durchgeprobt.
Wie die Wirklichkeit hinter dieser Welt der edlen Fiktionen aussah, ist kaum aus der Dichtung zu schließen. Als erratischer Block steht das *Nibelungenlied* (um 1200) neben der zeitgenössisch-höfischen Epik, als Einbruch nicht-idealer Konfliktlösung und archaischer Normen in die Welt der esoterischen Begrifflichkeit. Auch die *Carmina Burana*, Liebesdichtung von Theologen, sind ein sichtbarer Gegenpol und Widerspruch gegen die dünnblütige Standeslyrik. In Lyrik, als Lied, Spruch oder Leich (vgl. Einleitung zu Kap. II, 2) und Epos findet die Epoche von 1170–1230 die ihr gemäßen Muster und Vorlagen für ihre idealistisch-esoterische Formkultur. In diesen Gattungen hat sie die Dramatik der eigenen Existenz dargestellt oder sublimiert. Ansätze zu einer Drama-Literatur – sie wäre dieser Zeit adäquater gewesen – hat es kaum gegeben. Über die Wirklichkeiten im Umkreis der Höfe und Dichter könnte genauere Kenntnis der mittelalterlichen Fachprosa Aufschlüsse vermitteln; allerdings setzt diese voll erst gegen Ende der Epoche ein, mit dem Aufkommen

der Städte und Zünfte, der Schreibstuben und der bürgerlichen Selbstdarstellung.

Die einzelnen Stücke dieser Textauswahl stehen jeweils als Beispiele für eine Richtung, für die Möglichkeiten einer Form oder Gattung. Deshalb wurden die Vorlagen weder editorisch bearbeitet noch kritisch gesichtet. Die Worterklärungen und Übersetzungen sind Verständnishilfen, die nicht auf akribische Interpretation eines Textes abzielen, wohl aber auf die Differenzierung mittelhochdeutscher Sprach- und Ausdrucksmöglichkeiten hinweisen sollen; denn es sollte – ohne auf die Problematik der Übersetzung mittelhochdeutscher Texte einzugehen – doch an einigen Stellen wenigstens gezeigt werden, daß gleichlautende Wörter heute und im Mittelalter eine je nach ihrem Kontext verschiedene Bedeutung haben, verschiedenen Wortfeldern zugehören. Gleiches gilt auch für die biographischen Hinweise und die jeweiligen Kommentare: nicht vollständige Wiedergabe bekannter Daten und Erkenntnisse, sondern Darstellung des Exemplarischen, des Unterschieds und der Möglichkeit zu veränderter Betrachtung des längst Bekannten und Zusammengetragenen war hier beabsichtigt.
Eine Textsammlung zur Literatur des Mittelalters bedarf heute – anders als für jüngere Epochen – wohl einer Erklärung über ihre Absicht. Wenn die Mittelalter-Germanistik in der noch andauernden Diskussion über die Inhalte von Studium und Schulunterricht nahezu hoffnungslos in die bildungspolitische Abseitsstellung geraten ist, so liegt das weniger daran, daß sie den Kanon ihres Interesses und ihrer Gegenstände seit Anfang dieses Jahrhunderts kaum noch erweitert hat, also das Bild einer »abgeschlossenen« Wissenschaft bietet. Es liegt vor allem wohl an der Art und Weise, wie sie mit ihrem Fundus an Quellen, Texten und Kenntnissen umgegangen ist. Die Genese einer Diphthongierung, die Gesetze des Umlauts und der Ablautreihen, die Frage nach dem Abbild scholastischer Kirchenlehre in Gottfrieds *Tristan*

zu ergründen – das alles mag wichtig, vielleicht auch notwendig sein, doch gerät es nicht unverschuldet in die Sphäre des Esoterischen, einer Wissenschaft für die Liebhaber und Eingeweihten, wo nicht z. B. auch die realen Bezüge zu Umfeld und Geschichte hergestellt werden. Die Mittelalter-Germanistik hat sich so lange und nahezu ausschließlich mit der Herstellung und Betrachtung ihrer Texte beschäftigt, sie als von Zeit und Wirklichkeit isolierte Phänomene betrachtet, daß sie heute nach außen das Bild einer abgeschlossenen, einer hermetischen und deshalb toten Wissenschaft bietet.
Nur durch den Ausschluß jeder Frage nach jeweils realen gesellschaftlichen, wirtschaftlichen und politischen Voraussetzungen ihres Gegenstandes hat sie es vermocht, viele ihrer Ergebnisse vor einer radikalen Revision zu bewahren. Warum gehört etwa die Zeit des späten Mittelalters heute immer noch zu den am wenigsten erforschten Epochen der Literaturgeschichte? Dabei böte die Fülle nicht-literarischer Texte hinreichend Material, um etwa über die Zusammenhänge von Zeitgeschichte und Literatur, Fachprosa und Dichtung, gesellschaftlich-wirtschaftlicher Mobilität und Dichterbiographie nachzudenken. Statt dessen hat man hier die Masse literarischer Produktionen als »Verfallsprodukte« klassifiziert und sich wieder dem längst Bekannten zugewendet.
Solange die Germanistik geschichtliche Daten, soziale Veränderungen mit ihren Bedingungen und allen daraus folgenden Konsequenzen bestenfalls als Orientierungshilfe, kaum aber als ein Koordinatensystem für die Entwicklung literarischer Formen und Inhalte akzeptiert, so lange wird sie kaum ihre Kategorien aus dem 19. Jahrhundert revidieren und zu neuen Einsichten vorstoßen können. Ausnahmen bestätigen diese Feststellung. Zu diesen Ausnahmen gehört das leider erst bei Abschluß dieser Textsammlung erschienene Werk von Karl Bertau, *Deutsche Literatur im europäischen Mittelalter.*

Dieser Überblick über 700 Jahre deutschsprachige Literatur des Mittelalters kann nicht Vollständigkeit anstreben, auch nicht den vollgültigen Beleg für die Berechtigung neuer, hier versuchter anderer Akzente und Sehweisen. Hier sollte exemplarisch belegt und zugeordnet werden, was insgesamt die Topographie einer literaturhistorischen Epoche erkennen läßt. Es soll exemplarisch aufgezeigt sein, daß auch Literatur in ihrer geschichtlichen Bedingtheit nicht eine geradlinige Entwicklung durchläuft, sondern einer Dialektik ausgesetzt ist, die für jede Zeit, jede Epoche und Generation aus der Überwindung und Zerstörung das Neue entstehen läßt: Aus Kenntnis der Vergangenheit lassen sich die Bedingungen und Bedingtheiten der Gegenwart besser einschätzen. Das mag nicht sonderlich progressiv oder aktuell klingen in einer geradezu ahistorisch sich gebenden Gegenwart. Aber es bleibt die Frage, ob der Mensch ohne seine Geschichte eine Zukunft, ob die Mittelalter-Germanistik ohne einen neuen Geschichtsbegriff noch eine Chance hat, sich aus ihrer Erstarrung zu befreien.

I. Althochdeutsche und frühmittelhochdeutsche Periode 750–911–1170

1. Gebrauchsliteratur, Kulturdokumente

Die Anfänge der heute von der Literaturwissenschaft »kanonisierten« deutschsprachigen Literatur waren wesentlich durch die religiöse Missionsarbeit der Kirche sowie die imperialen Herrschaftsansprüche Karls des Großen bestimmt und geprägt. Die missionierende Kirche suchte ihre Heilslehre germanischen Stämmen als neue Religion nach Inhalt und Geist zu vermitteln; Karl der Große nutzte und stützte diese religiöse Mission nicht zuletzt aus machtpolitischer Notwendigkeit: in der Auseinandersetzung mit dem oströmischen Imperium um die Nachfolge des unter den Wanderungsgermanen endgültig zerbrochenen Imperium Romanum sollte ein gemeinsamer Glauben in gemeinsamer Sprache die germanischen Stämme einen.

Vor diesem Hintergrund war die frühe deutsche Literatur zunächst und vor allem eine »Gebrauchsliteratur« im weitesten Sinne. Dazu gehören neben Glossaren und Interlinearversionen vor allem Gebete, Andachten, Beichten und Psalmenübersetzungen. Die Rezeption des Klassisch-Antiken und des Christlich-Antiken geschah, soweit aus der Überlieferung bekannt, in Inhalten, Formen und »Dialekten« exemplarisch, nämlich soweit die Vorlagen für die gestellte Aufgabe dienlich waren.

Die Glossensammlungen, wie etwa der »Abrogans«, standen am Beginn dieser Rezeptionsphase als Versuch, in lexikalischen Anfängerübungen Vokabelverständnis und Wortübersetzung zu lernen, vorzubereiten auf die Vermittlung biblischer Texte und antik-christlicher Exegese.

Wie wenig die frühen »deutschen« Sprachversuche auf eine »lingua theodisca« als Volkssprache abzielten, zeigen eben diese Vokabelsammlungen, aber auch die Inhalte der ersten exegetischen Texte: sie entstehen in den Kloster- und Domschulen, in der »Akademie« Karls des Großen; unter Anleitung seines Beraters Alkuin und der im Lateinischen gebildeten Äbte wird diese althochdeutsche Literatur von Mönchen für Mönche, für Kleriker und weltliche Fürsten hergestellt, zur Befestigung christlichen Glaubens und kirchlicher Lehre. Die noch weithin intakte Stammesverfassung und der christlich-antike Ordo-Begriff garantierten, wenn überhaupt erforderlich, eine Vermittlung bis ins Volk.

Während Texte wie der »Althochdeutsche Isidor« oder mehr noch der eine Generation jüngere »Althochdeutsche Tatian« zur Vermittlung und Interpretation der Evangelien entstanden, wurden wenig später mit der Übersetzung von Boëthius' »Consolatio« durch Notker Labeo bereits klassisch-antike Schultexte eingeführt, sofern sie zur Vermittlung christlicher Glaubensgrundlagen dienlich oder interpretierbar waren. Das gilt beispielhaft auch für ein »Naturkundebuch« wie den auf antiker Vorlage beruhenden »Physiologus«: eine christliche Zoologie, in der Natur beschrieben ist, soweit sie durch christliche Allegorie deutbar wird. Hingegen zeigt der nur wenig jüngere »Merigarto«, daß christliche Wissenschaft eben noch nicht unangefochten durch heidnisch-germanische Weltbeschreibung existieren konnte.

Weltliche Gebrauchsprosa aus althochdeutscher Zeit ist nur spärlich überliefert. Der karolingischen Hausmachtpolitik diente Einhards »Admonitio generalis«, die das bildungspolitische Konzept Karls des Großen zusammenfaßte und insofern ein – hier unberücksichtigtes – Beispiel eines Kulturdokuments eigener Art ist. Aber auch die »Würzburger Markbeschreibungen« und die »Straßburger Eide« sind Kulturdokumente insofern, als sie auf politische und soziale »Alltäglichkeit« außerhalb der christlichen Lehre verweisen.

Inhaltlich und sprachsoziologisch bedeutsame Zeugnisse sind

die Zauberformeln und Segenssprüche aus dem 10. Jahrhundert: »Merseburger Zaubersprüche« und »Lorscher Bienensegen«. Germanische Mythologie erscheint inmitten einer christlich-antiken Literatur auf dem Pergament – noch sind heidnische Magie und christliche Religion nebeneinander erkennbar.

Althochdeutscher Isidor (4. Kapitel, Auszug)

Weder der Schreiber noch sein Dialekt sind bisher feststellbar. Als Übersetzer könnte er hier im Auftrag Alkuins tätig gewesen, seine Arbeit in Deutsch-Lothringen (Domschule zu Metz?) vor 800 (790) entstanden sein.

Vorlage für die Übersetzung war der von Bischof Isidor von Sevilla (gest. 636) verfaßte Traktat »De fide catholica contra Judaeos«. Dieser Traktat war einerseits eine Verteidigung gegen die jüdische Kritik an der Göttlichkeit Christi; andererseits bezog er Stellung in einem innerkirchlichen Streit über die Frage der Wesensgleichheit zwischen Gott Sohn und Gott Vater. Es ist nicht auszuschließen, daß auch die deutsche Übersetzung, gerade wegen ihrer zahlreichen Belege aus der Bibel, zur Stützung der kirchlichen Position diente. Sprachgeschichtlich bedeutsam ist die Übersetzung als erster Beweis für die erreichte Fähigkeit, schwierige theologische Themen in deutscher (volksnaher?) Sprache verständlich zu machen.

DE TRINITATIS SIGNIFICANTIA	HEAR[1] QUHIDIT UMBI DHEA BAUHNUNGA DHERO DHRIOHEIDEO GOTES
1. Patet ueteris testamenti apicibus patrem et filium et	1. Araugit ist in dhes aldin uuizssodes boohhum, dhazs

1. Hier spricht (Isidor) von den Kennzeichen der Dreifaltigkeit Gottes
1. In den Büchern des Alten Testaments wird geoffenbart, daß Vater,

spiritum sanctum esse deum.

fater endi sunu endi heilac gheist got sii.

2. Sed hinc isti filium et spiritum sanctum non putant esse deum eo, quod in monte Sina uocem dei intonantis audierint: »Audi, Israhel, dominus deus tuus deus unus est.«

2. Oh dhes sindun unchilaubun ludeoliudi, dhazs sunu endi heilac gheist got sii, bidhiu huuanda sie chihordon gotes stimna hluda in Sinaberge quhedhenda: »Chihori dhu, Israhel, druhtin got dhin ist eino got.«

3. Ignorantes in trinitate unum esse deum: patrem et filium et spiritum sanctum, nec tres deos, sed in tribus personis unum nomen indiuiduę maiestatis.

3. Unbiuuizssende sindun, huueo in dheru dhrinissu sii ein got: fater endi sunu endi heilac gheist, nalles sie dhrie goda, oh ist in dhesem dhrim heidem ein namo dhes unchideiliden meghines.

4. Queramus ergo in scripturis ueteris testamenti eandem trinitatem.

4. Suohhemes nu auur in dhemu aldin heileghin chiscribe dhesa selbun dhrinissa.

5. In libro quippe primo regum ita scriptum est: »Dixit Dauid filius Isai, dixit uir, cui constitutum est de christo dei Iacob, egregius psalta Israhel: Spiritus do-

5. In dhemu eristin deile chuningo boohho sus ist chiuuisso chiscriban: »Quhad Dauid Isais sunu, quhad gomman, dhemu izs chibodan uuard umbi christan

Sohn und Heiliger Geist Gott sind. 2. Doch die Juden glauben nicht daran, daß der Sohn und der Heilige Geist Gott sind, weil (sie sich darauf berufen,) auf dem Berg Sinai Gottes Stimme laut (und deutlich) gehört zu haben: »Höre, Israel, nur der Herr, dein Gott, ist Gott« [5. Mose 6, 4]. 3. Sie wissen nicht, auf welche Weise in der Dreiheit ein einziger Gott ist: Vater, Sohn und Heiliger Geist; keineswegs (sind) sie drei Götter, sondern in diesen drei Personen ist die ungeteilte Majestät einheitlich bezeichnet. 4. Wir wollen nun aber im älteren Teil der heiligen Schrift dieser Dreiheit nachspüren. 5. Im ersten Teil der Bücher der Könige steht es wahrlich so geschrieben: »Es sprach David, der Sohn Isais, es sprach der Mann, der über den Gesalbten des Gottes Jakobs unterrich-

mini locutus est per me, et sermo eius per linguam meam.«

Iacobes gotes, dher erchno sangheri Israhelo: Gotes gheist ist sprehhendi dhurah mih, endi siin uuort ferit dhurah mina zungun.«

6. Quis autem esset adiecit: »Deus Israhel mihi locutus est, dominator fortis Israhel hominum iustus.«

6. Endi saar, dhar after offono araughida, huuer dher gheist sii, dhuo ir quhad: »Israhelo got uuas mir zuo sprehhendi, dher rehtuuisigo manno uualdendeo strango Israhelo.«

7. Dicendo enim »christum dei Iacob« et filium et patrem ostendit.

7. Dhar ir quhad »christ Iacobes gotes«, chiuuisso meinida ir dhar sunu endi fater.

Althochdeutscher Tatian

Um 830 auf Anregung des bedeutenden Abtes Hrabanus Maurus im Kloster Fulda von mehreren Mönchen angefertigte Übersetzung einer lateinischen Vorlage. Diese wiederum war die Übersetzung des griechischen Diatessaron, einer Evangelienharmonie, des Syrers Tatian (aus Mesopotamien) aus dem 2. Jahrhundert: die Verschmelzung der Evangelientexte zu einer zusammenhängenden Geschichte des Lebens Jesu.

Der »Tatian« ist nur in einer Handschrift in St. Gallen erhalten; sie zeigt einen zweispaltigen, lateinisch-deutschen (ostfränkischen) Text, wobei der lateinische Teil wohl nicht mit der Vorlage für die Übersetzung identisch ist. Neben

tet war, der große Sänger Israels: »Gottes Geist spricht durch mich, und sein Wort geht über meine Zunge« [2. Sam. 23, 1–2]. 6. Und bald, nachdem er deutlich verkündet hatte, wer der Geist sei, sprach er: »Israels Gott sprach zu mir, der starke Herrscher Israels, der zu den Menschen gerecht (ist)« [vgl. 2. Sam. 23, 3]. 7. Da er sagte »der Gesalbte des Gottes Jakobs«, wollte er damit (zum einen) den Sohn, (zum andern) den Vater bezeichnen.

dem »Isidor« ist der »Tatian« die zweite große übersetzerische Leistung aus der Zeit Karls des Großen. Die Übersetzung, weniger frei als der »Isidor«, war weit verbreitet und hat auf den Dichter des »Heliand« ebenso direkt eingewirkt wie auf Otfried von Weißenburg.

Die Bergpredigt[1]

7. Inti giengun tho zi imo sine iungiron, inti úfárhabanen sinen ougon in sie íntteta sinan mund, lérta sie sús quedanti:
8. Salige sint thie thar arme sint in geiste, uuanta thero ist gotes rihhi.
9. Salige sint manduuare, uuanta thie bisizzent erda.
10. Salige sint thie thar vvuofent, uuanta thie uuerdent gifluobrit.
11. Salige sint thie thar hungerent inti thurstent reht, uuanta thie uuerdent gisatote.
12. Salige sint thie thar sint miltherze, uuanta sie folgent miltidun.
13. Salige sint thie thar sint subere in herzon, uuanta thie gisehent got.
14. Salige sint thie thar sint sibbisame, uuanta sie gotes barn sint ginemnit.
15. Salige sint thie thar ahtnessi sint tholenti thuruh reht, uuanta iro ist himilo rihhi.
16. Salige birut ír, mit thiu iu fluohhont inti hazzont iuúih man inti ahtent iuúar inti quedent ál ubil uuidar íu liogente, mit thiu sie iuuih ziskeident inti itiuuizzont inti áruuerphent iuuaran namon samasó ubil thuruh then mannes sún.
17. Giuehet in themo tage inti blidet, uuanta bithiu iuuar mieta ist ginuhtsam in himilon.

1. *Übersetzung vgl. Matth. 5, 1–13 und Luk. 6, 20–26.*

18. Só áhtitun sie thero uuizagono thie thar fora íu uuarun, iro fatera.
23, 1. Thoh uuidaro uúe íu otagon, uuanta ir habet íuuuera fluobara.
2. Uue íu thie thar gisatote birut, bithiu uuanta ír hungeret.
3. Uue íu thie nú lahhet, bithiu uuanta ír vvuofet inti riozet.
4. Uue íu mit thiu íu uuolaquædent alle man: after thesen tatun luggen uuizagon iro fatera.
24, 1. Uzouh iu thie dar gihoret, quidu ih: ír birut salz erda.
2. Oba thaz salz aritalet, in hiu selzit man iz thanne?
3. Zi niouuihtu mag íz elihor, nibi thaz man íz úzuuerphe, inti si fúrtretan fon mannun.

NOTKER LABEO

Geb. um 950, gest. 29. Juni 1022 in St. Gallen an der Pest, die das Heer Heinrichs II. bei der Rückkehr aus Italien eingeschleppt hatte. Notker Labeo (= der Großlippige), auch Teutonicus (= der Deutsche) genannt, war als Leiter der Klosterschule von St. Gallen ein berühmter Lehrer seiner Zeit. Vor allem als kommentierender Übersetzer von Lehrbüchern aus dem Griechischen und Lateinischen ist er für die Entwicklung der deutschen Sprache bedeutend: Er versuchte eine konsequente und phonetisch klare Rechtschreibung des (alemannischen) Deutschen, wobei er z. T. jedoch noch deutsch-lateinische Mischprosa schrieb.
Eigene Schriften u. a. eine deutsche Schrift über die Musik (*De musica*, nach Boëthius) sowie kleinere Schriften zur Rhetorik, Logik und Mathematik. Erhaltene Übersetzungen u. a. Martianus Capella: *De nuptiis Philologiae et Mercurii*; Boëthius: *De consolatione philosophiae*; Aristoteles: Kategorien und Hermeneutik; Psalter.

Der 138. Psalm (Auszug)

In der mittelalterlichen Theologie wird die Exegese der Psalmen zur christlichen Heilslehre, die biblisch-liturgische Lyrik zum biblischen Wort. So ist Notkers kommentierende Übersetzung der lateinischen Verse vor allem Auslegung der christlichen Heilslehre. Überschriften und Kommentierung geben an, wo der Text Christus als dem Haupt der Kirche oder der Kirche als dem Leib Christi zugeordnet wird.

(Secundum[1] Augustinum Christus ad patrem de se ipso loquitur:)

1. »*Domine probasti me et cognouisti me*«: Hêrro mîn, dû besûohtost mih in passione unde bechandôst mih. Daz chît: tâte, daz mih ándere bechénnent.
2. »*Tu cognouisti sessionem meam et resurrectionem meam*«: Du becházndôst min nídersízzen in tôde unde mîn ûfstân nah tôde. (Aut ex persona sui corporis loquitur:) Dû bechándôst mîna níderi in pęnitentiam, dô ih in éllende uuas, unde mîna ûfirríhteda, do ih chám unde áblaz keuuán.
3. »*Intellexisti cogitationes meas de longinquo*«: Dû bechándost mîne gedáncha férrenân, do ih idolorum culturam begonda léidezen. »*Semitam meam et limitem meum inuestigasti*«: Mina leîdûn stîga, an déro ih kieng fóne dir, unde daz ende, daz mortalitas ist, ze déro ih follecham, daz irspêhotost dû: iz neuuas ferborgen fóre dír.

1. (Nach Augustin spricht im folgenden Christus über sich selbst zum Vater:) 1. »Herr, du hast mich geprüft und kennst mich«: Du, mein Herr, hast mich in (meinem) Leiden geprüft und kennst mich. Das bedeutet: du hast bewirkt, daß mich andere kennenlernen. 2. »Du weißt, wann ich sitze und wann ich wieder aufstehe«: Du weißt, wie ich mich im Tod niedergelassen habe und wie ich nach dem Tod wieder auferstanden bin. (Oder er spricht im Namen seines Leibes:) Du kennst meine Erniedrigung in der Reue, da ich in der (irdischen) Verbannung war, und meine Erhebung im Trost, da ich (wieder zu dir) kommen und die Vergebung der Sünden erringen konnte. 3. »Du durchschaust meine Gedanken von fern her«: Du kennst meine Gedanken von ferne, (von dem Zeitpunkt an,) da ich den Götzenkult zu verabscheuen begann. »Du hast meinen Weg und mein Ende erforscht«: Meinen Leidensweg, den ich, von dir (kommend), gegangen bin, und das Ende, das die Vergänglichkeit des irdischen Lebens ist, die ich erreicht habe, hast du erforscht: es war dir

4. *»Et omnes uias meas prȩuidisti«:* Unde alle mine uuéga, in dien ih írrôta, fóreuuíssost dû. Du hangtost mir sîe ze gânne, ube ih hína nemahti, daz ih iruuúnde ze dir. *»Quoniam non est dolus in lingua mea«:* Uuanda nu neíst trúgeheit in minen uuórten.
5. *»Ecce, domine, tu cognouisti omnia nouissima et antiqua«:* Du uueîst mîniu iúngesten ding, dô ih tôdig uuard, unde diu alten díng, do ih sundon gestûont. *»Tu finxisti me et posuisti super me manum tuam«:* Dû scáffotost mih, do ih sundota, ze arbeîten, in dien ih fore neuuas, unde legetost mih ána dîna hant, uuanda dô drúhtost du mih.
6. *»Mirificata est scientia tua ex me«:* Fone mînen sculden ist mir uuúnderlîh unde únsémfte uuorden din bechénneda. *»Inualuit, non potero ad illam«:* Si ist mir ze stárch, ih nemag iro zûo, aber du maht mih iro genáhen.
7. *»Quo ibo a spiritu tuo?«* Uuára mag ih fore dînemo geiste, des diu uuerlt fol íst? Also iz chit: *»Spiritus domini repleuit orbem terrarum.«* – *»Et quo a facie tua fugiam?«* Unde uuára fliêho ih fóre dír? Uuara mag ih indrínnen dînero abolgi?

nicht verborgen. 4. »Und du hast alle meine Wege vorhergesehen«: Und du wußtest alle meine Wege, auf denen ich umhergeirrt bin, im voraus. Du hast zugelassen, daß ich sie gehe, wenn ich auch nicht zu dir hätte zurückkehren können. »In meinem Reden ist nämlich keine Arglist«: Denn in meinen Worten ist keine Falschheit. 5. »Siehe, Herr, du kennst das Gegenwärtige und das Vergangene«: Du kennst mein gegenwärtiges Schicksal, da ich dem Tod verfallen bin, und auch (meine) Vergangenheit, da ich anfing zu sündigen. »Du hast mich gelenkt und deine Hand auf mich gelegt«: Du hast mich, als ich sündigte, in Bedrängnisse geführt, die ich zuvor nicht kannte, und hast deine Hand auf mich gelegt, um mich zu quälen. 6. »Ich staune über dein Wissen«: Durch meine Schuld ist mir dein Wissen unheimlich und bedrückend geworden. »Es ist übermächtig geworden, und ich kann es nicht begreifen«: Es ist mir zu mächtig, ich kann es nicht begreifen, doch mit deiner Hilfe werde ich mich ihm (wieder) nähern. 7. »Wohin sollte ich (noch) gehen vor deinem Geist?« Wohin kann ich noch gehen vor deinem Geist, der die Welt erfüllt? Wie geschrieben steht: »Der Geist des Herrn erfüllt den Erdkreis.« – »Und wohin sollte ich noch fliehen vor deinem Angesicht?« Und wohin kann ich vor dir noch fliehen? Wo kann ich deinem Zorn noch entgehen?

8. *»Si ascendero in cęlum, tu illic es«:* Héue ih mih hóho, dâr drúcchest du mih uuídere. *»Si in infernum descendero, ades«:* Pirgo ih mih, daz ih mînero sundon iéhen neuuíle, dû geiíhtest mih íro.

Der Ältere Physiologus

Der anonyme Übersetzer stützt sich auf eine um 400 n. Chr. entstandene Übersetzung des griechischen christlichen *Physiologus* (2. Jh.), der unter den orientalischen Christen weit verbreitet war. Seine Arbeit, etwa um 1070 im Kloster Hirsau angefertigt, ist eine sehr freie und elementare Bearbeitung der Vorlage.

Diese »christliche Zoologie« ist nicht dazu bestimmt gewesen, Naturbeobachtung oder -erkenntnisse zu vermitteln, sondern die allegorische Ausdeutung der Natur, besonders der Tierwelt, zu fördern. Die Ausdeutung der animalischen Umwelt zur Stützung von Dogma und Erlösungslehre hat nachhaltigen Einfluß bis ins späte Mittelalter gehabt.
In dem hier wiedergegebenen ersten Stück, »De Leone«, ist der Vorgang der Löwengeburt als Gleichnis zu fassen. Die von der Löwin tot geborenen Jungen werden nach drei Tagen durch das Gebrüll des Löwen erweckt: Christus liegt drei Tage tot im Grab und wird durch die Stimme des Vaters wiedererweckt.

De[1] Leone

Hier begin ih einna reda umbe diu tier uuaz siu gesliho bezehinen. Leo bezehinet unserin trohtin. turih sine sterih-

8. »Wenn ich zum Himmel aufsteige, bist du (auch) dort«: Steige ich empor, stößt du mich dort zurück. »Steige ich ab in die Hölle, bist du (auch dort) zugegen«: Will ich mich verbergen, um meine Sünden nicht zu bekennen, bringst du mich doch dazu, sie zu gestehen.
1. Über den Löwen. Hier beginne ich eine Rede von den Tieren, was sie geistlich bedeuten. Der Löwe bedeutet unseren Herren wegen seiner

chi. unde bediu uuiret er ofto an heligero gescrifte genamit. Tannan sagita iacob to er namæta sinen sun iudam. Er choat iudas min sun ist uuelf des leuin. Ter leo hebit triu dinc annimo. ti dir unserin trotinin bezeichenint. Ein ist daz so ser gat in demo uualde. un er de iagere gestincit. so uertiligot er daz spor mit sinemo zagele zediu daz sien ni ne uinden. So teta unser trotin to er an der uuerilte mit menischon uuaz zediu daz ter fient nihet uerstunde daz. er gotes sun uuare. Tenne so der leo slafet so uuachent sinu ougen. An diu daz siu offen sint daranna bezeichenit er abir unserin trotin alser selbo quad an demo buhche cantica canticorum. Ego dormio et cor meum uigilat. Daz er rasta andemo menisgemo lihamin. un er uuahcheta an der gotheite. So diu leuin birit so ist daz leuinchelin tot so beuuard su iz unzin an den tritten tag. Tene so chumit ter fater unde blaset ez ana so uuirdet ez erchihit. So uuahta der alemahtigo fater sinen einbornin sun uone demo tode an deme triten tage.

Stärke, und deswegen wird er oft in der Heiligen Schrift genannt. Daher sagte Jakob, da er seinen Sohn Judas nannte; er sagte: Judas mein Sohn ist ein Junges des Löwen. Der Löwe hat drei Dinge an sich, die da unseren Herren bedeuten. Eines ist das: Wenn er in dem Walde geht und er die Jäger wittert, so vertilgt er die Spur mit seinem Schwanz, damit sie ihn nicht finden. So tat unser Herr, als er in der Welt mit Menschengestalt war, auf daß der Feind nicht merkte, daß er Gottes Sohn wäre. Dann: Wenn der Löwe schläft, so wachen seine Augen. Darin, daß sie offen sind, darin bezeichnet er abermals unseren Herren, wie er selber sagte in dem Buche cantica canticorum. Ego dormio et cor meum vigilat. Daß er ruhte in dem menschlichen Leibe und er wachte in der Göttlichkeit. Wenn die Löwin gebiert, so ist das Löwlein tot, dann bewahrt sie es bis an den dritten Tag. Dann kommt der Vater und bläst es an, dann wird es zum Leben erweckt. So weckte der allmächtige Vater seinen eingeborenen Sohn von dem Tode am dritten Tage.

Glossen

Althochdeutsche Prosa war vor allem Übersetzungsprosa, die sich anfangs auf die Erstellung von Glossen (mlat. glossa, Erklärung) konzentrierte: lateinische Wörterverzeichnisse zu Schriftstellern, Werken oder Sachgebieten werden ins Deutsche übersetzt; zunächst als interlineare (zwischen den Zeilen) oder marginale (am Rande) Glossen, später als alphabetische Wörterbücher. Anfangs als schulmäßige Arbeit zum Erlernen der lateinischen Sprache oder zum Verständnis lateinischer Texte gebraucht, gewinnen die Glossensammlungen historische und kulturgeschichtliche Bedeutung, wo die Worterklärungen eine Aneignung und Fortentwicklung antiker Inhalte zeigen und von gelehrten Mönchen zur Abfassung selbständiger Schriften benutzt wurden.

Abrogans (Auszug)

Als Vorlage diente ein spätlateinisches Synonymenlexikon; es wurde unter Anleitung des Bischofs Arbeo (764–783) in der Domschule von Freising übersetzt. Der »Abrogans« (so betitelt nach dem ersten Stichwort) gilt aufgrund seiner frühen bairischen (verlorenen) Urfassung als das »älteste deutsche Buch«. Überlieferung nach drei alemannischen Bearbeitungen aus den Klöstern Reichenau, Murbach (Elsaß) und St. Gallen.

Abrogans	dheomodi
humilis	samftmoati
Abba	faterlih
pater	fater
Abnuere	ferlaucnen
renuere	pauhnen
recusare	faruuazzan
refutare	fartriban

Absque uetere	uzzana moatscaffi
absque amicicia	uzzana friuntscaffi
Abincruentum	ana sceopandi
abinmittentes	ana lazcende
Absit	fer si
longe sit	rumo si
Abest	fram ist
deest	uuan ist
Abdicat	farchuuidhit
abominat	faruuazzit
denicat	farsahchit
repudat	fartribit
Abstrusum	uncafori
clandestinum	uuidarzoami
latens	caporgan
occultum	tunchlo
remotum	caroarit
Abstractum	farzocan
subductum	farlaitit
Absurdum	ungafoari
dispar	ungamah
inconcilium	ungamez
Abluit	aruuaskit
emundat	cachrenit
lauat	thouuahit
Adseuerat	cafrumit
adfirmat	cafastinod

Waffen und Werkzeuge (Auszug)

Beginn eines Sachglossars über Waffen und Werkzeuge aus einer Handschrift des 10. Jahrhunderts.

Torax	prunna
Lancea	sper

Galea	helm
Ocrea	peinperga
Spata	Suuert
Capula	helza
Faidilus	fezzil
Balteum	Palz
Semispatium	sahs
Cultellus	mezzeres
Arcus	Pogo
Scutum	Scilt
Umbo	rantpogo
Sagitta	strala
Pilus	phîl
Pharetra	chochari
Pulzio	Polz
Corda	Senua
Graphium	Criphil
Scinonem	scinun
Subula	ala
Amus	Angal
Acus	nadala
Falx	Segansa
Falcicula	sichila
Circinus	rîzza
Securis	accus
Dolatura	Parta
Propunctoria	stouphhisam
Terebellus	napager
Plana	scapo
Scalprum	Scrotisran
Runzinum	nuhil
Ascia	Dehsla
Pala	Scûuala
Uangas	crapun

Zweite Würzburger Markbeschreibung

Bericht einer Grenzbegehung; die Abfassung in deutscher Volkssprache läßt vermuten, daß es sich nicht um eine Urkunde handelt, sondern der Text öffentlich verkündet wurde. Einige Übereinstimmungen mit Orts- und Personennamen der Ersten (urkundlichen, lateinischen) Würzburger Markbeschreibung vom 14. Oktober 779 ermöglichen die Datierung vor 790. Überliefert in einem Würzburger Evangeliencodex des 9. Jahrhunderts.

Marchia[1] *ad Uuirziburg.* In Rabanesbrunnon, nidarun halba Uuirziburg, ostarun halba Moines, danan in Anutseo, danan in Blidheresbrunnon, danan in Habuchotal, danan in daz steinina houc, danan in den diotuueg, in die huruuinun struot, diu dar heizzit Giggimada, danan in Pleihaha in den steininon furt, danan ûffan Grimberg in daz Grimen sol, danan in Quirnaha ze demo Geruuines rode, danan ûffan Quirnberg ze dero haganinun huliu, danan in den ostaron egalseo, dar der spirboum stuont, danan in Stacchenhoug, danan in Uuolfgruoba, danan duruh den Fredthantes uuingarton mittan in die egga, sosa diu Rabanes buohha stuont, oba Heitingesueld in mittan Moin in die niderostun urslaht furtes, in mitten Moin unzen den brun-

1. *Die Mark zu Würzburg. (Die Grenze verläuft) beim Rabansbrunnen unterhalb Würzburgs, östlich des Mains, (verläuft) danach zum Entensee, weiter zum Blidheresbrunnen, weiter durch das Habuchotal* (Dürrbachtal?), *weiter auf den Steinberg, weiter über die Heerstraße* (alte Rimparer Str.), *weiter zur Sumpfwiese, die Gicksmahd heißt, weiter durch die steinerne Pleichachfurt, weiter über den Grainberg (und) durch den Grainmorast* (Eulengraben?), *weiter zur Kürnach bei der Rodung des Gerwin, weiter über den Kürnacher Berg zu dem mit Dornen bewachsenen Sumpf, weiter zum östlichen Egelsee* (See'le), *wo der Vogelbeerbaum stand, weiter auf den Stacchenhügel* (Blauer H.), *weiter zur Wolfsgrube, weiter durch den Weingarten Fredthants bis in den Winkel, wo die Rabansbuche stand, oberhalb Heidingsfeld in den Main, wo die tiefste Stelle der Furt ist, im Main (aufwärts) bis zu dem Brun-*

non, so dar uuesterun halba Moines, ûf in Brunniberg, in Druhiriod, in Druhiclingon, in Moruhhesstafful, danan in Brezelunseo, danan in den diotuueg, danan in Eburesberg, danan in Tiufingestal ze demo seuuiu, danan in Huohhobura, danan in Ezzilenbuohhun, dar in daz houc in dero heride, in Gozoluesbah, danan in mitten Moin, auur in Rabanesbrunnon:
So sagant, daz so si Uuirziburgo marcha unte Heitingesveldono unte quedent, daz in dero marchu si ieguuedar, ióh chirihsahha sancti Kilianes ióh frono ióh friero Franchono erbi.
Diz sageta Marcuuart, Nanduuin, Helitberaht, Fredthant, Heio, Unuuan, Fridurih, Reginberaht, Ortuuin, Gozuuin, Iuto, Liutberaht, Bazo, Berahtolf, Ruotberaht, Sigfrid, Reginuuart, Folcberaht.

Straßburger Eide

Die Söhne Ludwigs des Frommen, Karl II., der Kahle (Westfranken) und Ludwig der Deutsche (Ostfranken), bekräftigen nach einem Sieg über den älteren Bruder Lothar I. am

nen, der auf dem Westufer des Mains (liegt), auf den Brunnberg, ins Druhiried, in die Druhiklinge (Guttenberger Grund?), *zur Moruhhestaffel, weiter zum Brezelunsee* (im Irtenberger Forst), *weiter über die Heerstraße* (nach Tauberbischofsheim), *weiter zum Eburesberg, weiter ins Tiufingestal* (Steinbachtal) *bis zum See, weiter zum Höchberg* (Altenburg/Nikolausberg?), *weiter zur Ezzilenbuche, dort auf den Hügel im Allmendebezirk, zum Gozolvesbach, weiter in den Main, (von dort flußabwärts) wieder zum Rabansbrunnen:*
So, wird bestätigt, ist die Würzburg-Heidingsfelder Mark, und man sagt, daß in dieser Mark sowohl Kirchengut von St. Kilian als auch Erbgut von Franken des Herren- und Freienstandes liegt.
Dies haben bestätigt Markwart, Nandwin, Helitbercht, Fredthant, Heio, Unwan, Friedrich, Reginbercht, Ortwin, Gozwin, Juto, Liutbercht, Bazo, Berchtolf, Rutbercht, Siegfried, Reginwart, Folkbercht.

14. Februar 842 bei Straßburg ihr Bündnis. Um sich dem Heer verständlich zu machen, schwört jeder den Eid in der Volkssprache des Bündnispartners: Ludwig romanisch (= erstes französisches Sprachdenkmal), Karl deutsch (rheinfränkisch). Danach schwören auch beide Heere, jeweils in der Landessprache, die Eide der Könige zu halten oder Gefolgschaft zu versagen, wenn ihr König den Eid brechen sollte. Bericht, Überlieferung der Eide und der volkssprachigen Ansprachen (diese nur in lateinischer Fassung = Sprache des Geschichtsschreibers) der Könige an ihre Heere durch Nithart (gest. 844), Enkel Karls des Großen.

Ergo XVI kalend. marcii Lodhuuicus et Karolus in civitate, quae olim Argentaria vocabatur, nunc autem Strazburg volgo dicitur, convenerunt, et sacramenta, quae subter notata sunt, Lodhuuicus romana, Karolus vero teudisca lingua iuraverunt. Ac sic ante sacramentum circumfusam plebem alter teudisca, alter romana lingua alloquuti sunt. Lodhuuicus autem, quia maior natu, prior exorsus sic coepit: »Quotiens Lodharius me et hunc fratrem meum« etc. Cumque Karolus haec eadem verba romana lingua perorasset, Lodhuuicus, quoniam maior natu erat, prior haec deinde se servaturum testatus est:

Pro deo amur et pro christian poblo et nostro commun salvament, d'ist di in avant, in quant deus savir et podir me dunat, si salvarai eo cist meon fradre Karlo et in aiudha et in cadhuna cosa, si cum om per dreit son fradra salvar dist, in o quid il mi altresi fazet, et ab Ludher nul plaid numquam prindrai, qui meon vol cist meon fradre Karle in damno sit.

Quod cum Lodhuuicus explesset, Karolus teudisca lingua sic haec eadem verba testatus est:

In[1] godes minna ind in thes christānes folches ind unsēr bēdhero gehaltnissī, fon thesemo dage frammordes, sō fram sō mir got geuuizci indi mahd furgibit, sō haldih thesan mīnan bruodher, sōso man mit rehtu sīnan bruodher scal, in

1. Aus Liebe zu Gott und zur Erlösung der Christenheit und unser beider will ich, sofern mir Gott Einsicht und Kraft gibt, von diesem Tage an diesem meinem Bruder so begegnen, wie man Rechtens seinem Bruder

thiu thaz er mig sō sama duo, indi mit Ludheren in nohheiniu thing ne gegango, the mīnan uuillon imo ce scadhen uuerdhēn.

Sacramentum autem, quod utrorumque populus quique propria lingua testatus est, romana lingua sic se habet:

Si Lodhuuigs sagrament, que son fradre Karlo iurat, conservat et Karlus meos sendra de suo part non los tanit, si io returnar non l'int pois: ne io ne neuls, cui eo returnar int pois, in nulla aiudha contra Lodhuuuig nun li iu er.

Teudisca autem lingua:

Oba[2] Karl then eid, then er sīnemo bruodher Ludhuuuīge gesuor, geleistit, indi Ludhuuuīg mīn hērro then er imo gesuor forbrihchit, ob ih inan es iruuenden ne mag: noh ih noh thero nohhein, then ih es iruuenden mag, uuidhar Karle imo ce follusti ne uuirdhit.

Quibus peractis Lodhuuuicus Renotenus per Spiram et Karolus iuxta Vuasagum per Vuīzzūnburg Vuarmatiam iter direxit.

Zauberformeln, Segen

Die karolingische Zeit, geprägt durch die wachsende Aneignung antiker Bildung und christlicher Heilslehre, überliefert in Zauber- und Segensformeln, in Magie und Spruch deutschsprachige Literaturdenkmäler aus heidnischer Zeit. »Bedeutsam ist die häufige Nachbarschaft in den Handschriften zu kirchlichen Texten, bedeutsam auch, daß die Überlieferung mit wachsender Entfernung zur ›heidnischen‹ Vergangenheit anschwillt« (Schlosser in: »Althochdeutsche Literatur«, S. 358).

begegnen soll, damit er mir Gleiches tue, und ich gehe mit Ludwig keinen Vertrag ein, in dem mein Willen ihm zum Schaden werden könnte.

2. Wenn Karl den Eid, den er seinem Bruder Ludwig geschworen hat, hält, und Ludwig, mein Herr, den, den er ihm schwor, bricht, so werden, wenn ich ihn daran nicht hindern kann, weder ich noch irgendeiner, den ich davon [von dem Eidbruch] abbringen kann, ihm gegen Karl beistehen.

Lösezauber
Erster Merseburger Spruch

Ältester (10. Jh.), in Form und religiöser Vorstellung vorchristlicher Zauberspruch in stabreimenden Langzeilen, zweiteilig im Aufbau (wie auch der folgende »Pferdesegen«).

Eiris[1] sazun idisi, sazun hera duoder.
suma hapt heptidun, suma heri lezidun,
suma clubodun umbi cuoniouuidi:
insprinc haptbandun, inuar uigandun.

Pferdesegen
Zweiter Merseburger Spruch

Sprachlich aus der Gegend von Fulda, zur Zeit des Bonifatius (10. Jh.). Die mythologischen Elemente sind bis heute weitgehend ungeklärt.

Phol[2] ende uuodan uuorun zi holza.
du uuart demo balderes uolon sin uuoz birenkit.
thu biguol en sinthgunt, sunna era suister;
thu biguol en friia, uolla era suister;
thu biguol en uuodan, so he uuola conda:
sose benrenki, sose bluotrenki,
sose lidirenki:

1. Einst ließen sich die Idisen [den Nornen verwandte Schicksalswesen] nieder, setzten sich hierhin und setzten sich dorthin. / Einige fesselten (die Feinde), andere hemmten (das feindliche) Heer, / wiederum andere lösten die Fesseln (des Freundes): / löse dich aus den Fesseln, entflieh den Feinden.

2. Phol und Wodan ritten in den Wald. / Da verrenkte sich Balders Fohlen den Fuß. / Da besprach ihn Sindgund (und) Sunna, ihre Schwester; / da besprach ihn Frija (und) Volla, ihre Schwester; / da besprach ihn Wodan, so gut er konnte: / Wie die Verrenkung des Beines, so die Verrenkung des Blutes, / so die Verrenkung des Gliedes: / Knochen zu Knochen, Blut zu Blut, / Glied an Glied, als seien sie geleimt(?).

ben zi bena, bluot zi bluoda,
lid zi geliden, sose gelimida sin.

Bienensegen
Lorscher Spruch

Überliefert in einer vatikanischen Handschrift des 10. Jahrhunderts aus Lorsch. Auffallend die Überlagerung magischer Beschwörung mit christlichen Elementen. Zweiteiliger Bau mit binnengereimter Langzeile.

Kirst[3], imbi ist hucze! nu fluic du, uihu minaz, hera
fridu frono in godes munt heim zi comonne gisunt.
sizi, sizi, bina: inbot dir sancte maria.
hurolob ni habe du: zi holce ni fluc du,
noh du mir nindrinnes, noh du mir nintuuinnest.
sizi uilu stillo, vuirki godes uuillon.

Wurmsegen
Pro Nessia

Oberdeutsch, Tegernseer Handschrift des 9. Jahrhunderts. Der »Wurm« galt als Ursache vieler Krankheiten.

Gang[4] uz, Nesso, mit niun nessinchilinon,
uz fonna marge in deo adra, vonna den adrun in daz fleisk,

3. *Christus, die Immen sind geschwärmt! Nun fliegt wieder her, meine Tiere, / damit ihr im göttlichen Frieden, in Gottes Schutz gesund heimkommt. / Sitz, sitz, Biene: Das gebot dir die heilige Maria. / Du sollst keine Erlaubnis haben, in den Wald zu fliegen, / noch sollst du mir entwischen, noch du mir entweichen. / Sitz ganz still und erfülle Gottes Willen.*
4. *Wurm, kriech heraus, mit neun Würmchen, / aus dem Mark in die Adern, aus den Adern in das Fleisch, / aus dem Fleisch in die Haut, / aus der Haut auf diesen Pfeil. / Dreimal Vaterunser.*

fonna demu fleiske in daz fel, fonna demo velle in diz tulli.
Ter pater noster.

Merigarto (Auszug)

Entstehungszeit um 1090 im ostfränkisch-bairischen Sprachraum.

Der Titel stammt vom ersten Herausgeber des Textes (Heinrich Hoffmann von Fallersleben, 1834; Merigarto = die vom Meer umgürtete Welt, Erdkreis). Die erhaltenen Bruchstücke sind Teile einer geographischen Sach- und Naturkunde in Versen, die beschreibende und fabulierende Berichte über Quellen, Flüsse, Meere und Länder gibt; darunter erster deutschsprachiger Bericht über Island. Vgl. dagegen den »Physiologus« (S. 32 f.).

Daz ih ouh hōrte sagan, daz ni uuillih nieht firdagin[1],
daz in Tuscane rin ein uuazzer scōne
unt sih daz perge[2] an ein wisin unter derda,
unte man sīn sō manga[3] uuola zehen iūche[4] lenga.
An daz selbo velt sluogin zuēne hēren ir gizelt,
die manigi zīte uuārn in urliuges[5] strīte.
Duo si des wurtin sat, duo sprāchin si einen tag[6],
daz siz suontin, mēra andere ni hōnten[7].
Dā daz uuazzer unter gie, ein samanunga dā nidar viel[8]:

1. *verschweigen.*
2. *verberge.*
3. *ermangele.*
4. *Joche.*
5. *Krieges.*
6. *Verhandlungstag.*
7. *damit sie es gegenseitig beglichen und sich nicht weiter gegenseitig schädigten.*
8. *lagerte sich.*

diu endriu irbeizta[9], dā'z uuidar ūz uuāzta[10].
Dā gieng ein man, uuolt dā bī giruouuan:
der vernam alla die rāte, die doberan tātan.
Duo'rz rehto vernam, duo gier zi demo hērren,
er sagtimo gisuāso[11] dero vīante gichōsi[12].
Er bat in sīn stillo, hiez in iz nieht meldin,
unte gie mit an die stat, dā er ē eino lag,
unte vernam selbo dero vīante gechōse.
Uf scoub er den tag, lobtin uuider an die selbin stat.
mit den er uuolta, legt er sich an des uuazzeres ūzpulza.
nāh diu si dā firnāmen, die suona si frumitan[13]. –
daz ist ouh ein wunter, daz scrībe uuir hier unter.

Ein uuīzzer prunno pī Rōme springit vili scōne,
demo dei ougin sērezzin[14], der īli si dār mite nezzin:
uber churze stunt sint si imo gisunt.
In Mōrlant ist ein sē, der machot den līb scōne:
der sih dermite bistrīchit, diu hūt imo glīzzit.
Allesuā[15] ist ein prunno, der machot suozze stimma.
der heis[16] ist, gitrinchit er sīn einist,
er singit sō lūto, deiz wunterint dei liuto.
Sumelīh prunno irleidit uuīnis wunne.
zeinem urspringe chuīt man[17] zuēne rinnen,
suer des einin gisuppha[18], daz der ibilo gihukka[19];
der ava des anderen gileche[20], daz der niehtes irgezze[21].

9. *stieg ab.*
10. *hervorbrach.*
11. *vertraulich.*
12. *Gerede.*
13. *schlossen ab.*
14. *schmerzen.*
15. *anderswo.*
16. *heiser.*
17. *sagt man.*
18. *trinke.*
19. *ein schlechtes Gedächtnis.*
20. *koste.*
21. *vergesse.*

Man chuīt, ouh sī ein prunno, dā man abe prinne
fone huorgiluste, inbīzzers sō inen durste[22].
Ouh sagant maniga, ein uuazzer sī in Campania,
daz nieman sī sō umbāra[23], gitrinchet er dāra,
iz sī uuīb odo man, si megin sā chindan.
die ouh gihalten uuellent iro giburt, die buozzint[24] dā
den durst.
Zuēne prunnen sint in Sicilia, chumit dara zuo charl oda
uuiniga[25]
unte choren di des einin, sōni durffin si chindes menden[26]:
an dem anderen magin si chint vuuocheren.
Ouh sint zuō aha[27] unte in gilīchimo pada:
diu eina ist dā sō guot, daz si daz skāf uuīz machot;
ab dem andren iz suarz uuirdit, ub iz in ofto trinchit.
uuerdent dei uuazzer zisamine gimiscit unte uuirt iz dār
mite gitrenchit,
sō chodint[28] si, diu uuolla irsprechila mittalla[29].
In Idumea, chuīt man, ouh sī ein aha,
diu uuantele die varauua des iāres vier uuerba[30]:
drī mānot ist si truoba, drī ist si grasegruona,
drī pluotvara, drī ist si lūtter alagaro[31].
Allesuā ist ein sē, ...
der uuirt drīo stunt sō bitter, ē der tag uuerda tunker:
after diu ist er in munde suoz unte lindi.
In Sardinia ni sint nieht diebe manega,
daz ist fone diu unt ih sag iu,
daz ein prunno dā springit, dei siechin ougin er erzinit[32];

22. *so er davon trinkt, wenn er Durst hat.*
23. *unfruchtbar.*
24. *löschen.*
25. *Ehemann oder Gattin.*
26. *sich erfreuen.*
27. *Flüsse.*
28. *behaupten sie.*
29. *werde vollkommen scheckig, bunt.*
30. *viermal.*
31. *ganz und gar.*
32. *heilt.*

der ouh ieht firstilit, porlanga[33] erz nieni hilit:
gisuerit er meinnes[34] unte gitrinchit er sīn einist
daz gisūne er sō fliusit, daz er noh sā uuegiskīmen
chūsit[35].

2. Poetische Literatur

Die Literatur der karolingischen Zeit war vor allem eine Prosa-Literatur, der die elementare Vermittlung christlicher Lehre wichtiger war als formaler Anspruch. Erst zunehmende Sicherheit im Umgang mit deutscher Sprache erlaubte, bei unveränderter missionarischer Zielsetzung, eine Emanzipation von den lateinisch-christlichen Vorlagen und die Benutzung von Formelementen älterer germanischer Dichtung, vor allem des Stabreimverses (vgl. S. 50). Stabreimdichtung mit christlichem Inhalt entstand im angelsächsischen und langobardischen Sprachraum, sie wurde in die deutschsprachige geistliche Dichtung übernommen, sie erfuhr hier jedoch keine eigenständige Entwicklung.

Das sogenannte »Wessobrunner Gebet« (Anfang 9. Jh.) zeigt mit seinen ersten 9 altgermanischen Stabreimzeilen, daß angelsächsische Poesie in deutschen Klöstern (Fulda) auch für die kirchliche Gebrauchsliteratur adaptiert und im »Heliand« und in der »Altsächsischen Genesis« in reiner Ausprägung übernommen wurde. Besonders der »Heliand« ist ein wichtiger Beleg für die gelungene Verschmelzung germanischer Stil- und Formelemente mit christlichen Stoffen nach antikem Vorbild. Auch im »Muspilli« (2. Hälfte 9. Jh.; Fulda) läßt sich wohl eine angelsächsische Quelle erkennen; hier aber wird die stilistische und formale Emanzipation von der

33. *sehr lange.*
34. *Meineid.*
35. *verliert er die Sehkraft, so daß er sofort keinen Schimmer des Weges mehr wahrnimmt.*

starren Vorlage zugunsten eines auf lateinische Predigtform zurückgreifenden Stils sichtbar. Es bleibt einziges Beispiel für ein »deutsches« Stabreimgedicht.

Zwischen der Mitte und dem Ende des 9. Jahrhunderts muß sich ein – wahrscheinlich nie erklärbarer – tiefer Wandlungsprozeß in den literarischen Zentren der Klöster vollzogen haben. Mit Otfrieds »Evangelienbuch« geschieht die Ablösung der Prosadichtung durch den viertaktigen, stablosen, paarigen Endreimvers, den deutschen Erzählvers. Zwar enthalten »Hildebrandslied« (V. 15) und »Muspilli« vereinzelte Reimverse, die als Indiz, kaum aber als Erklärung für den neuen Vers gelten können, der die deutsche Dichtung für Jahrhunderte beherrschen wird.

Mit Otfried von Weißenburg beginnt die formale Orientierung der religiös-theologischen Dichtung des Mittelalters an lateinischen Vorbildern. Bei den vorgegebenen Inhalten aus Bibel, Exegese und Heilslehre wurde »Kunst« für das gesamte Mittelalter vor allem die Beherrschung der formalen Mittel. Zögernd nur wird von der Form her auch der Inhalt freier gestaltet, ohne dabei je zu subjektiver Aussage vorzustoßen. Literatur bleibt vorerst, was sie in deutscher Sprache seit Beginn war: kirchliche Gebrauchsliteratur.

Das trifft für die Legendendichtung der Roswitha von Gandersheim (um 935 bis nach 973) ebenso zu wie für die »Paraphrase des Hohen Liedes« und das »Memento mori« (um 1070) des Abtes Noker (Nogger). Mit dem Einsetzen der Reformbewegung von Cluny wird die noch in »Ezzos Gesang« ruhig vorgetragene Heilsgewißheit abgelöst von einer Dichtung der Askese und Diesseitsverachtung: Nokers Reimpredigt schlägt das Thema an, das die geistliche Dichtung bis 1170 beherrschen wird, sei es in Heinrich von Melks »Memento mori« (1150/60) oder im »Hamburger Jüngsten Gericht« (um 1140/50).

Parallel zu einer Bußliteratur der Weltverneinung entwikkelt sich im 12. Jahrhundert eine Marienlyrik, die in ihrer Symbolik volkstümlicher Frömmigkeit entspricht und mit der Bildsprache des Hohen Liedes in der religiösen Lyrik die elementaren Heilserwartungen des Individuums trifft. Das »Marienlied von Melk« (vor 1150) ist eines der frühesten Beispiele für die einsetzende lyrische Mariolatrie, die für die lyrische Dichtung der Stauferzeit formale und inhaltliche Elemente vorbereitet: die »Mariensequenz von Muri« verweist denn auch bereits auf die frühhöfische Schule.

Poetische Dichtung weltlichen Inhalts folgt, wo sie in althochdeutscher Zeit auftritt, überwiegend den gleichen formalen und inhaltlichen Mustern wie die geistliche Dichtung. Mit Ausnahme des stabreimenden »Hildebrandsliedes« (um 800), das auf eine alte germanische Vorlage zurückgeht, den Typus des germanischen Heldenliedes verkörpert, sind alle nennenswerten Dichtungen mit historischer Thematik von Geistlichen verfaßt worden. Ihnen diente das geschichtliche Ereignis (»Kaiserchronik«) oder die große historische Persönlichkeit (»Alexanderlied«) nur als exemplarisches Muster, als Beweis für göttliches Wirken im Diesseits und die Orientierung des Menschen am Heilsgeschehen. Im »Ludwigslied« (881) ist der Fürstenpreis nicht nur Verherrlichung für den Retter des zerfallenden Reiches der Westfranken, hier wird vor allem die Verbindung zwischen dem noch intakten germanischen Gefolgschaftsverhältnis und einem Gottesgnaden-Königtum gesucht. Noch im »Rolandslied« des Pfaffen Konrad wird Karl der Große als Gottesritter, als »miles christianus«, begriffen, ist Rittertum als »Gottesdienst« gedeutet.

In der Vorstellung einer auf Transzendenz angelegten Realität hat die für Dichtung und Wirklichkeit der Stauferzeit zentrale Idee des Kreuzrittertums einen ihrer Ursprünge.

Das Wessobrunner Gebet

Überliefert in einer lateinischen Sammelhandschrift des 9. Jahrhunderts aus dem bayrischen Kloster Wessobrunn. Die Sprache verweist auf eine Niederschrift in Bayern; gleichwohl sind ältere rheinfränkische Elemente vorhanden, und indem es nach Wortwahl, Inhalt und Form die Nachahmung eines angelsächsischen Schöpfungsgedichts ist, könnte die erste Niederschrift aus Fulda stammen (Bonifatius). Entstehungszeit etwa Ende des 8. Jahrhunderts (790).

Der Text ist zweiteilig: Zeile 1 bis 9 der Beginn eines Schöpfungsgedichts in Stabreimen, das mit einem Satzanfang abbricht; Zeile 10 bis 14 ein Gebet mit der Bitte um rechten Glauben. Das Gedicht ist für die Heidenmission verfaßt, also christlicher Herkunft: die christliche Genesis wird mit den Elementen germanisch-heidnischer Kosmogonie dargestellt (vgl. »Heliand«).

De Poeta[1]

Dat gafregin ih mit firahim firiuuizzo meista,
Dat ero ni uuas noh ufhimil,
noh paum ⟨...⟩ noh pereg ni uuas,
ni ⟨...⟩ nohheinig noh sunna ni scein,
noh mano ni liuhta, noh der mareo seo.
Do dar niuuiht ni uuas enteo ni uuenteo,
enti do uuas der eino almahtico cot,
manno miltisto, enti dar uuarun auh manake mit inan
cootlihhe geista. enti cot heilac ⟨...⟩
Cot almahtico, du himil enti erda gauuorahtos, enti du mannun so manac coot forgapi, forgip mir in dino ganada rehta galaupa enti cotan uuilleon, uuistóm enti spahida enti craft, tiuflun za uuidarstantanne enti arc za piuuisanne enti dinan uuilleon za gauurchanne.

1. *Von einem Dichter. / Das habe ich als das größte Wunder erkannt bei den Menschen, / daß es nicht gab Erde noch Himmel, / noch Baum, daß es den Berg nicht gab, / kein einziger Stern schien, noch die Sonne, / es leuchtete nicht der Mond und nicht die glänzende See. / Als es da nichts gab, weder Endliches noch Unendliches, / gab es schon den einen, allmächtigen Gott, / den reichsten an Gnade, und da gab es auch schon manche / göttliche Geister. Und den heiligen Gott. / Gott, Allmächtiger, du hast Himmel und Erde erschaffen und den Menschen so manches Gut gegeben, gib mir durch deine Gnade rechten Glauben und guten Willen, Weisheit und Klugheit und Kraft, den Teufeln zu widerstehen und das Böse zu meiden und deinen Willen zu befolgen.*

Heliand

Von einem unbekannten gelehrten Autor verfaßte altsächsische Evangelienharmonie von etwa 6000 Stabreim-Langzeilen Umfang. (Stabreim = Anlautreim: die »stabenden« = bindenden Wörter haben gleichen Anlaut oder Alliteration; wie z. B. nhd. Kind und Kegel. Die Verteilung der 2 bis 4 Stäbe in jeder Zeile ist streng geregelt.) Der Schreiber hat nachweislich den Matthäus-Kommentar des Hrabanus Maurus und die althochdeutsche Evangelienharmonie des Tatian benutzt; da ihm auch die in Fulda (Bonifatius) bekannte angelsächsische Stabreimdichtung als bestimmendes Vorbild dient, ist die Entstehung des »Heliand« in der Fuldaer Schule denkbar. Die »Praefatio« nennt Ludwig den Frommen (gest. 840) als Auftraggeber, das Epos könnte also um 830 entstanden sein. Titelgebung durch den ersten Herausgeber des Textes (Johann Andreas Schmeller, 1830).

Zusammen mit der »Altsächsischen Genesis« (um 830) ist der »Heliand« die einzige christliche Großdichtung aus der sächsischen, nachkarlischen Frühzeit. Der Dichter hat die germanisch-angelsächsische Dichtungstradition sowie ihre Formelsprache gekannt und genutzt, die einer kriegerisch-adligen Oberschicht und ihrer Denkweise zugeordnet war. So wird Christ(us) hier formal als hebancuning *die Rolle des Himmelskönigs und Gefolgsherrn gegeben, seinen Jüngern die der* gesidos, *der Gefolgsleute. Es handelt sich hier nicht um eine Germanisierung des Christentums, sondern um eine Ausnutzung sprach- und schichtspezifischer Stilelemente zur kompromißlosen Vermittlung völlig neuer Stoffe und Denkstrukturen.*

Nur in der Schicksalsvorstellung, die hier neben der Verkündigung christlicher Heilserwartung ungebrochen übernommen wird, lebt ältere germanische Weltvorstellung fort. Andererseits ist Christus im »Heliand« nicht als der Weltenrichter oder in seiner Trinität (vgl. den »Althochdeutschen Isidor« und Otfried von Weißenburg) erfaßt. Er ist vor allem Herr,

Lehrer, Gesetzgeber, der »diesseitige« Christus der Bergpredigt; sie steht denn auch im Mittelpunkt dieser Leben-Jesu-Beschreibung.

Die Bergpredigt

Thô[1] umbi thana neriendon Krist nâhor gengun
sulike gesîdos, sô he im selbo gecôs,
uualdand undar them uuerode. Stôdun uuîsa man,
gumon umbi thana godes sunu gerno suuîdo,
uueros an uuilleon: uuas im thero uuordo niud,
thâhtun endi thagodun, huuat im thero thiodo drohtin,
uueldi uualdand self uuordun cûdien
thesum liudiun te liobe. Than sat im the landes hirdi
geginuuard for them gumun, godes êgan barn:
uuelda mid is sprâcun spâhuuord manag
lêrean thea liudi, huuô sie lof gode
an thesum uueroldrîkea uuirkean scoldin.
Sat im thô endi suuîgoda endi sah sie an lango,
uuas im hold an is hugi hêlag drohtin,
mildi an is môde, endi thô is mund antlôc,
uuîsde mid uuordun uualdandes sunu
manag mârlîc thing endi them mannum sagde
spâhun uuordun, them the he te theru sprâcu tharod,
Krist alouualdo, gecoran habda,

1. Da gingen als Begleiter mit dem gütigen Krist / solche Gesellen, wie er selber sich erkor, / der Mächtige, aus der Menge. Da standen die weisen Männer / gern um den Gottessohn, die guten Helden, / williglich, die wackern, trugen nach seinen Worten Begehr, / schwiegen und bedachten, was ihnen dieser Scharen König, / der Waltende, wollte mit Worten künden, / diesen Leuten zu Liebe. Da saß der Landeshirte / vor der Menge der Männer. Des Mächtigen Kind / wollte mit seinen Worten Weisheitsprüche viel / lehren die Leute, wie sie das Lob Gottes / ausbreiten sollten in diesem Erdenreich. / Da saß er und schwieg, schaute auf sie lange, / war ihnen hold im Herzen, der heilige König, / milde in seinem Gemüt; und seinen Mund tat er auf, / wies mit seinen Worten, des Waltenden Sohn, / manche Mären, und den Männern sagte er / mit wahren Worten, die er zur Unterweisung dorthin, / der allwaltende

huuilike uuârin allaro irminmanno
gode uuerdoston gumono cunnies;
sagde im thô te sôdan, quad that thie sâlige uuârin,
man an thesoro middilgardun, thie hêr an iro môde uuârin
arme thurh ôdmôdi: »them is that êuuana rîki,
suuîdo hêlaglîc an hebanuuange
sinlîf fargeben.« Quad that ôc sâlige uuârin
mâdmundie man: »thie môtun thie mârion erde,
ofsittien that selbe rîki.« Quad that ôc sâlige uuârin,
thie hîr uuiopin iro uuammun dâdi; »thie môtun eft
uuillion gebîdan,
frôfre an iro frâhon rîkia. Sâlige sind ôc, the sie hîr
frumono gilustid,
rincos, that sie rehto adômien. Thes môtun sie uuerdan
an them rîkia drohtines
gifullit thurh iro ferhton dâdi: sulîcoro môtun sie fru-
mono bicnêgan,
thie rincos, thie hîr rehto adômiad, ne uuilliad an rûnun
besuuîcan
man, thar sie at mahle sittiad. Sâlige sind ôc them hîr
mildi uuirdit
hugi an helido briostun: them uuirdit the hêlego drohtin,
mildi mahtig selbo. Sâlige sind ôc undar thesaro managon
thiodu,

Krist, erkoren hatte, / welche von den Leuten die liebsten wären, / von der Erdenkinder Stamm, dem allmächtigen Gott. / Er sagte den Gesellen, daß sie selig wären, / die Männer hier in Mittelgart [die von den Menschen bewohnte Erde], die in ihrem Gemüt wären / arm in Demut: »denen ist das ewige Reich / heilig verheißen auf dem Himmelsanger, / den Gesellen gegeben.« Er sprach, daß auch selig wären / mutsanfte Männer: sie sollten Macht und Herrschaft / besitzen in dieser Welt. Er sprach, daß auch selig wären, / die hier beklagten ihre Freveltaten: sie sollten bekommen nach Wunsch / Trost in dieser Welt. »Selig sind auch, die getreu danach streben, / daß sie gerecht urteilen: solches wird auch ihnen in dem Reiche Gottes / vergolten für ihre Guttaten: sie sollen solche Gunst erlangen, / die Recken, die Gerechtigkeit üben, die nicht wollen durch ihre Reden täuschen / die Männer, wenn sie an der Malstatt sitzen. Selig sind auch, die hier Milde hegen, / die Helden in ihrem Herzen: ihnen wird der heilige König / milde, der mächtige. Selig sind auch

thie hebbiad iro herta gihrênod: thie môtun thane hebenes uualdand
sehan an sînum rîkea.« Quad that ôc sâlige uuârin,
»thie the fridusama undar thesumu folke libbiad endi ni uuilliad êniga fehta geuuirken,
saca mid iro selboro dâdiun: thie môtun uuesan suni drohtines genemnide,
huuande he im uuil genâdig uuerden; thes môtun sie niotan lango
selbon thes sînes rîkies.« Quad that ôc sâlige uuârin
thie rincos, the rehto uueldin, »endi thurh that tholod rîkioro manno
heti endi harmquidi: them is ôc an himile eft
godes uuang forgeben endi gêstlîc lîf
aftar te êuuandage, sô is io endi ni cumit,
uuelan uunsames.« Sô habde tho uualdand Crist
for them erlon thar ahto getalda
sâlda gesagda; mid them scal simbla gihuue
himilrîki gehalon, ef he it hebbien uuili,
ettho he scal te êuuandaga aftar tharbon
uuelon endi uuillion, sîdor he these uuerold agibid,
erdlîbigiscapu, endi sôkit im ôdar lioht
sô liof sô lêd, sô he mid thesun liudiun hêr

unter dieser Menge des Volkes, / die rein ihr Herz halten: sie sollen den reichen Himmelskönig / sehn in seiner Herrschaft.« Er sprach, daß auch selig wären, / die hier friedsam in ihrem Volke leben und keine Fehde stiften wollen, / keinen Kampf durch ihre Taten: »sie werden die Kinder des Herrn genannt; / denn er will ihnen Gnade schenken; so werden sie glücklich sein Reich / selber genießen.« Er sprach, daß auch selig wären / die Recken, die recht handeln und darum erdulden reicherer Herren / Haß und Harmworte: »ihnen ist im Himmel dafür / die Gottesau gegeben, und im Geist zu leben / die ewigen Tage, deren Ende nicht kommt, / der wundersamen Wonnen.« So hatte da der waltende Krist / vor den Edeln dort acht an der Zahl / Seligkeiten gesagt; mit ihnen soll sicher jeder / das Himmelreich erhalten, der es haben will. / Nur der wird einstmals in Ewigkeit missen / Wonne und Heil, wenn er diese Welt verläßt, / des Erdenlebens Schicksal, und hingeht zum andern Licht, / zu Lust oder zu Leid, je nachdem, was er bei diesen Leuten hier / ge-

giuuercod an thesoro uueroldi, al sô it thar thô mid is uuordun sagde
Crist alouualdo, cuningo rîkiost
godes êgen barn iungorun sînun:
»Ge uuerdat oc sô sâlige«, quad he, »thes iu saca biodat
liudi aftar theson lande endi lêd sprecat,
hebbiad iu te hosca endi harmes filu
geuuirkiad an thesoro uueroldi endi uuîti gefrummiad,
felgiad iu firinsprâka endi fîundscepi,
lâgniad iuuua lêra, dôt iu lêdes filu,
harmes thurh iuuuen hêrron. Thes lâtad gi euuan hugi simbla,
lîf an lustun, huuand iu that lôn stendit
an godes rîkia garu, gôdo gehuuilikes,
mikil endi managfald: that is iu te mêdu fargeben,
huuand gi hêr êr biforan arbid tholodun,
uuîti an thesoro uueroldi. Uuirs is them ôdrun,
gibidig grimmora thing, them the hêr gôd êgun,
uuîdan uuorolduuelon: thie forslîtat iro uunnia hêr;
geniudot sie genôges: sculun eft narouuaro thing
aftar iro hinferdi helidos tholoian.
Than uuôpian thar uuanscefti, thie hêr êr an uunnion sîn,
libbiad an allon lustun, ne uuilliad thes farlâtan uuiht,

wirkt, in dieser Welt, wie es da mit seinen Worten sagte / der allwaltende Krist, der Könige mächtigster, / der Sohn Gottes, zu seinen Jüngern. / »Ihr werdet auch so selig«, sprach er, »versehren euch mit Feindschaft / die Leute in diesem Lande, wenn sie euch zu Leide sprechen, / mit Hohn euch heimsuchen und des Harmes viel / wirken in dieser Welt und Weh euch zufügen, / mit Feindschaft euch verfolgen und mit Frevelrede / eure Lehre verleumden und viel Leid euch antun, / Harm um eures Herrn willen. Des lasset euer Herz doch stets / fröhlich sein, euern Mut! Denn ihr sollt empfangen den Lohn / gerne im Gottesreich, der Güter jedes / groß und mannigfach. Das werdet ihr zur Vergeltung erhalten, / weil ihr ehedem auf Erden Arges erduldetet, / Weh in dieser Welt. Doch weher wird den andern, / grimmer vergolten, die hier Güter haben, / weiten Weltreichtum: die verleben ihre Wonne hier, / genießen sie genügend. Sie sollen danach aber Schlimmeres / nach ihrem Hinscheiden, die Helden, erdulden. / Dann beweinen sie ihr Weh, die hier vorher in Wonnen saßen, / lebten in Lust: nicht wollten sie lassen zuvor, /

mêngithâhtio, thes sie an iro môd spenit,
lêdoro gilêstio. Than im that lôn cumid,
ubil arbetsam, than sie is thane endi sculun
sorgondi gesehan. Than uuirdid im sêr hugi,
thes sie thesero uueroldes sô filu uuillean fulgengun,
man an iro môdsebon. Nu sculun gi im that mên lahan,
uuerean mid uuordun, al sô ic giu nu geuuîsean mag,
seggean sôdlîco, gesîdos mîne,
uuârun uuordun, that gi thesoro uueroldes nu ford
sculun salt uuesan, sundigero manno,
bôtian iro baludâdi, that sie an betara thing,
folc farfâhan endi forlâtan fîundes giuuerk,
diubales gedâdi, endi sôkean iro drohtines rîki.
Sô sculun gi mid iuuuon lêrun liudfolc manag
uuendean aftar mînon uuilleon. Ef iuuar than auuirdid huuilic,
farlâtid thea lêra, thea he lêstean scal,
than is im sô them salte, the man bi sêes stade
uuîdo teuuirpit: than it te uuihti ni dôg,
ac it firiho barn fôtun spurnat,
gumon an greote. Sô uuirdid them, the that godes uuord scal
mannum mârean: ef he im than lâtid is môd tuuehon,

die Männer, die Gedanken, die sie in ihrem Gemüt hegten, / die leidigen Laster. Dafür wird ihnen der Lohn zuteil, / arges Unheil. Sie werden auf ihr Ende dann / in Sorgen sehen. Dann wird ihr Sinn betrübt, / daß nur an diese Welt sie immer denken wollten, / die Männer in ihrem Gemüt. Nun sollt ihr solche Meintat rügen, / mit Worten ihr wehren, wie ich euch nun weisen kann, / selber auch sagen, Gesellen mein / mit wahren Worten, daß ihr in dieser Welt fortan / das Salz sollt sein sündiger Männer, / schelten ihre Schandtaten, daß sie zu schöneren Dingen / hinfort sich wenden und verlassen des Feindes Werke, / des Teufels Taten, und dienen getreu dem Herrn. / So sollt ihr durch eure Lehre der Leute viele / wenden nach meinem Willen. Wenn von euch jemand weg sich kehrt, / die Lehre verläßt, die er leisten soll, / der ist so wie das Salz, das man am Seegestade / weithin verwirft, da es fürwahr nichts taugt, / so daß es die Kinder des Volkes mit ihren Füßen zertreten, / in den Staub es stampfen. So wird dem, der bestellt ist, das Gotteswort / zu melden den Menschen, läßt er seinen Mut schwanken, / so daß er nicht

that hi ne uuillea mid hluttro hugi te hebenrîkea
spanen mid is sprâcu endi seggean spel godes,
ac uuenkid thero uuordo, than uuirdid im uualdand gram,
mahtig môdag, endi sô samo manno barn;
uuirdid allun than irminthiodun,
liudiun alêdid, ef is lêra ni dugun.«

Muspilli

Die überlieferten 103 Zeilen sind Fragment einer Eschatologie, eines Gedichts von den Letzten Dingen. Eine bairische Urfassung aus der 2. Hälfte des 9. Jahrhunderts läßt das angelsächsische Vorbild erkennen; der Sprachstand verweist auf Anfang des 9. Jahrhunderts, die Herkunft aus Fulda wird angenommen. Der Titel wurde vom ersten Herausgeber (Johann Andreas Schmeller, 1832) dem Text (V. 57) entnommen. Das Wort, in seinem germanisch-heidnischen Ursprung und seiner Bedeutung ungeklärt, stammt aus dem Vorstellungskreis des Weltendes. Es erscheint in diesem Zusammenhang in der »Edda« und im »Heliand«. Die stabenden Langzeilen zeigen erste Ansätze zum Endreim.

Das Schicksal des Menschen nach dem Tode entscheidet sich in zwei Phasen: Engel und Teufel im Rechtsstreit um die Seele des Toten und das Schicksal des Menschen im Letzten Gericht, dem Weltuntergang und Kampf zwischen Elias und Antichrist voraufgehen. Auffallend ist die Hereinnahme deutlicher juristischer Begrifflichkeit in die Darstellung einer theologischen Problematik. Die Hörer (Leser?) müssen mit

mit lauterm Herzen zum Himmelreich will / leiten die Leute und Gottes Lehre sagen, / sondern wankt in seinen Worten. Ihm wird der Waltende gram, / der Mächtige zürnend, und so auch die Menschenkinder; / dann wird er allen Erdenvölkern, / den Leuten, verleidet, weil seine Lehre nichts taugt.«

der juristischen Terminologie vertraut, also Angehörige der Oberschicht gewesen sein (vgl. z. B. auch zu V. 63 f., im »Heliand« V. 1308 f.).

... sin[1] tac piqueme, daz er touuan scal.
uuanta sar so sih diu sela in den sind arheuit
enti si den lihhamun likkan lazzit,
so quimit ein heri fona himilzungalon,
daz andar fona pehhe: dar pagant siu umpi.
Sorgen mac diu sela, unzi diu suona arget,
za uuederemo herie si gihalot uuerde.
uuanta ipu sia daz Satanazses kisindi kiuuinnit,
daz leitit sia sar dar iru leid uuirdit,
in fuir enti in finstri: daz ist rehto uirinlih ding.
Upi sia auar kihalont die, die dar fona himile quemant,
enti si dero engilo eigan uuirdit,
die pringent sia sar uf in himilo rihi:
dar ist lip ano tod, lioht ano finstri,
selida ano sorgun, dar nist neoman siuh.
denne der man in pardisu pu kiuuinnit,
hus in himile, dar quimit imo hilfa kinuok.
Pidiu ist durft-mihhil
allero manno uuelihemo, daz in es sin muot kispane,

1. ... kommt sein Tag, da er sterben muß. / Wenn sich dann die Seele auf den Weg macht / und die Leibeshülle zurückläßt, / kommt eine Schar von den Sternen des Himmels, / eine andere aus dem Feuer der Hölle: die werden um die Seele kämpfen. / In Sorge muß die Seele ausharren, bis die Entscheidung fällt, / welcher der Scharen sie (als Kampfpreis) zufällt. / Denn wenn das Volk des Satans sie erringt, / dann führt es sie unverzüglich dorthin, wo (nur) Leid auf sie wartet, / in Feuer und in Finsternis: das ist wahrlich ein grauenvolles Urteil. / Wenn aber die, die vom Himmel her kommen, / die Seele holen, und sie den Engeln zuteil wird, / dann geleiten die schnell sie empor ins Reich der Himmel: / dort ist Leben ohne Tod, Licht ohne Finsternis, / eine Wohnung ohne Sorgen, dort leidet niemand (mehr) an einer Krankheit. / Wenn der Mensch im Paradies eine Wohnung, / im Himmel ein Haus erhält, wird ihm Hilfe in Fülle zuteil. / Darum ist jeder Mensch / so sehr darauf angewiesen, daß ihn sein Herz dazu antreibt, / Gottes Willen mit freudigem Ein-

daz er kotes uuillun kerno tuo
enti hella fuir harto uuise,
pehhes pina. dar piutit der Satanaz altist
heizzan lauc. so mac huckan za diu,
sorgen drato, der sih suntigen uueiz.
uue demo in uinstri scal sino uirina stuen,
prinnan in pehhe: daz ist rehto paluuic dink,
daz der man haret ze gote enti imo hilfa ni quimit.
uuanit sih kinada diu uuenaga sela.
ni ist in kihuctin himiliskin gote,
uuanta hiar in uuerolti aftar ni uuerkota.
So denne der mahtigo khuninc daz mahal kipannit,
dara scal queman chunno kilihaz.
denne ni kitar parno nohhein den pan furisizzan,
ni allero manno uuelih ze demo mahale sculi.
Dar scal er uora demo rihhe az rahhu stantan,
pi daz er in uuerolti kiuuerkot hapeta.
Daz hortih rahhon dia uueroltrehtuuison,
daz sculi der antichristo mit Eliase pagan.
der uuarch ist kiuuafanit, denne uuirdit untar in uuic arhapan.
khenfun sint so kreftic, diu kosa ist so mihhil.

verständnis zu tun / und die Glut der Hölle, die Qual des höllischen Feuers ängstlich zu meiden. / Dort wartet der uralte Satan / mit heißer Flamme. Das sollte erwägen / (und) mit Sorge bedenken, wer sich sündig weiß. / Weh dem, der seine Sünden in der Finsternis büßen / (und) in ewiger Glut (dafür) brennen muß: das ist wahrlich ein böses Schicksal, / wenn der Mensch zu Gott schreit und keine Hilfe (mehr) kommt. / Die unglückliche Seele erhofft sich (noch) Gnade. / Doch sie ist nicht (mehr) im liebenden Denken des himmlischen Gottes (geborgen), / denn hier im Leben hat sie sich dessen durch Taten nicht würdig erwiesen. – / Wenn dann der mächtige König den Gerichtstag bestimmt, / muß jedes Geschlecht dort erscheinen. / Dann kann kein Menschenkind es wagen, den gebotenen Tag zu versäumen, / (in der Meinung,) nicht jeder Mensch sei zum Gerichtstag verpflichtet. / Dort muß er vor dem Herrscher Rechenschaft für alles ablegen, / was er in diesem Leben getan hat. – / Ich habe gehört, wie die Gelehrten des weltlichen Rechts sagten, / der Antichrist werde mit Elias kämpfen. / Der Feind ist gewappnet, dann wird der Kampf zwischen ihnen beginnen. / Die Kempen sind so voller Kraft, die Sache

Elias stritit pi den euuigon lip,
uuili den rehtkernon daz rihhi kistarkan.
pidiu scal imo helfan der himiles kiuualtit.
der antichristo stet pi demo altfiante,
stet pi demo Satanase, der inan uarsenkan scal.
pidiu scal er in deru uuicsteti uuunt piuallan
enti in demo sinde sigalos uuerdan. –
Doh uuanit des uilo gotmanno,
daz Elias in demo uuige aruuartit uuerde.
so daz Eliases pluot in erda kitriufit,
so inprinnant die perga, poum ni kistentit
enihc in erdu, aha artruknent,
muor uarsuuilhit sih, suilizot lougiu der himil,
mano uallit, prinnit mittilagart.
denni kisten ti teikin in erdu, uerit denne tuatago in lant,
uerit mit diu uuiru uiriho uuison.
Dar ni mac denne mak andremo helfan uora demo muspille.
denne daz preita uuasal allaz uarprinnit
enti uuir enti luft iz allaz arfurpit,
uuar ist denne diu marha, dar man dar eo mit sinen magon piehc?

(um die es geht) ist so bedeutsam: / Elias kämpft für das ewige Leben, / er will den Gerechten die Herrschaft sichern. / Darum wird ihm beistehen, der den Himmel regiert. / Der Antichrist (aber) steht auf der Seite des alten Feindes, / steht für Satanas, der ihn untergehen lassen muß: / darum wird der Antichrist auf dem Kampfplatz (auch) verwundet zu Boden stürzen / und in diesem Waffengang sieglos bleiben. – / Doch glauben viele Diener Gottes, / daß in diesem Kampf Elias verletzt wird. / Wenn sein Blut auf die Erde tropft, / beginnen die Berge zu brennen, kein einziger Baum / auf der Erde wird stehenbleiben, die Gewässer werden austrocknen, / das Moor wird sich (selbst) verschlingen, der Himmel in der Flamme vergehen, / der Mond herabstürzen: der Erdkreis wird brennen. / Wenn diese Zeichen auf Erden erscheinen, dann wird der Tag des Gerichts ins Land ziehen, / er kommt mit dem Feuer, um die Menschen heimzusuchen. / Vor dem muspilli *kann kein Verwandter dem andern (mehr) helfen. / Wenn dann das ganze Erdreich verbrennt, / Feuer und Luft alles wegfegen, / wo ist dann das Land (geblieben), um das man sich mit Hilfe seiner Verwandten stets gestritten hat? /*

Diu marha ist farprunnan, diu sela stet pidungan,
ni uueiz mit uuiu puaze, so uerit si za uuize. –
Pidiu ist demo manne so guot, denner ze demo mahale
quimit,
daz er rahono uueliha rehto arteile.
Denne ni darf er sorgen, denne er ze deru suonu quimit.
ni uueiz der uuenago man, uuielihan uuartil er habet,
denner mit den miaton marrit daz rehta,
daz der tiuual dar pi kitarnit stentit.
der hapet in ruouu rahono uueliha.
daz der man er enti sid upiles kifrumita,
daz er iz allaz kisaget, denne er ze deru suonu quimit.
Ni scolta sid manno nohhein miatun intfahan.

So daz himilisca horn kilutit uuirdit,
enti sih der suanari ana den sind arheuit,
der dar suannan scal toten enti lepenten,
denne heuit sih mit imo herio meista.
daz ist allaz so pald, daz imo nioman kipagan ni mak.
Denne uerit er ze deru mahalsteti, deru dar kimarchot ist.
dar uuirdit diu suona, die man dar io sageta.
Denne uarant engila uper dio marha,

Das Land wird verbrannt sein, die Seele wird voll Trauer dastehen, / nicht wissend, womit sie (noch etwas) zum Guten wenden kann: so fährt sie zur Hölle. / Darum ist es für den Menschen von Nutzen, wenn er zum Gericht geht, / (selbst zuvor) über alles gerecht geurteilt zu haben. / Dann braucht er sich nicht zu sorgen, wenn er vor diesem Gericht erscheint. / Der schwache Mensch weiß nicht, wer ihn beschattet, / wenn er das Recht durch Bestechung verletzt, / (er weiß nicht,) daß stets der Teufel in (mancherlei) Tarnung zugegen ist. / Der hält in aller Ruhe alles fest, / was der Mensch früher einmal und später an Bösem getan hat, / damit er alles vorbringen kann, wenn er beim Jüngsten Gericht erscheint. / Darum sollte sich keiner mehr bestechen lassen. / Wenn das himmlische Horn erschallt / und der Richter, / der über Tote und Lebende urteilen wird, aufbricht, / erhebt sich mit ihm das größte der (himmlischen) Heere. / Das ist so voller Kühnheit, daß ihm niemand zu widerstehen vermag. / Dann zieht er zur Stätte des Gerichts, die (genau) abgesteckt ist: / Dort wird das Gericht stattfinden, wie man es angesagt hat. / Engel ziehen dann über die Lande, / wecken die Völker, laden sie

uuechant deota, uuissant ze dinge.
denne scal manno gilih fona deru moltu arsten.
lossan sih ar dero leuuo uazzon, scal imo auar sin lip
piqueman,
daz er sin reht allaz kirahhon muozzi
enti imo after sinen tatin arteilit uuerde.
Denne der gisizzit, der dar suonnan scal
enti arteillan scal toten enti quekkhen,
denne stet dar umpi engilo menigi,
guotero gomono: gart ist so mihhil,
dara quimit ze deru rihtungu so uilo, dia dar ar resti
arstent.
so dar manno nohhein uuiht pimidan ni mak,
dar scal denne hant sprehhan, houpit sagen,
allero lido uuelihc unzi in den luzigun uinger,
uuaz er untar desen mannun mordes kifrumita.
Dar ni ist eo so listic man, der dar iouuiht arliugan megi,
daz er kitarnan megi tato dehheina,
niz al fora demo khuninge kichundit uuerde,
uzzan er iz mit alamusanu furimegi
enti mit fastun dio uirina kipuazti.
Denne der paldet, der gipuazzit hapet,
denner ze deru suonu quimit.

vor Gericht. / Da wird jeder vom Staub auferstehen, / sich von der Last seines Grabes lösen, er wird seinen Leib zurückerhalten, / damit er sich uneingeschränkt verantworten kann / und damit er nach seinen Taten gerichtet werde. / Sodann setzt sich der, der da richten / und über Tote und Lebende urteilen wird, / um ihn steht die Menge der Engel, / (eine Schar) heiliger Männer: Der Platz des Gerichts ist groß, / zur Verhandlung kommen so viele dorthin, die von der (Todes)ruhe auferstehen. / Dort kann niemand irgend etwas verbergen, / die Hand wird sonst sprechen, der Kopf es bekennen, / jedes der Glieder bis hin zum kleinen Finger, / was der Mensch unter den andern an Mordtaten verbrochen hat. / Vor diesem Gericht nutzt niemandem auch nicht die beste List, um dort (auch nur) etwas leugnen, / (auch nur) irgendeine Tat verheimlichen zu können: / sie wird vor dem König doch offenbar, / es sei denn, der Mensch kann mit (gegebenen) Almosen (seine Schuld) ausgleichen / und hat die Verbrechen mit Fasten gebüßt. / Dann kann der getrost sein, der (schon) gebüßt hat, / wenn er zu diesem Gericht erscheint. / Es wird da

uuirdit denne furi kitragan daz frono chruci,
dar der heligo Christ ana arhangan uuard.
denne augit er dio masun, dio er in deru menniski anfenc,
dio er duruh desse mancunnes minna f(ardoleta) . . .

OTFRIED VON WEISSENBURG

Otfried, der erste namentlich bekannte deutsche Dichter, hat zwischen 800 und 875 gelebt. Zwischen 820 und 830 Schüler des Abts Hrabanus Maurus in Fulda, war er später Mönch-Schulmeister im Kloster Weißenburg (Wissembourg) im Elsaß, wo er auch gestorben ist.

Evangelienbuch (Liber Evangeliorum) (Auszug)

In den fünf Büchern dieser Evangelienharmonie, einer Zusammenschau der vier Evangelien, verwendet Otfried als erster und konsequent in binnengereimter Langzeile den viertaktigen, stablosen Endreimvers, den er aus der lateinischen Hymnendichtung entlehnt. Eine der vier Widmungen ist an Ludwig den Deutschen gerichtet. Im programmatischen Vorwort erklärt er eingehend, warum er, antike literarische Bildung und Vorbilder nutzend, in deutscher Sprache schreibt: als Beweis dafür, daß die deutsche Sprache fähig sei, lateinische Verskunst nachzuahmen. Man wird diese »Apologie« auch als ein Dokument politischen fränkischen Machtanspruchs werten müssen. Anders als der »Heliand« ist Otfrieds »Evangelienbuch« eine gelehrte, wissenschaftliche Arbeit, bestimmt für ein Publikum an Höfen, in Pfalzen und Klöstern: den gebildeten Adel und Geistliche.

auch das hehre Kreuz vorangetragen, / an das der heilige Christus geschlagen worden war. / Dann wird er die Wundmale betrachten, die er als Mensch empfangen, / die er für seine Liebe zum Menschengeschlecht erhalten hat . . .

Die Kreuzigung Christi. Aus einer Handschrift von Otfrieds Evangelienbuch

Auf der Grundlage von Zitaten aus den vier Evangelien beschreibt er das Leben Jesu und umgibt den Bericht mit Zitaten aus Bibelkommentaren, Exegese und Predigtsammlungen. Dadurch wird sein Buch gleichermaßen zum dogmatischen Lehrbuch, das dennoch Ansätze zu poetischer Eigenschöpfung – so besonders im 5. Buch – aufweist.
Überlieferung des Buches in drei vollständigen Handschriften, eine davon hat Otfried in der Reinschrift persönlich korrigiert, und drei Fragmenten. Für die nachfolgende althochdeutsche Christianisierungs-Literatur wurde Otfrieds Werk bestimmendes Vorbild. Sein Vers hat die deutsche Literatur geprägt, insofern bis ins 13. Jahrhundert die deutsche Literatur in ihrer heute noch gültigen »klassischen« Kanonisierung vor allem eine Literatur in Versen ist.

Cur[1] scriptor hunc librum theotisce dictauerit

Uuas líuto filu in flíze, in managemo ágaleize,
  sie thaz in scríp gicleiptin, thaz sịẹ iro námon breittin.
Sie thés in íó gilícho flizzun gúallicho,
  in búachon man giméinti thio iro chúanheiti.
Tharána dátun sie ouh thaz dúam: óugdun iro uuísduam,
  óugdun iro cléini in thes tíhtonnes reini.
Iz ist ál thuruh nót so kléino girédinot
  – iz dúnkal eigun fúntan, zisámane gibúntan –,
Sie ouh in thíu gisagetin, thaz then thio búah nirsmáhetin,
  ioh uuól er sih firuuésti, then lésan iz gilústi.

1. Warum der Autor dieses Buch in der Volkssprache geschrieben hat. / Es haben sich schon viele mit großem Eifer / bemüht aufzuzeichnen, womit sie ihren Namen bekanntmachen könnten. / Sie wandten stets größte Sorgfalt daran, / daß man ihre Taten in Büchern darstellte. / Sie setzten alle Kraft darein: sie demonstrierten ihr ganzes Können / und bewiesen ihr Geschick durch die Makellosigkeit ihrer Dichtung. / Es ist alles so kunstvoll geschrieben / (sie haben es nach dem Prinzip der obscuritas erfunden und es zur Rede geordnet), / daß ihre Darstellung auch demjenigen zusagen sollte und er sich (darin) zurechtfände, / der sich diesen Büchern aus Freude am Lesen zuwenden würde. / In dieser Hinsicht

Zi thiu mág man ouh ginóto mánagero thíoto
hiar námon nu gizéllen ioh súntar ginénnen.
Sar Kríachi ioh Románi iz máchont so gizámi,
iz máchont sie al girústit, so thíh es uuola lústit.
Sie máchont iz so réhtaz ioh so fílu sléhtaz,
iz ist gifúagit al in éin selp so hélphantes béin.
Thie dáti man giscríbe! theist mannes lúst zi líbe.
nim góuma thera díhta, thaz húrsgit thina dráhta!
Ist iz prósun slihti, thaz drénkit thih in ríhti,
odo métres kléini, theist góuma filu réini.
Sie dúent iz filu súazi, ioh mézent sie thie fúazi,
thie lęngi ioh thie kúrti, theiz gilústlichaz uuúrti.
Éigun sie iz bithénkit, thaz síllabạ in ni uuénkit,
sies állesuuio ni rúachent, ni so thie fúazi suachent,
Ioh állo thio zíti so záltun sie bi nóti:
iz mízit ana bága al íó súlih uuaga.
Yrfúrbent sie iz réino ioh hárto filu kléino,
selb so mán thuruh nót sinaz kórn reinot.
Ouh selbun búah frono irréinont sie so scóno:
thar lisist scóna gilust ána theheiniga ákust. –

kann man hier die Namen vieler Völker / aufzählen und einzeln nennen. / An erster Stelle sind Griechen und Römer zu erwähnen, / die (ihre Dichtung) so kunstvoll gestalten, sie ganz so einrichten, wie es dir wohl zusagt. / Sie schreiben so regelrecht und so schlicht, / es ist so vollkommen ineinandergefügt wie Elfenbein(schnitzereien). / So muß man schreiben! Das macht dem Menschen stets Vergnügen. / Beschäftige dich mit solcher Dichtung: das wird deinen Verstand anregen! / Die Schlichtheit der Prosa etwa labt dich unmittelbar, / die Kunst metrischer Dichtung wiederum bietet überaus reinen Genuß. / Die Dichter machen (gerade) diese sehr geschmackvoll, sie messen auch die Versfüße, / die Längen und Kürzen, damit ihr Werk Vergnügen bereitet. / Sie haben darauf geachtet, daß ihnen keine Silbe fehlt. / Sie lassen sich nur von den Erfordernissen der Versfüße leiten, / mit größter Sorgfalt haben sie alle (metrischen) Zeiten gezählt: / eine solche Waage mißt stets ohne jede Abweichung. / Sie bemühen sich dabei um solche Reinheit und um größte Kunstfertigkeit, / wie man sie (sonst etwa) bei der Auslese seines Getreides beachtet. / Auch die heiligen Bücher schmücken sie mit solcher Reinheit (der Form): / Darin liest du (nur), was höchste Freude bereitet, ganz ohne Regelwidrigkeit. – / Da nun viele angefangen haben, in ihrer Mutter-

Nu es fílu manno inthíhit, in sína zungun scríbit,
ioh ílit, er gigáhe, thaz sínaz íó gihóhe,
Uuánana sculun Fráncon éinon thaz biuuánkon,
ni sie in frénkiskon bigínnen, sie gotes lób singen?
Níst si so gisúngan, mit régulu bithuúngan,
si hábet tho thia ríhti in scóneru slíhti.
Ili thu zi nóte, theiz scóno thoh gilute,
ioh gótes uuizod thánne thárana scono hélle,
Tház tharana sínge, iz scóno man ginenne,
in themo firstántnisse uuir giháltan sin giuuísse!
Thaz láz thir uuesan súazi: so mézent iz thie fúazi,
zít ioh thiu régula, so ịst gótes selbes brédiga.
Uuil thú thes uuola dráhton, thu métar uuolles áhton,
in thína zungun uuirken dúam ioh sconu uérs uuolles dúan,
Il io gótes uuillen állo ziti irfúllen;
so scribent gótes thegana in frénkisgon thie regula:
In gótes gibotes súazi laz gángan thine fúazi,
ni laz thir zít thes ingán: theist sconi férs sar gidán.
Díhtọ íó thaz zi nóti theso séhs ziti,
thaz thú thih so girústes, in theru síbuntun giréstes.

sprache zu schreiben, / und sich darum bemühen, sich (durch schriftliche Aufzeichnungen) herauszustellen –, / warum sollen nur die Franken davon absehen, / Gottes Lob in fränkischer Sprache zu singen? / Ist diese Sprache bisher auch noch nicht zu solcher Dichtung gebraucht, noch von keiner metrischen Regel gemeistert worden, / so besitzt sie doch Geradheit in schöner Schlichtheit. / Bemühe dich nur, daß es dennoch schön erklinge / und Gottes Wort auf fränkisch herrlich erschalle, (bemühe dich,) / daß man das, was in dieser Sprache besungen wird, schön ausspricht / (und daß) wir im Verständnis (des göttlichen Wortes) sicher bewahrt bleiben! / Dieses Verständnis sollst du dir (vor allem) schmecken lassen: so geben ihm Versfüße, / metrische Zeit und die Ordnung der Teile (dann) das Maß, so wird es zu Gottes eigener Predigt. / Willst du das recht erwägen, auf das Maß achten, / in deiner Sprache Beachtliches leisten und schöne Verse schreiben, / dann bemühe dich, zu allen Zeiten Gottes Willen zu erfüllen; / so erfüllen die Diener Gottes auf fränkisch die Regel: / Laß deine Füße in der Heiligkeit von Gottes Gebot wandeln, / laß dir nie die Zeit dazu fehlen: das heißt es, (wenn man sagt:) sogleich schöne Verse gemacht. / Erfülle die sechs Zeitabschnitte (deines Lebens) mit sol-

Thaz Krístes uuort uns sâgetun ioh drúta sine uns zélitun,
bifora lázu ih iz ál, so ih bi réhtemen scal,
Uuánta sie iz gisúngun hárto in édilzungun,
mit góte iz allaz ríạtun, in uuérkon ouh gizíartun.
Theist súazi ioh ouh núzzi inti lérit unsih uuízzi,
hímilis gimácha, bi thiu ist thaz ánder racha. –
Ziu sculun Fránkon, so ih quád, zi thiu éinen uuesan úngimah,
thie líut es uuiht ni duáltun, thie uuir hiar óba zaltun?
Sie sint so sáma chuani sélb so thie Románi;
ni thárf man thaz ouh rédinon, thaz Kríachi in thes giuuídaron.
Sie éigun in zi núzzi so sámalicho uuízzi
– in félde ioh in uuálde so sint sie sáma balde –,
Ríhiduam ginúagi ioh sint ouh fílu kuani,
zi uuáfane snelle: so sínt thie théganạ alle.
Sie búent mit gizíugon – ioh uuarun íó thes giuuón –
in gúatemo lánte: bi thíu sint sịẹ únscante.
Iz ist fílu feizit – hárto ist iz giuuéizit –
mit mánagfalten éhtin; níst iz bi unsen fréhtin.

cher »Dichtung«, / damit du dich auf diese Weise vorbereitest, im siebenten auszuruhn. / Was Christi Worte uns gesagt und seine Jünger uns gelehrt haben, / stelle ich über alles, wie es meine Pflicht ist; / denn sie haben es in edlen Sprachen verkündigt, / haben alles mit Gott beraten und kunstvoll ausgeführt. / Das ist köstlich und nützlich zugleich, und es lehrt uns Weisheit, / es ist eine Gabe des Himmels und darum etwas gänzlich anderes (als die profane Literatur). – / Warum sollen, wie ich schon sagte, zu solcher Leistung einzig die Franken nicht befähigt sein, / worin die Völker nicht zurückstanden, die wir hier oben genannt haben? / Sie sind so tapfer wie selbst die Römer; / auch kann man nicht sagen, daß ihnen darin die Griechen den Rang streitig machen. / Sie haben zu ihrem Vorteil die gleiche Geisteskraft / – in Feld und Wald sind sie (wie jene) mutig –, / (sie haben) genügend Reichtum und sind auch sehr kühn / (und) stets kampfbereit: so sind alle ihre Leute. / Sie leben mit allem ausgestattet – und waren es immer so gewohnt – / in einem reichen Land: deshalb brauchen sie sich (wahrlich) nicht zu schämẹn. / (Das Land) bringt – das ist eine bekannte Tatsache – / vielfältige Güter hervor; das ist (freilich) nicht unser Verdienst. / Zu nützlicher Verwertung gräbt man

Zi núzze grébit man ouh thár ér inti kúphar,
ioh bi thía meina ísina steina,
Ouh thárazua fúagi sílabar ginúagi,
ioh lésent thar in lánte góld in iro sante.
Sie sint fástmuate zi mánagemo guate,
zi mánageru núzzi: thaz dúent in iro uuízzi.

WILLIRAM VON EBERSBERG

Williram, seit 1048 Abt von Kloster Ebersberg in Oberbayern, lebte von vor 1010 bis 5. Januar 1085. Er entstammte einem fränkischen Geschlecht aus der Gegend von Worms, war um 1020 Mönch in Fulda, um 1040 Lehrer in Bamberg.

Paraphrase des Hohen Liedes (Auszug)

Um 1060 schrieb Williram seine kommentierende »Paraphrase des Hohen Liedes« in dreiteiliger Anordnung: in der Mitte der Seite den Vulgata-Text, links die Paraphrase in lateinischen Hexametern, rechts den Kommentar in deutscher (ostfränkischer) Sprache. Er leistet die allegorische Auslegung des »Hohen Liedes«: die Kirche als Braut, Gott-Christus als Bräutigam. Die Wandlung des zeitgenössischen Christusbildes und der Christusfrömmigkeit wird sichtbar: »Tatian«, »Heliand« und Otfried hatten in den Evangelien Christus als den irdischen Prediger und Lehrer erkannt und dargestellt; bei Otfried beginnend, wandelt sich bis zum Abschluß bei Williram die Auffassung zu einem dogmatischen Verständnis, Christus wird zum Teilhaber des Schöpfungs-

dort auch Erz und Kupfer / und tatsächlich auch Kristalle; / man muß hinzufügen, (daß es dort auch) zur Genüge Silber (gibt), / auch lesen sie dort Gold aus dem Sand (ihrer Flüsse). / Sie verfolgen mit Ausdauer viele gute und nützliche Ziele: / das tun sie aus der ihnen eigenen Einsicht.

planes, zum Weltenrichter und Vollender des göttlichen Heilsplans.

Willirams Paraphrase war im Mittelalter, wie die Überlieferung von 18 Handschriften zeigt, wohl weiter verbreitet als andere frühmittelhochdeutsche Texte; sie bildet die Grundlage des späteren »St. Trudberter Hohen Liedes« (um 1150).

Uuîe scône du bíst, frûintin mîn, uuîe scône du bíst! Dîn ôigon sint tûbon ôigon âne dáz daz án dír ínlachenes[1] verhólan ist. Dîn váhs[2] ist sámo gêizzo córter, dáz der gêt ûffe démo bérge Galaad, unte sint ábo dîne zéne, sámo daz córter[3] déro gescórnen scâffo, dîe der ûfgênt vóne uuáske ál mit zuînelero zúhte unte íro nechêin íst úmbârig. Dîne léfsa sint sámo êin rôtíu bínta unte dîn gekôse íst sûozze. Dîne hûffelon[4] sínt sámo der brúch des rôten ápfeles âne dáz daz nóh ínlachenes an dír verhólan ist. Dîn háls íst sáme *Dauîdis* uuîghûs, da dîu uuére óbena áne geuuórht íst. Dûsent skílte hángent an déro uuére únte allersláhto uuîggeuuâffene. Zuêne dîne spúnne[5] sint sámo zuêi zuínele zíkken dér réion, dîe der uuêidenent únter den lílion, únze der tág ûf gê unte der náhtscato hína uuîche. I'ch uuíl váran ze démo mírrebérge unte ze démo uuîrôuchbúhele[6]. Mitállo bíst du scône, frûintin mîn, unte nechêin mêila ist an dír.

Kúm mir vón *Libano*, mîn gemáhela! kúm mir vón *Libano*, kum mir! Dú uuírdist gezîeret vón déro spítzon déro hôhon bergo Amaná unte Sanir unte Hermon, an dén der sint léuuon lûoger unte párdon hóler. Gesêret hâbest tu mir mîn hérza, suéster mîn gemáhela, gesêret hábest tú mir mîn hérza in êinemo dîner ôigen óder in êinemo váhsstrénen dînes hálses. Uuîe scone sint dîne spúnne, suéster mîn ge-

1. *innen, innerhalb.*
2. *Haupthaar.*
3. *Herde.*
4. *Wangen.*
5. *Brüste.*
6. *Weihrauchberg.*

máhela! Bézzer sínt dîne spúnne dánne der uuîn, unte der stánk dînero sálbon, der íst úber álle stankuuúrze. Dîne léfsa[7], gemáhela, sínt trîeffenter uuábo. Hónig unte míloh ist únter dîner zúngon, unte der stánk dîner uuâte íst álso uuîrôches stánk. Du bíst uuóle slózhafter gárto, suéster mîn gemáhela, gárto slózhafter, brúnno besígeleter. Dîne ûzflánza daz íst bômgárto rôter épfelo mit állersláhto óbeze. In dînemo gárten sínt geuuáhsan *aromaticae arbores* unte állersláhto bôuma, dîe ûffen *Libano* geuuáhsan sint. In dînemo gárten ist mírra unte aloé mít állen den hêresten sálbon. Du bíst gártbrunno, du bíst pútza der quékkon uuázzero, dîe mít tûihte flîezzent von *Libano*. Búre dích, nórtuuint, únte kúm, du súndene uuínt, dúrchuuâie mînen gárton, désde drâhor stínkent sîne pîmenton! I'h géron, daz mîn uuíne kúme in sînen gárton, dáz ér da ézze dáz uuôcher sînes êigenen óbezes.

Ezzos Gesang (Auszug)

Das Gedicht wurde im Auftrag des Bischofs Gunther von Bamberg (1057 bis 1065) 1063 für die Einweihung des Kollegiatstifts St. Gangolph in Bamberg geschrieben. Autor war der in der Einleitung (V. 7) genannte Ezzo; die Komposition schrieb Wille. Ezzos Hymnus wurde berühmt in seiner Zeit, und auf dem Kreuzzug von 1065, an dem auch sein Autor teilnahm, wurde er zum verbreiteten Kreuzzugslied.

Dieser Hymnus aus dem Geist der cluniazensischen Christusfrömmigkeit steht nach Sprache, Form und Thema am Beginn der frühmittelhochdeutschen Dichtung; denn seit Mitte des 10. Jahrhunderts bis zu »Ezzos Gesang« ist kein deutschsprachiges Gedicht erhalten. Nun wird ein neues Thema in neuem Sprach- und Formbewußtsein vorgestellt:

7. *Lippen.*

im Mittelpunkt der Menschheitsgeschichte und Heilslehre, vom anegenge *bis zum* urlôse, *steht die Erlösungstat Christi, die als Sieg des Lichts über die Finsternis verstanden wird. Es ist nicht Vortrag theologischer Gelehrsamkeit, sondern selbstbewußte Darstellung dogmatisch gesicherter Glaubensinhalte in klarer, kunstvoller Form.*
Die ungleichen Strophen zeigen durchgängig fest gebündelte Reimpaare mit einfacher Syntax in den oft gekreuzt-parallel geführten Hauptsätzen. In Stil und Inhalt hat »Ezzos Gesang« nachhaltig auf die mittelalterliche Dichtung bis ins 12. Jahrhundert eingewirkt.

1
Der[1] guote biscoph Guntere vone Babenberch
der hiez machen ein vil guot werch:
er hiez dî sîne phaphen
ein guot liet machen.
eines liedes si begunden,
want si dî buoch chunden.
Ezzo begunde scrîben,
Wille vant die wîse.
duo er die wîse duo gewan,
duo îlten si sich alle munechen.
von êwen zuo den êwen
got genâde ir aller sêle.

2
Nu wil ih iu herron
heina wâr reda vor tuon

1. 1. Der verehrenswerte Bischof Gunther von Bamberg / hieß ein sehr gutes Werk tun: / Er beauftragte seine Geistlichen, / ein schönes Lied zu machen. / Sie begannen mit einem Liede, / da sie in der Schrift bewandert waren. / Ezzo schrieb die Verse, / Wille erfand die Melodie. / Als die Komposition fertig war, / beeilten sie sich alle, nach der Mönchsregel zu leben. / Von Ewigkeit zu Ewigkeit / sei Gott ihrer aller Seelen gnädig.
2. Jetzt will ich Euch Herren / eine wahre Darstellung geben / von dem

von dem angenge,
von alem manchunne,
von dem wîstuom alse manicvalt,
ter an dien bûchin stêt gezalt,
ûzer genesi unde ûzer libro regum,
tirre werlte al ze dien êron.

3
Lux in tenebris,
daz sament uns ist:
der uns sîn lieht gibit,
neheiner untriwon er ne fligit.
in principio erat verbum,
daz ist wâro gotes sun.
von einimo worte er bechom
dire werlte al ze dien gnâdon.

4
Wâre got, ih lobin dih,
dîn anegenge gihen ih:
taz anagenge bistu trehten ein,
ih negiho in anderz nehein:
der erda joch tes himilis,
wâges unde luftes
unde tes in dien viern ist
ligentes unde lebentes.

Urbeginn, / von allem Menschengeschlecht, / von der vielfachen Weisheit, / die in der Schrift steht, / aus Genesis und dem Buch der Könige, / dieser ganzen Welt zu Ehren.
3. Licht in der Finsternis, / das bei uns ist. / Der uns sein Licht gibt, / weiß von keiner Untreue. / Im Anbeginn war das Wort, / das ist in Wahrheit Gottes Sohn. / Durch ein Wort wurde er / dieser ganzen Welt zum Quell der Gnade.
4. Wahrer Gott, ich lobe Dich. / Dich als Ursprung bekenne ich. / Du allein, Herr, bist der Ursprung, / ich bekenne, daß es keinen anderen für sie gibt: / für die Erde und den Himmel, / das Wasser und die Luft / und für das, was in den Vieren ist, / Stilliegendes und Lebendiges. / Das

daz geskuofe du allez eino,
du ne bedorftost helfo darzuo:
ih wil dih ze anegenge haben
in worten unde in werchen.

5

Got tu gescuofe al daz ter ist,
âne dih ne ist nieht.
ze allerjungest gescuofe du den man
nâh tînem bilde getân,
nâh tîner getâte,
taz er gewalt habete.
du bliesimo dînen geist în,
taz er êwic mahti sîn.
noh er ne vorhta imo den tôt,
ub er gehielte dîn gebôt.
ze allen êron gescuofe du den man:
du wissôs wol sînen val.

6

Wie der man getâte,
tes gehugen wir leider nôte.
turh tes tiufeles rât,
wie skier er ellende wart!
vil harto gie diu sîn scult
uber alle sîn afterchumft:

hast Du alles allein geschaffen; / Du bedurftest dazu keiner Hilfe. / Ich will Dich zum Anbeginn haben / in Worten und in Werken.

5. Gott, Du hast alles geschaffen, das da ist; / ohne Dich ist nichts. / Zu allerletzt schufest Du den Menschen, / nach Deinem Bilde geformt, / nach Deiner Gestalt, / auf daß er Gewalt hätte. / Du bliesest ihm Deinen Geist ein, / auf daß er ewig sein könnte; / und den Tod fürchtete er nicht, / wenn er Dein Gebot hielte. / Zu allen Ehren schufest Du den Menschen: / (aber) Du wußtest seinen Fall (voraus).

6. Wie der Mensch handelte, / daran denken wir leider schmerzlich. / Wie rasch wurde er / durch des Teufels Rat verstoßen! / Schwer erging seine Schuld / über alle seine Abkunft. / Sie wurden alle / in die Gewalt

sie wurden allo gezalt
in des tiuveles gewalt.
vil mihil was tiu unser nôt:
tô begonda rîcheson ter tôt;
ter hello wuos ter ir gewin,
manchunne al daz fuor darîn.

7

Dô sih Adam dô bevîl,
dô was naht unde vinster.
dô skinen her in welte
die sternen be ir zîten,
die vil lucel liehtes pâren,
sô berhte sô sie wâren:
wanda sie beskatwota
diu nebilvinster naht,
tiu von demo tievele chom
in des gewalt wir wâren,
unz uns erskein der gotis sun,
wâre sunno von den himelen.

8

Der sternen aller ielîch,
ter teilet uns daz sîn lieht.
sîn lieht taz cab uns Abel,
taz wir durh reht ersterben.

des Teufels gerechnet. / Sehr groß war unsere Not: / Da begann der Tod zu herrschen; / der Hölle mehrte sich ihr Gewinn, / alles Menschengeschlecht fuhr in sie hinein.

7. Als Adam gefallen war, / da war Nacht und Finsternis. / Da schienen hierher in die Welt hinein / die Sterne zu ihren Zeiten, / die nur wenig Licht brachten, / so hell sie auch waren: / Denn sie überschattete / die nebelfinstere Nacht, / die von dem Teufel kam, / in dessen Gewalt wir waren, / bis uns der Gottessohn erschien, / die wahre Sonne von den Himmeln.

8. Ein jeder der Sterne / ließ uns sein Licht zuteil werden. / Sein Licht gab uns Abel, / daß wir für das Recht sterben sollen. / Da lehrte uns

dô lêrta uns Enoch,
daz unseriu werh sîn al in got.
ûzer der archo gab uns Noe
ze himele reht gedinge.
dô lêrt uns Abraham,
daz wir gote sîn gehôrsam,
der vil guote David,
daz wir wider ubele sîn genâdich.

9

Duo irscein uns zaller jungest
baptista Johannes
dem morgensternen gelîch:
der zeigote uns daz wâre lieht.
der der vil waerlîche was
uber alle prophetas,
der was der vrône vorbote
von dem geweltigen gote.
duo rief des boten stimme
in dise werltwuostunge,
in spiritu Elie:
er ebenot uns den gotes wech.

10

Duo wart geborn ein chint,
des elliu disiu lant sint,
demo dienet erde unte mere

Enoch, / daß alle unsere Werke in Gott sein sollen. / Aus der Arche gab uns Noah / rechte Zuversicht auf den Himmel. / Dann lehrte uns Abraham, / daß wir Gott gehorsam sein sollen, / der hohe David, / daß wir gegen Böse gnädig sein sollen.
9. Da erschien uns zu allerletzt / Johannes der Täufer / gleich dem Morgenstern. / Der zeigte uns das wahre Licht. / Er, der wahrhaft / über allen Propheten war, / der war der heilige Vorbote / des gewaltigen Gottes. / Da rief die Stimme des Boten / in diese Weltwüste / im Geiste des Elias: / er ebnete uns den Weg zu Gott.
10. Da ward ein Kind geboren, / dem alle diese Lande gehören, / dem

unte elliu himelisciu here,
den sancta Maria gebar:
des scol sie iemer lop haben,
wante si was muoter unte maget;
daz wart uns sît von ir gesaget.
si was muoter âne mannes rât,
si bedachte wîbes missetât.

NOKER VON ZWIEFALTEN

Der Dichter wird der schweizerische Mönch Noggerus gewesen sein, der 1065 aus dem Kloster Einsiedeln in das reformbereite Kloster Hirsau kam und 1090 Abt des Klosters Zwiefalten wurde, einer Gründung von Hirsau. Das Gedicht ist vermutlich um 1070 entstanden, in der Hirsauer Zeit.

Memento mori

Diese erste dichterische Bußpredigt in Reimform hebt sich in ihrer auf Mahnung und Drohung angesichts der Nichtigkeit des Menschen und der Welt gegründeten Furcht vor dem Schicksal nach dem Tode deutlich von der sicheren Heilsgewißheit in »Ezzos Gesang« ab. Darin zeigt dieses Gedicht deutlich die Umkehr im Geist der cluniazensischen Reform zur Askese und Weltabkehr; sie beherrscht die Literatur bis hin zum »Hamburger Jüngsten Gericht« (1140/50) und zur Bußpredigt Heinrichs von Melk um 1160.
Angesprochen mit diesem Gedicht waren Laien (wîb unde man), *wahrscheinlich reiche Laien aus dem vornehmen Stand:*

Erde und Meer dienen / und alle himmlischen Heerscharen, / den Sta. Maria gebar; / dafür soll sie immer gepriesen werden. / Denn sie war Mutter und Jungfrau; / das wurde uns seither von ihr gesagt. / Sie war Mutter unberührt von einem Manne; / sie deckte die Missetat des Weibes zu.

alle Menschen stammen von einem Mann ab; die Reichen sollen ihren Besitz zu guten Werken nutzen, Nächstenliebe und Gerechtigkeit üben; der Mensch muß in einem Gott gefälligen Leben der Welt entsagen, um sich zu bewähren und im Letzten Gericht zu bestehen.

1

Nu denchent, wib unde man, war ir sulint werdan[1].
ir minnont tisa brodemi[2] unde wanint iemer hie sin.
si ne dunchet iu nie so minnesam, eina churza wila sund ir si han:
ir ne lebint nie so gerno manegiu zit, ir muozent verwandelon disen lib.

2

Ta hina ist ein michel menegi; sie wandan iemer hie sin,
sie minnoton tisa wencheit[3], iz ist in hiuto vil leit.
si ne duhta sie nie so minnesam[4], si habent si ie doh verlazen:
ich ne weiz war sie sint gevarn; got muozze[5] so alle bewarn!

3

Sie hugeton[6] hie ze lebinne, sie gedahton hin ze varne
ze der ewigin mendi[7], da sie iemer solton sin.
wie luzel sie des gedahton, war sie ze iungest varn solton!
nu habint siu iz bevunden[8]: sie warin gerno erwunden[9].

1. gelangen.
2. Vergänglichkeit.
3. das Unwesentliche.
4. lieblich.
5. möge.
6. gedachten.
7. Freude.
8. erfahren.
9. umgekehrt.

4

Paradysum daz ist verro hinnan: tar chom vil selten dehein man,
taz er her wider wunde unde er uns taz mare brunge,
ald er iu daz gesageti, weles libes siu dort lebetin.
sulnd[10] ir iemer da genesen[11], ir muozint iu selbo die boten wesen.

5

Tisiu werlt ist also getan: swer zuo ir beginnet van,
si machot iz imo alse wunderlieb, von ir chom ne mag er niet.
so[12] begriffet er ero gnuoge, er habeti ir gerno mera,
taz tuot er unz an sin ende, so ne habit er hie noh tenne[13].

6

Ir wanint iemer hie lebin: ir muozt is ze iungest reda ergeben[14].
ir sulent all ersterben, ir ne mugent is niewit uber werden[15].
ter man einer stuntwilo[16] zergat, also skiero so diu brawa zesamine geslat.
Tes wil ih mih vermezzen: so wirt sin skiero[17] vergezzen.

7

got gescuof iuh allo, ir chomint von einimanne[18].
to gebot er iu ze demo lebinne mit minnon hie ze wesinne,

10. wollt.
11. errettet.
12. dann.
13. dann.
14. Ihr wähnt, hier immer zu leben. Doch zuletzt müßt ihr Rechenschaft darüber ablegen.
15. drum herumkommen.
16. Augenblick.
17. rasch.
18. einem Menschen.

taz ir warint als[19] ein man: taz hant ir ubergangen[20].
habetint ir anders niewit getan, ir muosint is[21] iemer scaden han.

8

Toh ir chomint alle von einiman, ir bint iedoch geskeiden[22]
mit manicvalten listen, mit michelen unchusten[23],
ter eino ist wise und vruot[24] – – – – –

9

– – – – – tes wirt er verdamnot.
tes rehten bedarf ter armo man: tes mag er leidor niewit han,
er ne chouf iz also tiuro: tes varn se all ze hello.

10

Gedahtin siu denne, wie iz vert an dem ende!
so vert er hina dur not, so ist er iemer furder tot.
wanda er daz reht verchoufta, so vert er in die hella;
da muoz er iemer inne wesen: got selben hat er hin gegeben.

11

Ube[25] ir alle einis rehtin lebitint, so wurdint ir alle geladet in
ze der ewigun mendin[26], da ir iemer soltint sin.

19. *wie.*
20. *übertreten.*
21. *davon.*
22. *unterschieden.*
23. *Falschheit.*
24. *klug.*
25. *wenn.*
26. *ewigen Freude.*

taz eina hant ir iu selben: von diu so ne mugen ir dringen[27];
daz ander gebent ir dien armen: ir muozint iemer dervor sten.

12
Gesah in got taz er ie wart, ter da gedenchet an die langun vart,
der sih tar gewarnot[28], so got selbo gebot,
taz er gar[29] ware, swa er sinen boten sahe!
taz sag ih in triwon[30]: er chumit ie nohwennon.

13
nechein man ter ne ist so wise, ter sina vart wizze.
ter tot ter bezeichint ten tieb, iuer ne lat er hie niet.
er ist ein ebenare[31]: necheiman ist so here,
er ne muoze ersterbin: tes ne mag imo der skaz ze guote werden.

14
Habit er sinin richtuom so geleit, daz er vert an arbeit:
ze den sconen herbergon vindit er den suozzin lon.
des er in dirro werlte niewit gelebita, so luzil riwit iz in da:
in dunchit da bezzir ein tac, tenne hier tusinc, teist war.

15
Swes er hie verleibet[32], taz wirt imo ubilo geteilit.
habit er iet[33] hina gegebin, tes muoz er iemer furdir leben.

27. *Das eine Teil behaltet ihr für euch selbst, deshalb dürft ihr nicht hineingehen.*
28. *rüstet.*
29. *bereit.*
30. *wahrlich.*
31. *Gleichmacher.*
32. *unterläßt.*
33. *etwas.*

er tuo iz unz er wol mac; hie noh chumit der tac:
habit er is tenne niwit getan, so ne mag er iz nie
gebuozan.

16

Ter man ter ist niwit wise, ter ist an einer verte[34],
einin boum vindit er sconen, tar undir gat er ruin:
so truchit[35] in der slaf ta, so vergizzit er dar er scolta;
als er denne uf springit, wie ser iz in denne riwit!

17

Ir bezeichint[36] allo den man: ir muozint tur not hinnan.
ter boum bezechint tisa werlt: ir bint etewaz hie
vertuelit[37].
diu vart diu dunchit iuh sorcsam, ir chomint dannan
obinan:
tar muozint ir bewinden: taz sunder wol bevindin.

– – –

18

Ja du vil ubeler mundus, wie betriugist tu uns sus!
du habist uns gerichin[38], des sin wir allo besuichin[39].
wir ne verlazen dih ettelichiu zit, wir verliesen sele unde
lib.
also lango so wir hie lebin, got habit uns selbwala gegibin.

19

Trohtin[40], chunic here, nobis miserere!
tu muozist uns gebin ten sin tie churzun wila so wir hie
sin,

34. Fahrt, Reise.
35. bedrückt.
36. bedeutet.
37. verweilt.
38. beherrscht.
39. betrogen.
40. Herr.

daz wir die sela bewarin: wanda wir dur not hinnan sulen varn.
fro so muozint ir wesin iemer: daz machot all ein Noker.

HEINRICH VON MELK

Wahrscheinlich ein Laienbruder ritterlicher Abkunft im Kloster Melk (Niederösterreich). Um 1160 schrieb er seine beiden Gedichte: *Von des tôdes gehugede* (Erinnerung an den Tod), ein satirisch-zeitkritisches Memento mori, und das *Priesterleben.*

Memento mori (Auszug)

Wie Nokers »Memento mori« am Beginn der cluniazensischen Weltentsagung, so steht Heinrichs Gedicht am Ende dieser Periode einer zutiefst negativen Welterfassung. Wo Noker die Menschheit kollektiv in die Verantwortung von Sünde und Weltgericht stellt, zielt Heinrich von Melk anklagend auf Rittertum und Geistlichkeit in ihren sozialen, konkreten Bezügen. Er geißelt Sittenverfall und Mißstände, Ungerechtigkeit, Eitelkeit, Unzucht, Ehebruch. In den etwa 1000 Versen des Gedichts schildert und verdammt er müezec wort *und* trûtliet *(= erste Erwähnung des ritterlichen Minnesangs). Hier wird bewußt zum erstenmal der Einbruch der realen Welt in die kirchliche Heilslehre von der Vergänglichkeit alles Irdischen erfaßt. In dieser scharfen Zeitkritik liegen kultur- und sittengeschichtlich wertvolle Beispiele aus der nun einsetzenden Zeit des Umbruchs aller gewohnten, kirchlich bestimmten Wertordnungen: ein neues Lebensideal bejaht das Diesseitige, setzt neue ästhetische Werte gleichberechtigt neben die gültigen religiös-sittlichen. Heinrich von Melk nimmt sie verurteilend, doch letztlich schon resignierend zur Kenntnis.*

Nû gedench aber, mensch, dînes tôdes
nâch den worten des hêrren Jôbes,
der sprichet: »churz sint mîne tage,
mîn leben nâhet zû dem grabe.«
des er ouch anderswâ ist gehugende[1]:
»gedenche dînes schephæres in der jugende,
ê dich diu zît bevâhe,
daz dir dîn ungemach nâhe,
unt ê dîn stoup werde
wider zuo der erde!«
dem ouch diu wort gelîch sint:
»mîn leben ist sam ein wint,
sam ein wazzer, daz dâ hin strîchet.
ich bin dem aschen gelîchet;
mîn ebenmâzze[2] ich mische
ze dem aschen unt ze dem valwische[3].«
daz ist ein swærer trôst, der hie schillet[4],
dem ouch ein ander wîssag gehillet[5],
er sprichet: »min leben ist stæte sô daz gras,
daz hiute dorret unt gester grûn was.«
dâ bî chieset[6] wîsen man,
dêr sînes tôdes nicht vergezzen chan.
ouch manet uns Salomônes scrift,
er sprichet: »sun, nû vergiz nicht
dîner jungisten stunde!
sô lebestû immer âne sunde.«
wê im, der sîn heile unt sîn bîchte gespart
an sîn jungiste hinvart!

Armer mensch, brœder läim[7]
– diu zwei sulen werden enäin –

1. *gedenkt.*
2. *Vergleichung.*
3. *Aschenstaub.*
4. *erschallt.*
5. *übereinstimmt.*
6. *erkennt.*
7. *hinfälliger Lehm.*

sô dû des êrsten chumst her,
ê dîn muoter dich geber
mit sêre unt mit ache
ze grôzem ungemache,
aller der werlt hâstû nicht mêre gemäines
wan der hiute unt des gebäines.
duo wirst ouch geborn âne wæte:
durch waz bistû sô stæte
an bœser gewinnunge?
unt wolde diu gotes ordenunge
dich aller werlt machen frömde,
er hêt dir doch geben ein hemde,
dâ mit dû dîne scham bedachtest.
ûf dirre erde dû nimmer benachtest,
dû mûzest ertôten unt erbläichen.
sô dû dîn herceichen[8]
mit wäinen beliutest[9]
– dâ mit dû wol bediutest,
daz dû ze der armchäit giborn bist –
ê dir nû chomt dîn jungiste vrist,
sô mûstû vil offte rûffen: »wê!
mit grimme ist recht, daz er zergê
der geborn ist mit grimme.«
alsô diu êrste stimme
nâch der geburte wol erschäinet[10],
sô daz niweborn chint wäinet.
eines chuniges sun welle wir iu nennen,
ob ir an dem muget erchennen,
weder er sî geborn mêre
ze läide oder ce sêre
oder ce vreuden oder ze gemache.
wir mugen iu maniger slachte[11] sache

8. Feldgeschrei.
9. mit Geläut begleitest.
10. anzeigt.
11. mancherlei einfache.

hie ze stet lâzzen under wegen[12],
dâ mit wir diz chint mochten biwegen
ze einer langen siechäite.
nû lâzze wir in zû der swertläite
mit allen vreuden volchomen[13],
wie möcht er dar an volwonen[14]?
sô gêt im alrêst arbäite zuo:
er mûz spât unt fruo
um dise arme êre sorgen,
wie er hiut oder morgen
muge gemêren sîniu lêhen;
er endarf sich nimmer versehen[15]
voller triwen noch genâden
von sînen næhsten mâgen[16]!

Hât er im senfte[17] erchorn,
sô ist sîn êre schier verlorn,
sô wirt er verstôzzen
von andern sîn genôzzen.
wil er aber ungetriu wesen,
sô mag er ze der sêle nicht genesen.
swelhes lebens er beginnet,
wie lîcht im dar an misselinget!
sîn sorge ist fruo unt spâte,
daz in einer icht verrâte
oder daz im einer icht vergebe[18];
des geschiht mêre, denne ich mege
iu oder ander iemen gesagen.
doch mug wir iu manige nôt niht verdagen[19],

12. übergehen.
13. voll heranwachsen.
14. vollkommen bleiben.
15. erwarten.
16. Verwandten.
17. Ruhe, Annehmlichkeit.
18. zum Verderben gebe, vergifte.
19. verschweigen.

die den armen unt den rîchen
geschênt mislîchen:
einer hât daz vieber oder daz vergiht[20],
einer verliuset hœren oder daz liecht,
einem wirt etlîch lit enzogen,
einer lît[21] gärlîch[22] versmogen[23],
daz er gên unt stên nicht enmach,
einer verliuset wâz[24] unt smach,
einer verliuset sîne sprâche:
sus getâne râche
die einem ieglîchen menschen geschaden megen,
wer mac sich dâ vor entreden[25],
swie rîche oder swie hêr er sî,
daz er von solhen suchten belîbe frî?

Doch verhenge wir, daz etwer
muge ân aller slachte sêr
geleben sînen jungisten tac,
daz doch vil ubel geschehen mac,
nû waz ist der rede mêre?
als schier sô diu arm sêle
den lîchnamen begît[26],
nû sich, armer mensch, wie er lît:
het er gephlegen drîer rîche,
im wirt der erden ebengelîche
mit getäilet als einem durftigen.
ouch sehe wir sumlîch ligen
mit schœnen phellen bedechet,
mit manigem liechte bestechet,
mirre unt wîrouch

20. *Krämpfe, Gicht.*
21. *Glied.*
22. *ganz und gar.*
23. *verkrümmt.*
24. *Geruchssinn.*
25. *entschuldigen.*
26. *verläßt.*

wirt dâ gebrennet ouch.
unt wirt des verhenget,
daz diu bivilde[27] wirt gelenget,
untz sich sîne vriunde gar
gemäinlîchen gesamnen dar,
sô ist daz in ir aller pflege[28],
wie man in hêrlîchen bestaten mege.
owê, vertäiltiu hêrschaft[29]!
swenne diu tîvellîch hellecraft
die armen sêle mit gewalte verswilhet[30],
waz hilfet, swâ man bevilhet[31]
daz vil arme gebäine,
sô der armen sêle mitgemäine[32]
aller häiligen widertäilet wirt?
wê der nacht, diu in danne gebirt!
nû lâzze wir des sîn verhenget,
daz diu bivilde werde gelenget
zwêne tage oder drî
oder swaz ez länger dar uber sî:
daz ist doch ein chläglîch hinevart.
nicht des, daz ie geborn wart,
wirt sô widerzæme[33]
noch der werlt sô ungenæme!

Nû ginc dar, wîp wolgetân,
unt schowe dînen lieben man
unt nim vil vlîzchlîchen war,
wie sîn antlutze sî gevar,
wie sîn schäitel sî gerichtet,
wie sîn hâr sî geslichtet;

27. *Beerdigung.*
28. *Erwägung.*
29. *verfluchte Herrlichkeit.*
30. *verschlingt.*
31. *bestattet.*
32. *Gemeinschaft.*
33. *widerwärtig.*

schowe vil ernstlîche,
ob er gebâr icht vrœlîchen[34],
als[35] er offenlîchen unt tougen
gegen dir spilte mit den ougen.
nû sich, wâ sint sîniu mûzige wart,
dâ mit er der frowen hôhvart
lobet und säite?
nû sich, in wie getâner häite[36]
diu zunge lige in sînem munde,
dâ mit er diu troutliet[37] chunde
behagenlîchen singen;
nûne mac si nicht fur bringen
daz wort noch die stimme.
nû sich, wâ ist daz chinne
mit dem niwen barthâre?
nû sich, wie recht undâre[38]
ligen die arme mit den henden,
dâ mit er dich in allen enden
trout[39] unt umbevie!
wâ sint die fûze, dâ mit er gie
höfslîchen mit den frowen?
dem mûse dû diche nâch schowen,
wie die hosen stûnden an dem bäine;
die brouchent[40] sich nû läider chläine!
er ist dir nû vil fremde,
dem dû ê die sîden in daz hemde
mûse in manigen enden witten[41].
nû schowe in an: al enmitten
dâ ist er geblæt als ein segel.

34. *ob er nicht froh aussieht, eine frohe Miene macht.*
35. *so wie.*
36. *Art und Weise.*
37. *Minnelieder.*
38. *unansehnlich, unschön.*
39. *zärtlich.*
40. *biegen sich, schmiegen sich an.*
41. *schnüren.*

der bœse smach[42] unt der nebel
der vert ûz dem uberdonen[43]
unt læt in unlange wonen
mit samt dir ûf der erde.
owê, dirre chläglîche sterbe
unt der wirsist aller tôde
der mant dich, mensch, dîner brœde[44].
nuo sich encît umbe,
ê dich dîn jungiste stunde
begrîffe, diu dir ie ze furchten was.
repentina calamitas,
daz sprichet: sorge ze sô getânem tôde.
unt sprich mit dem hêrren Jôbe:
»churzlîchen vervarent mîniu jâr;
ich gên einen stîc, daz ist wâr,
an dem ich nicht chum widere.«
ê dich dîn jungistez geligere[45]
begrîff an dem bette,
chêre dîn schef[46] ze stette[47],
daz dich enmitten ûf dem mer
die sunden winde hin und her
denne icht ane bôzzen
unt dû ez nicht ze stade macht gestôzzen[48].
sô dich begrîffet der siechtuom,
sô machtû der sunde nicht mêr getûn.
sô lâzzent dich die sunde unt nicht dû siu.
nû sage, armer mensch, umbe wiu[49]
wil dû den phaffen denne gesprechen?

42. *Geruch, Duft.*
43. *Bahrtuch.*
44. *Schwäche, Schwachheit; auch Hinfälligkeit.*
45. *Lager.*
46. *Schiff.*
47. *sogleich.*
48. *ans Ufer getrieben.*
49. *warum.*

waz wil dû dînes dinges cechen[50],
sô dû gebûzzen nîne macht?
dû hâst dich ze uncît bedâcht!

Marienlied von Melk

Entstanden vor 1150, zeigt dieses Mariengedicht zum erstenmal die lyrische Strophe in der deutschsprachigen Dichtung. Das Lied hat mit seinem sechszeiligen Strophenbau zu je drei Reimpaaren und dem Refrain ein Vorbild im lateinischen Hymnus.
Neben die dogmatische Christusfrömmigkeit der cluniazensischen Reformzeit tritt an ihrem Ende, um die Mitte des Jahrhunderts also, die Marienfrömmigkeit. Sie hatte bisher in Legendendichtung und lateinischen Marienhymnen ihren Ausdruck gefunden, wird nun aber zu einer selbständigen, frei gestalteten Form entwickelt. In der »volkstümlichen Marienfrömmigkeit« (de Boor) wird die bisherige Trinitätsfrömmigkeit erweitert, es tritt eine neue, menschlicher Identifikation offenere Frömmigkeit hinzu. Die persönliche Frömmigkeit fand in der Mit-Leidensgeschichte der Gottesmutter Halt und Bestätigung. In Anlehnung an die Gesänge des »Hohen Liedes« und in Umdeutung seiner Liebeshymnen wird Maria als jungfräuliche Gottesbraut gesehen und mit einer für das Mittelalter wichtigen Natursymbolik umgeben. Hier haben höfischer Frauenpreis und das Frauenideal ritterlicher Lyrik ein ergiebiges Vorbild gefunden.

Jû in erde
leit[1] Aaron eine gerte,
diu gebar mandalon[2],

50. begleichen.
1. legte.
2. Mandeln.

nuzze alsô edile:
die suozze hâst du fure brâht,
muoter âne mannes rât[3],
Sancta Maria.

Jû in deme gespreidach[4]
Moyses ein fiur gesach.
daz holz niene bran,
den louch[5] sah er obenân,
der was lanch unde breit:
daz bezeichint dîne magetheit,
Sancta Maria.

Gedeon, dux Israel,
nider spraeit er ein lamphel,
daz himeltou[6] die wolle
betouwete almitalle[7]:
alsô chom dir diu magenchraft[8],
daz du wurde berehaft[9],
Sancta Maria.

Mersterne, morgenrôt,
anger ungebrâchôt[10],
dar ane stât ein bluome,
diu liuhtet alsô scône:
si ist under den anderen
sô lilium undern dornen,
Sancta Maria.

Ein angelsnuor geflohtin ist,
dannen du geborn bist:

3. *Hilfe.*
4. *Gesträuch.*
5. *Lohe.*
6. *himmlischer Tau.*
7. *ganz und gar.*
8. *hehre Kraft.*
9. *schwanger.*
10. *unbeackert.*

daz was diu dîn chunnescaft.
der angel was diu gotes chraft,
dâ der tôt wart ane irworgen[11],
der von dir wart verborgen,
Sancta Maria.

Ysayas der wîssage
der habet dîn gewage[12],
der quot[13], wie vone Jesses stamme
wuohse ein gerten imme,
dâ vone scol ein bluome varen[14]:
diu bezeichint dich unde dîn barn,
Sancta Maria.

Dô gehît ime[15] sô werde
der himel zuo der erde,
dâ der esil unte daz rint
wole irchanten daz vrône[16] chint:
dô was diu dîn wambe[17]
ein chrippe deme lambe,
Sancta Maria.

Dô gebaere du daz goteschint,
der unsih alle irlôste sint
mit sînem heiligen bluote
von der êwigen noete:

11. Die geflochtene Angelschnur ist Marias Sippe (chunnescaft); aus ihr ging die menschliche Seite Christi hervor, an der der Angelhaken, Christi Gottheit, befestigt war. Ein geläufiges Bild: der Tod oder der Teufel schnappt nach dem sterblichen Leib Christi, in dem der Angelhaken der Gottheit versteckt ist, an dem der Tod bzw. der Teufel erstickt (irworgen wart).
12. Erwähnung.
13. sagte.
14. entspringen.
15. vermählte sich.
16. heilige.
17. Mutterleib.

des scol er iemer gelobet sîn,
vile wole gniezze wir dîn,
Sancta Maria.

Du bist ein beslozzeniu borte[18],
entâniu[19] deme gotes worte,
du waba[20] triefendiu,
pigmenten sô volliu[21],
du bist âne gallen
glîch der turtiltûben,
Sancta Maria.

Brunne besigelter,
garte beslozzener
dar inne flûzzit balsamum,
der waezzit[22] sô cinamomum,
du bist der cêderboum,
den dâ flûhet[23] der wurm,
Sancta Maria.

Cedrus in Libano,
rosa in Jericho,
du irwelte[24] mirre,
du der[25] waezzest alsô verre:
du bist uber engil al,
du besuontest den Even val,
Sancta Maria.

Eva brâht uns zwissen tôt[26],
der eine ienoch rîchsenôt[27];

18. *Pforte.*
19. *aufgetan.*
20. *Honigwabe.*
21. *so voll von Würze.*
22. *duftet.*
23. *flieht.*
24. *auserwählte.*
25. *die du.*
26. *zwiefachen Tod.*
27. *der eine herrscht immer noch.*

du bist daz ander wîb[28],
diu uns brâhte den lîb[29].
der tiufel geriet daz mort[30]:
Gabrihel chunte dir das gotes wort,
Sancta Maria.

Chint gebaere du magedîn[31],
aller werlte edilîn[32].
du bist glîch deme sunnen
von Nazareth irrunnen,
Hierusalem gloria,
Israhel lęticia,
Sancta Maria.

Chuniginne des himeles,
porte des paradyses,
du irweltez gotes hûs,
sacrarium sancti spiritus,
du wis[33] uns allen wegunte[34]
ze jungiste an dem ente,
Sancta Maria.

Hildebrandslied

Der historisch-thematische Hintergrund (Dietrich-Sage) verweist auf langobardischen Ursprung dieses anonymen Heldenliedes aus dem 7. Jahrhundert (Oberitalien). Überlieferung auf der Vorderseite des ersten und der Rückseite des letzten Blatts einer theologischen Handschrift des Klosters Fulda aus dem 9. Jahrhundert (um 840). Lautstand und Sprache verweisen auf eine bairische Fassung (770–790) des Urtextes, die in einer

28. *das zweite Weib (gegenüber Eva, dem ersten Weibe).*
29. *das Leben.*
30. *die Untat.*
31. *als Jungfrau.*
32. *Edelkeit.*
33. *sei.*
34. *beschirmend.*

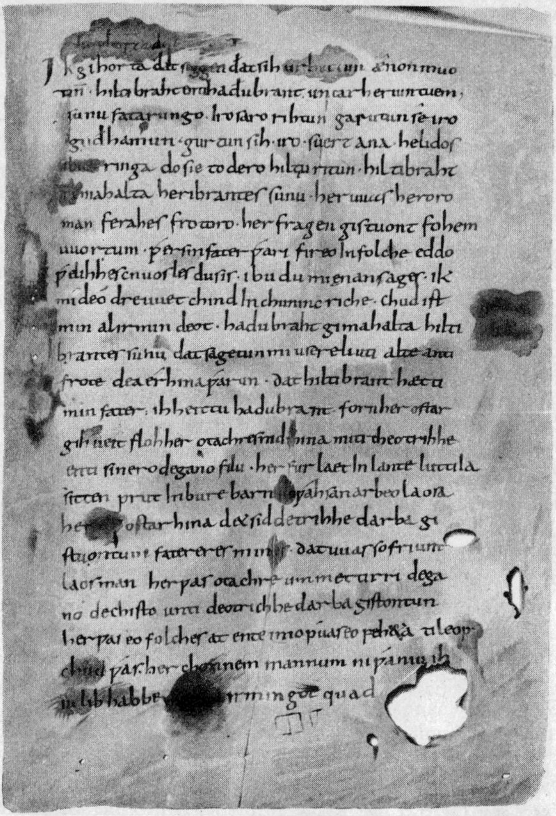
Ik gihorta dat seggen dat sih urhettun ænon muo
tin · hiltibraht enti hadubrant untar heriun tuem ·
sunufatarungo · iro saro rihtun garutun se iro
gudhamun · gurtun sih iro · suert ana · helidos
ubar ringa do sie to dero hiltiu ritun · hiltibraht
gimahalta heribrantes sunu · her uuas heroro
man ferahes frotoro · her fragen gistuont fohem
uuortum · hwer sin fater wari fireo in folche eddo
welihhes cnuosles du sis · ibu du mi enan sages · ik
mi deo dreuuet chind in chunincriche · chud ist
min al irmindeot · hadubraht gimahalta hilti
brantes sunu dat sagetun mi usere liuti alte anti
frote dea erhina warun · dat hiltibrant haetti
min fater · ih heittu hadubrant · forn her ostar
gihueit floh her otachres nid hina miti theotrihhe
enti sinero degano filu · her furlaet in lante luttila
sitten prut in bure barn unwahsan arbeo laosa
her raet ostar hina det sid detrihhe darba gi
stuontun fatereres mines · dat uuas so friuntlaos
man her was otachre ummet tirri dega
no dechisto unti deotrichhe darba gistontun
her was eo folches at ente imo was eo fehta ti leop
chud was her chonnem mannum ni waniu ih
iu lib habbe wettu irmingot quad

Die erste Seite des »Hildebrandsliedes«

niederdeutschen Mischsprache in stabenden Langzeilen niedergeschrieben wurde. Die Handschrift (Blatt I nach 1945 aus der Kasseler Landesbibliothek verlorengegangen) ist Fragment, ohne einen Schluß. Das *Hildebrandslied* ist das einzige überlieferte Heldengedicht in deutscher Sprache.

Thematisch gehört das Lied in den Kreis der indogermanischen Fabel des Kampfes zwischen Vater und Sohn (Vater-Sohn-Konflikt bis heute als literarischer Topos). Für die Urfassung ist ein tragischer Ausgang erschließbar: der Vater tötet im Zweikampf den eigenen Sohn. Spätere Bearbeitungen des 16. Jahrhunderts (»Jüngeres Hildebrandslied«: ins 13. Jahrhundert zurückgehend, im sogenannten Hildebrandston, einer Abart der Nibelungenstrophe) zeigen einen versöhnlichen Schluß: die Verflachung des Heldenepos zur Volksballade im späten Mittelalter.

Ik[1] gihorta dat seggen,
dat sih urhettun ænon muotin,
Hiltibrant enti Hadubrant untar heriun tuem.
sunufatarungo iro saro rihtun.
garutun se iro gudhamun, gurtun sih iro suert ana,
helidos, ubar hringa, dô sie to dero hiltiu ritun,
Hiltibrant gimahalta [Heribrantes sunu]: her uuas heroro man,
ferahes frotoro; her fragen gistuont
fohem uuortum, hwer sin fater wari
fireo in folche, ...
.... »eddo hwelihhes cnuosles du sis.
ibu du mi enan sages, ik mi de odre uuet,
chind, in chunincriche: chud ist mir al irmindeot.«

1. Ich hörte das sagen, / daß sich ausfordernd einzeln riefen / Hildebrand und Hadubrand zwischen den Heeren, / Sohn und Vater. Sie sahn nach dem Panzer, / schlossen ihr Streithemd, gürteten sich das Schwert um / über den Panzer, die Kühnen, da sie zum Kampfe ritten. / Anhub Hildebrand, er war höher an Jahren, / erfahrener und weiser. Zu fragen begann er / mit wenig Worten, wer sein Vater wäre / von denen im Volke . . . / ». . . oder aus welchem Geschlechte du bist. / Wenn du mir Einen sagst, weiß ich die anderen. / Kind, im Königreiche kund ist mir

Hadubrant gimahalta, Hiltibrantes sunu:
»dat sagetun mi usere liuti,
alte anti frote, dea erhina warun,
dat Hiltibrant hætti min fater: ih heittu Hadubrant.
forn her ostar giweit, floh her Otachres nid,
hina miti Theotrihhe enti sinero degano filu.
her furlaet in lante luttila sitten
prut in bure, barn unwahsan,
arbeo laosa: her raet ostar hina.
des sid Detrihhe darba gistuontun
fatereres mines: dat uuas so friuntlaos man.
her was Otachre ummet tirri,
degano dechisto miti Deotrichhe.
her was eo folches at ente: imo was eo fehta ti leop:
chud was her ... chonnem mannum.
ni waniu ih iu lib habbe« ...
»wettu irmingot [quad Hiltibrant] obana ab hevane,
dat du neo dana halt mit sus sippan man
dinc ni gileitos« ...
want her do ar arme wuntane bauga,
cheisuringu gitan, so imo se der chuning gap,
Huneo truhtin: »dat ih dir it nu bi huldi gibu.«
Hadubrant gimahalta, Hiltibrantes sunu:

all Menschenvolk.« / Anhub Hadubrand, Hildebrands Sohn: / »Das sagten zu mir unsere Leute, / alte und erfahrene, die ehdem schon lebten, / daß Hildebrand heiße mein Vater. Ich heiße Hadubrand. / Vordem nach Osten gewandt, floh er vor Otakers Grimm / hinweg mit Dietrich und seiner Degen Schar. / Er ließ im Lande leidvoll zurück / das Weib im Hause, in der Wiege das Kind / ohne Erbe. Er ritt gen Osten, / denn König Dietrich darbte so sehr / nach meinem Vater, der Mann ohne Freunde. / Er war dem Otaker unmäßig feind, / doch der teuerste Degen war er dem Dietrich. / Stets war er dem Volk an der Spitze, stets war ihm das Fechten so lieb. / Kund war er kühnen Männern. / Nicht glaube ich, daß er noch lebt.« / Anhub Hildebrand, Heribrands Sohn: / »Das weiß der Höchste oben im Himmel, / daß du noch nie dich mit näher Verwandtem / gemessen im Streite.« / Da wand er vom Arme gewundene Ringe / aus Kaisergoldwerk, das ihm der König gegeben, / der Hunnen Herrscher: »Das geb ich aus Huld dir nun.« / Anhub Hadubrand, Hildebrands Sohn: / »Mit dem Gere soll man Gaben

»mit geru scal man geba infahan,
ort widar orte. ....
du bist dir alter Hun, ummet spaher,
spenis mih mit dinem wortun, wili mih dinu speru
werpan.
pist also gialtet man, so du ewin inwit fortos.
dat sagetun mi seolidante
westar ubar wentilseo, dat inan wic furnam:
tot ist Hiltibrant, Heribrantes suno.«
Hiltibrant gimahalta, Heribrantes suno:
»wela gisihu ih in dinem hrustim,
dat du habes heme herron goten,
dat du noh bi desemo riche reccheo ni wurti.« –
»welaga nu, waltant got [quad Hiltibrant], wewurt skihit.
ih wallota sumaro enti wintro sehstic ur lante,
dar man mih eo scerita in folc sceotantero:
so man mir at burc enigeru banun ni gifasta,
nu scal mih suasat chind suertu hauwan,
breton mit sinu billiu, eddo ih imo ti banin werdan.
doh maht du nu aodlihho, ibu dir din ellen taoc,
in sus heremo man hrusti giwinnan,
rauba birahanen, ibu du dar enic reht habes.«
»der si doh nu argosto [quad Hiltibrant] ostarliuto,

---

empfangen, / Spitze an Spitze. / Du bist mir alter Hunn unmäßig schlau, / umspinnest mich mit deinen Worten, willst nach mir mit dem Speere werfen. / Bist nun so alt schon, doch immer voll Trug. / Das sagten zu mir, die die See befahren, / das Weltmeer im Westen: daß Krieg ihn wegriß. / Tot ist Hildebrand, Heribrands Sohn. – / Wohl aber seh ich an deiner Rüstung, / daß du hast daheim einen guten Herrn, / daß du nicht aus dem Reiche vor Rache entwichest.« / Anhub Hildebrand, Heribrands Sohn: / »Wehe nun, waltender Gott. Weh muß geschehen. / Ich weilte der Sommer und Winter sechzig im Ausland, / seit man einst mich scharte zum Volk der Schützen, / aber an keiner Statt kam ich je zu sterben. / Nun soll mich das eigene Kind mit der Klinge treffen, / mit dem Schwert erschlagen oder ich ihm Verderben schaffen. / Doch kannst du nun leicht, wenn die Kraft dir langt, / des Hochbejahrten Harnisch gewinnen, / Raub dir erraffen, wenn du irgendein Recht dazu hast. / Der wär doch der Feigste von den Völkern im Osten, / der dir weigerte nun den

der dir nu wiges warne, nu dih es so wel lustit,
gudea gimeinun: niuse de motti,
hwerdar sih hiutu dero hregilo rumen muotti,
erdo desero brunnono bedero uualtan.«
do lettun se ærist asckim scritan,
scarpen scurim: dat in dem sciltim stont.
do stoptun to samane staim bort chludun,
heuwun harmlicco huitte scilti,
unti im iro lintun luttilo wurtun,
giwigan miti wabnum ....

Ludwigslied

Von einem rheinfränkischen Geistlichen verfaßtes Preislied auf den westfränkischen König Ludwig III., das älteste historische Lied deutscher Sprache. Die 27 Strophen in assonierenden Langzeilen sind in einer Handschrift des 9. Jahrhunderts überliefert, die vor dem Tod Ludwigs am 5. August 882 geschrieben worden ist. Der historische Anlaß: Ludwig III. von Westfranzien besiegt am 3. August 881 bei Saucourt ein Normannenheer. Als Streiter Gottes zieht Ludwig in den Kampf; vor der Begegnung singt er ein frommes Lied, der »Kyrie Eleison«-Refrain wird vom Heer mitgesungen. Das Lob Gottes und das Lob auf den siegreichen Ludwig wird vom Verfasser ineinander verwoben. Damit erweist sich das »Ludwigslied« nicht nur als eine Verherrlichung des Retters eines damals schon zerfallenden Westfrankenreichs, sondern

Kampf, da es so wohl dich gelüstet / gemeinsamer Gänge. Geprüft werden muß, / wer da noch heute seinen Harnisch muß räumen / oder unserer Brünnen beider soll Herr sein.« / Sie ließen zum ersten Eschen fliegen, / scharf gestoßen, daß im Schilde sie steckten. / Sie sprengten zusammen, den Zierat zerschlagend, / hieben hart auf die hellen Schilde, / bis ihnen das Lindenholz in den Fugen sich löste, / zerwirkt von den Waffen . . .

auch als eine »politische« Dichtung, die den Gedanken des germanischen Gefolgschaftsverhältnisses mit dem machtpolitischen Anspruch des Gottesgnaden-Königtums verbindet.

Einan[1] kuning uueiz ih, Heizsit her Hluduig,
Ther gerno gode thionot: Ih uueiz her imos lonot.
Kind uuarth her faterlos, Thes uuarth imo sar buoz:
Holoda inan truhtin, Magaczogo uuarth her sin.
Gab her imo dugidi, Fronisc githigini,
Stuol hier in Urankon. So bruche her es lango!
Thaz gideilder thanne Sar mit Karlemanne,
Bruoder sinemo, Thia czala uuuniono.
So thaz uuarth al gendiot, Koron uuolda sin god,
Ob her arbeidi So iung tholon mahti.
Lietz her heidine man Obar seo lidan,
Thiot Urankono Manon sundiono.
Sume sar uerlorane Uuurdun sum erkorane.
Haranskara tholata Ther er misselebeta.
Ther ther thanne thiob uuas, Ind er thanana ginas,
Nam sina uaston: Sidh uuarth her guot man.
Sum uuas luginari, Sum skachari,
Sum fol loses, Ind er gibuozta sih thes.

1. Ich kenne einen König: Ludwig ist sein Name, / er dient Gott mit ganzem Herzen. Ich bin gewiß, er wird es ihm lohnen. / Den Vater verlor er (schon) in jungen Jahren, doch erhielt er sogleich Ersatz: / Der Herr selbst nahm sich seiner an und wurde sein Erzieher. / Er übergab ihm eine Mannschaft, ein herrscherliches Gefolge, / (schenkte ihm) hier im Frankenland den Thron. Noch lange möge er sich dieser Gaben erfreuen! / Die Herrschaft hat er bald mit Karlmann, / seinem Bruder, geteilt, die Summe der Freuden. / Als das vollzogen war, wollte Gott ihn prüfen, / ob er, so jung (noch) an Jahren, Gefahren zu bestehen vermöchte. / Er ließ Heiden über See kommen, / um das Volk der Franken seiner Sünden wegen zu mahnen. / Die einen gingen sofort verloren, die andern wurden (zum ewigen Heil) auserwählt. / Harte Strafe mußte jetzt erleiden, wer bis dahin in Sünden gelebt hatte. / Der vormals ein Dieb gewesen war, begann zu fasten: / dadurch rettete er sich und wurde noch ein guter Mensch. / Der eine war ein Betrüger, der andere ein Räuber, / ein dritter lebte ohne jede Beherrschung. Doch auch er befreite sich von diesem Makel durch Buße. / Der König war in der

Kuning uuas eruirrit, Thaz richi al girrit,
Uuas erbolgan Krist: Leidhor, thes ingald iz!
Thoh erbarmedes got, Uuisser alla thia not,
Hiez her Hluduigan Tharot sar ritan:
»Hluduig, kuning min, Hilph minan liutin!
Heigun sa Northman Harto biduuungan.«
Thanne sprah Hluduig »Herro, so duon ih,
Dot ni rette mir iz, Al thaz thu gibiudist.«
Tho nam her godes urlub, Huob her gundfanon uf,
Reit her thara in Urankon Ingagan Northmannon.
Gode thancodun The sin beidodun,
Quadhun al: »fro min, So lango beidon uuir thin.«
Thanne sprah luto Hluduig ther guoto:
»Trostet hiu, gisellion, Mine notstallon!
Hera santa mih god Ioh mir selbo gibod,
Ob hiu rat thuhti, Thaz ih hier geuuhti.
Mih selbon ni sparoti, Uncih hiu gineriti.
Nu uuillih, thaz mir uolgon Alle godes holdon.
Giskerit ist thiu hieruuist So lango so uuili Krist.
Uuili her unsa hinauarth, Thero habet her giuualt.
So uuer so hier in ellian Giduot godes uuillion,

Ferne, das Reich wurde von Wirren erschüttert. / Voll Zorn war da der heilige Christus. Wehe, das Reich mußte dafür büßen! / Doch Gott war (auch) voll Erbarmen, er kannte ja ganz die gefährliche Lage, / und so gebot er Ludwig, ohne Zögern dorthin zu reiten: / »Ludwig, mein König, hilf du meinen Leuten! / Die Normannen haben sie so sehr bedrängt.« / Da erwiderte Ludwig: »Herr, ich werde, / wenn mich der Tod nicht daran hindert, alles tun, was du befiehlst.« / Er empfahl sich seinem Gott, erhob das Kriegsbanner / und ritt gegen die Normannen ins Frankenland. / Da dankten Gott, die ihn erwartet hatten. / Alle sprachen: »Herr, wir warten (schon so) lange auf dich.« / Mit lauter Stimme aber sagte Ludwig der Gute: / »Faßt euch, Freunde, ihr meine Kampfgefährten! / Gott hat mich hergesandt und gebot mir selbst, / wenn es euch eine Hilfe wäre, hier zu kämpfen / und mich nicht zu schonen, bis ich euch retten würde. / Nun ist es mein Wunsch, daß alle mir folgen, die in Gottes Gnade stehen. / Unser irdisches Sein ist nach dem Willen des heiligen Christus bemessen. / Will er unseren Tod, so hat er dazu die Macht. / Wer tapfer hier Gottes Willen vollbringt, /

Quimit he gisund uz, Ih gilonon imoz,
Bilibit her thar inne, Sinemo kunnie.«
Tho nam er skild indi sper, Ellianlicho reit her,
Uuolder uuar errahchon Sinan uuidarsahchon.
Tho ni uuas iz burolang, Fand her thia Northman.
Gode lob sageda, Her sihit thes her gereda.
Ther kuning reit kuono, Sang lioth frono,
Ioh alle saman sungun: »Kyrrieleison.«
Sang uuas gisungan, Uuig uuas bigunnan.
Bluot skein in uuangon, Spilodun ther Urankon.
Thar uaht thegeno gelih, Nichein soso Hluduig:
Snel indi kuoni, Thaz uuas imo gekunni.
Suman thuruhskluog her, Suman thuruhstah her.
Her skancta cehanton Sinan fianton
Bitteres lides. So uue hin hio thes libes!
Gilobot si thiu godes kraft: Hluduig uuarth sigihaft;
Ioh allen heiligon thanc! Sin uuarth ther sigikamf.
Uuolar abur Hluduig, Kuning uuigsalig!
So garo soser hio uuas, So uuar soses thurft uuas,
Gihalde inan truhtin Bi sinan ergrehtin.

dem werde ich es lohnen, wenn er lebend den Kampf übersteht. / Bleibt er aber im Kampf, (vergelte ich es) seinen Verwandten. / Darauf nahm er den Schild und den Speer. Mutig ritt er (allen voran). / Er wollte mit seinen Feinden eine deutliche Sprache sprechen. / Nach nicht allzulanger Zeit stieß er auf die Normannen. / Er lobte Gott; nun soll er sehen, was er gewünscht hat! / Kühn sprengte der König voran, ein heiliges Lied auf den Lippen, / und alle fielen ein mit »Kyrie eleison«. / Der Gesang war (kaum) verklungen, da tobte schon die Schlacht los. / Das Blut schien durch die Wangen, froh jagten da die Franken. / Es focht ein jeder Krieger, doch keiner so wie Ludwig, / so mutig und so kühn – es war ihm angeboren. / Den einen, den durchschlug er, den andern durchbohrte er. / Er kredenzte ohne Pause seinen Feinden / wahrlich bitteren Trank. Wehe immer über ihr Leben! / Gottes Allmacht sei gepriesen: Ludwig wurde Sieger. / Dank sei gleichfalls allen Heiligen! Seinem Kampf wurde der Sieg zuteil. / Dir aber, Ludwig, Heil, du unser König, im Kampf voll Glück! / Er war stets zur Stelle, wo seine Hilfe vonnöten war. / Gott der Herr erhalte ihn stets in seiner Gnade!

Kaiserchronik

Die Kaiserchronik, erste deutschsprachige große Geschichtsquelle überhaupt, wurde von einem bairischen Geistlichen aus Regensburg verfaßt, möglicherweise unter Mithilfe weiterer Kleriker. Als Anreger und Förderer gilt Herzog Heinrich der Stolze von Bayern; er starb 1139, das Werk dürfte also um 1135 begonnen worden sein. Es bricht bei der Schilderung von Ereignissen des Jahres 1147 mitten im Satz ab.

Weltgeschichte wird hier als Geschichte der Kaiser von der Gründung Roms bis etwa 1140 begriffen. Die Kaiserbiographien sind in einen römischen und einen deutschen Teil gegliedert, wobei der erste Teil etwa 14 300 von den insgesamt 17 283 Versen umfaßt. Die Chronologie strebt nicht Vollständigkeit an, sondern Aufzählung exemplarischer Lebens- und Regentschaftsgeschichten, die als Beweis für die Entstehung und Vollendung des Gottesstaates auf Erden im Sinne der Augustinischen Civitas Dei dienen. Geschichte wird erkannt und dargestellt unter der Polarität von Papsttum und Kaisertum, in der Spannung zwischen sacerdotium und imperium und dem Versuch zu einem machtpolitischen Ausgleich. Darin spiegelt Geschichtsschreibung zum erstenmal deutlich »zeitgeschichtlich«-politische Spannung, erscheint zum erstenmal das zentrale Thema mittelalterlicher Welterfassung: Gott und der Welt gefallen.
Die Chronik benutzt verschiedenartige, nur in Teilen feststellbare ältere Quellen, Legenden und Sagen; in der Einleitung ist z. B. das »Annolied« (um 1085) vollständig verarbeitet worden. In den Schilderungen des Hof- und Kriegslebens finden sich wichtige kulturgeschichtliche Zeugnisse: der Begriff des Ritters und ritterlicher Lebensführung wird dargestellt, etwa in der Lukretia-Erzählung. Es fehlt noch der Begriff der aventiure, *die Vorstellung des ritterlichen Idealbildes und die Erhöhung der Frau zur Herrin; die Frau ist züchtige, treue Ehefrau, der Ritter vor allem kriegführender, im Umgang mit Hunden, Pferden und Falken geübter Mann. Eine frühe Minnelehre entwickelt sich in der Auseinander-*

setzung darüber, ob der Kampf mit dem Gegner oder die Gunst der Frau höher zu schätzen sei. Minne als sittlich erhöhende Macht wird gesehen, auch wenn sie vorwiegend noch als sinnliche Gewalt begriffen wird.
Die »Kaiserchronik« fand zu ihrer Zeit in zahlreichen Handschriften weite Verbreitung. Sie diente Heinrich von Veldeke und dem Verfasser des »Moriz von Craûn« als Quelle und wurde in zahlreichen Bearbeitungen bis ins 16. Jahrhundert inhaltlich weiterentwickelt.

Der Kreuzzug Gottfrieds von Bouillon

Under diu chom daz zît,
daz der herzoge Gotfrit
huop sich ze dem hailigen grabe.
er verliez alle sîne habe
dem wâren gote zêren.
vil was der hêrren
die sich mit im ûz huoben.
durch Ungeren si dô vuoren,
dannen durch Pulgrîe[1],
durch die wuosten Rumenîe.
der haiden craft
flôch ze Antîoch in die stat,
der herzoge dar vur saz.
ain haiden dô dâ inne was,
gehaizen was er Mîlîân,
der nemahte der state niht hân[2],
daz er sich erlôste.
die haiden in dô wol trôsten;
si baiten aver ze lange.
der vurste wart gevangen,

1. Bulgarenland.
2. nicht die Möglichkeit haben.

die sîne wurden alle samt erslagen,
die burc er in nôtsturmes[3] an gewan.

Die haiden fraiscten[4] dô daz,
daz diu burc gewunnen was.
fiunf haidenisce chunige
chômen mit aller ir menige.
nû wære iu lanc ze sagene,
mit wie grôzen magene
si die burc besâzen.
ir grôz unmâze[5] –
sô wir alle hôren gehen[6] –
di nemahte niemen durchsehen.
die burch si umbelâgen,
die cristen in grôzen nôten wâren.
swie ubele ir daz geloubet:
man verchouft aines eseles houbet
umbe drî bîsendinge[7].
der hunger twanc si dar inne.
die haiden di si selbe sluogen,
zesamene si si truogen,
si âzen di restunchen[8] lîchnâmen,
dâ mit fristen si sich zewâre.

Ienoch wolte got die sîne neren[9]:
ja nehalf die haiden nehain here.
aines morgenes vil fruo
der herzoge wæfente sich duo,
do di cristen retwelt[10] wâren

3. *durch kriegerischen Sturm.*
4. *erfuhren.*
5. *ungeheuer große Menge.*
6. *sagen.*
7. *byzantinische Golddenare.*
8. *stinkend geworden.*
9. *retten.*
10. *kraftlos geworden.*

von hungeres zâdel[11],
von unmahte si sigen[12],
vil manige dâ beliben;
dô chom in ze trôste
der uns von der helle relôste,
die cristen gefrowet er:
si vunden daz hailige sper.
die reken ellende
rachten[13] ûf ir hende,
mit hungerigem lîbe
huoben si sich ze wîge,
si sluogen in ainer luzelstunt[14]
der haiden mêr denne fiunfzech tûsunt.
des half in selbe mîn trähtîn.
soleh craft wart under in:
ain cristen man
hête wol tûsent haiden reslagen,
wâren si im niht entrunnen.
lop si dô gote sungen.
ich sage iu wunderlîchiu dinch:
der mutte cherne[15] chom umbe ainen pfenninch.
alsô relôste got sîne scalke[16]
mit sînem gotelîchem gewalte.

Alse unser hêrre si ir laides ergazte[17]
unt si Antîoch besazten,
dô vuoren si aver vurbaz.
Jerusalêm er dô besaz;
haiden wâren dar inne
mit michelem grimme.

11. Entbehrung.
12. sanken sie nieder.
13. reckten.
14. in einer kleinen Weile.
15. Scheffel Getreide.
16. Diener, Knechte.
17. entschädigte.

die haiden ungesezzen[18]
wâren alsô vermezzen:
si wurfen ûf diu burgetor,
si vâhten mit in dâ vor.
die cristen mit in dar în drungen,
die burch si in an gewunnen[19].
Wîkêr unt Friderîch,
vil wol uobten[20] si sich:
swaz in der haiden zuo chom,
die muosen alle des tôdes bekorn[21].

Sumelîche fluhen ûf die turne,
ir lîp dâ ze bescirmen,
si bolten[22] unde scuzzen,
luzel si des genuzzen:
daz fiur muose dar uber gân.
jâ wurden aver reslagen
baidiu chint unde wîp.
got half den sînen an der zît.

Der chunich von Babylonie
der samende sich mit grôzer menige.
er wolte di burch relediget[23] hân.
daz hôrte der herzoge Gotfrit sagen:
er samende sich mit den cristen,
er newolt ez niht langer fristen.
dô sprach der herzoge Gotfrit:
»mîn trähtîn hât ain guoten sit[24],
daz er die sîne niemer verlât,
swer im ze der nôte gestât[25].

18. dort nicht ansässig.
19. gewannen ab.
20. betätigten.
21. kosten.
22. warfen.
23. entsetzt.
24. eine gute Gewohnheit.
25. wer im Kampf zu ihm hält.

wir suln den weg mit im tailen.
sô megen uns die vaigen[26]
niemer entrinnen.«
die cristen begunden die rede alle minnen.

Ain wazzer haizet Salkathâ:
die haiden lâgen dâ
mit sô getâner craft,
daz iu daz niemen gesagen nemac.
die cristen nemahten wazzers niht hân,
vil tiure[27] begunden si daz gote clagen,
daz liut was erswizzet[28],
von der sunnen rehizzet,
si hêten michel ungemach.
ain grôz zaichen dâ gescach:
die lufte sie beswebeten,
daz si nehain nôt habeten,
si trunchen ab dem himeltowe.
wer solte gote missetrowen?

Alse di haiden vernâmen,
daz di cristen begunden nâhen,
ze fluhte huoben si sich,
âne slach unt âne stich
lac ir cehenzec[29] tûsent tôt
vor durstes nôt.
sumelîche sich ertrancten,
sumelîche sich in daz mer sancten,
sumelîche burgen sich under den dornen.
die cristen dâ vorne
nâmen sô getânen roup,
daz diu rede netouc
niemen ze sagene.

26. *die Verlorenen.*
27. *sehr eindringlich.*
28. *in Schweiß geraten.*
29. *hundert.*

die cristen suochten[30] ze Babylonie
vast unz an daz burgetor.
die haiden dâ vor
wurden retret[31] unt reslagen,
daz man iu vur wâr wol mac sagen,
daz der haiden lant
von dem âse restanch[32].
diu froude under den cristen wart,
si huoben sich wider in di hailigen stat.

PFAFFE KONRAD

Über den Verfasser des mit 9094 Versen überlieferten *Rolandsliedes* ist wenig bekannt. Er nennt sich im Epilog, doch ist nur zu erschließen, daß er Geistlicher in Regensburg war und den Welfen nahestand: Heinrich dem Löwen, der ihm das altfranzösische Rolandslied (*Chanson de Roland*, nach 1100) als Vorlage beschaffte, ist das Epos gewidmet. Konrad hat die Vorlage zunächst ins Lateinische übertragen und dann, unter Benutzung weiterer Quellen, um 1165 die deutsche Fassung hergestellt.

Rolandslied

Roland, der Held der französischen Vorlage, steht im Mittelpunkt dieser Dichtung, doch ist Karl der Große die zentrale Gestalt: Von Gott erhält er den Auftrag zum Kampf gegen die Heiden im Norden Spaniens. Der mit dem Feind konspirierende kaiserliche Gesandte Genelun überredet nach siegreicher Eroberung Karl zum Abzug seines Heeres. Roland bleibt mit einem kleinen Heer an der Grenze zurück, wird (778) von den Heiden (Basken) vernichtend geschlagen und selbst getötet. In einer Vergeltungsschlacht und im Zwei-

30. *führten den Angriff.*
31. *zertreten.*
32. *zu stinken begann.*

kampf mit Paligan, dem heidnischen Gegner, nimmt Karl Rache. Das Epos schließt mit der Bestrafung Geneluns.
Anders als in der »Kaiserchronik« stehen sich hier Reich Gottes und Weltreich nicht mehr als Polaritäten gegenüber; die Spannung liegt in der Feindschaft zwischen Christentum und Heidentum, wobei, anders als in der französischen Vorlage, die Heiden nicht mehr unbedingt durch den christlichen Ritter getötet werden müssen, sondern unter Einsatz von Machtmitteln auch bekehrt werden können. (Vgl. dieses Motiv im »Parzival« Wolframs, Buch XV u. XVI: der ritterliche Heide Feirefiz.)
Rittertum ist hier als Gottes-Rittertum (miles christianus) aufgefaßt, die Spannung zwischen imperium und sacerdotium, wie sie in der »Kaiserchronik« begriffen wurde, einem Miteinander gewichen, die Kirche zum Bestandteil in Karls »theokratischem Gottesreich« geworden. Ritterliche Tat und ritterliches Sterben, in der Figur Rolands konzentriert, werden als christliches Tun und christlicher Märtyrertod in der Nachfolge Christi gesehen: Rolands Seele steigt vom Schlachtfeld zum Himmel auf. Hier liegen die Ansätze für das Ideal des noch eindeutig christlich orientierten Kreuzrittertums zutage, wie es für die Kreuzzugsdichtung von Friedrich von Hausen bis Walther von der Vogelweide bestimmend war. Ritterliche Weltfreude, wie sie sich hier z. B. in der ersten detaillierten Schlachtbeschreibung in deutscher Sprache ausdrückt, ist als tätige Welterfassung in den Dienst Gottes gestellt und verliert damit ihren bisher gesehenen Gegensatz zu einem christlichen Leben. In dieser Haltung gewinnt auch die Stellung des Ritters zur Frau als einem Stück dieser Welt, die erlebt, aber überwunden werden muß, eine neue Dimension; sie wird als Motiv der Entsagung die höfische Kreuzzugs- und Minnelyrik bestimmen.

Der göttliche Auftrag an Karl den Großen

Schephare allir dinge,
cheiser allir chůninge,
wol du oberister ewart,
lere mich selbe diniu wort.
dů sende mir ze munde
din heilege urkunde,
daz ich die luge uirmide,
die warheit scribe
uon eineme turlichem[1] man,
wie er daz gotes riche gewan.
daz ist Karl der cheiser.
uor gote ist er,
want er mit gote ůberwant
uil manige heideniske lant,
da er die cristin hat mit geret,
alse uns daz bůch leret.

Karl der was Pipines sun.
michel ere unde frum
hat der herre gewunnin,
die grimmigen heiden bedwungin,
daz si erkanten daz ware liecht.
sine wessen e nicht,
wer ir schephere was.
ie baz unt baz
steic der herre ze tugente[2]
uon kintheit ce iugente,
uon der iugent in daz alter.
nu hat in got gehalten
in sineme riche,
da wont er imir ewichliche.

1. *edlem.*
2. *Immer vollkommener wurde der Kaiser.*

Do der gotes dinist man
uon Yspania uernam,
wie unkusclichen si lebeten,
die apgot[3] an betten,
daz si got nine uorchten,
harte sich uirworchtin[4].
daz clagete der cheiser here.
er mante got uerre,
daz er durch mennisken geborn wurde,
an deme cruce irsturbe,
daz er di sine erloste,
daz er getroste
die manicualdigen haidenscaft,
den diu nebil uinstere nacht
den totlichen scat pare[5],
daz er si dem tuvil bename.

Karl bette dicke[6]
mit tiefen herce blickin,
so daz lút alliz intslief.
uil tiure er hin ze gote rief
mit tranendin ougin.
do sach er mit flaisclichin ougin
den engel uon himele.
er sprach zů dem kůninge:
»Karl, gotes dinistman,
ile in Yspaniam!
got hat dich irhoret,
daz lút[7] wirdit bekeret.
di dír abir widir sint,
die heizent des tuvelis kint
unt sint allesamt uirlorin.

3. *Götzen.*
4. *versündigten.*
5. *ewige Finsternis bereithielte.*
6. *unablässig.*
7. *Volk, Heidenvolk.*

die slehet der gotes zorn
an libe unt an sele.
die helle puwint si imermere[8].«

Karl an sineme gebete lac
unz an den morgenlichin tác.
do ladet er zwelf herren,
di di wisistin waren,
die sines heres phlegeten.
uil tugentliche si lebeten.
si waren gůte chnechte,
des keiseres uoruechten.
ir uan si gewanten
nie ze dehein werltlichen scanten[9].
si waren helde uil gvt.
der keiser was mit in wol behůt.
si waren kuske unde reine.
den lip furten si ueile
durch willin der sele[10].
sine gerten nichtis mere
wan durh got isterbin,
daz himelriche mit der martire irwerben.

Der keiser in do sagete,
daz er willen habete,
die haidenscaft zestoren,
di cristin gemeren[11].
er sprach: »wol ir mine uil liebin,
nu scul wir gote dínin
mit luterlichin můte[12].
wol ir helde gvte,

8. Sie werden ewig in der Hölle schmachten.
9. nie hatten sie die Fahne zu schmählicher Flucht gewandt.
10. Sie waren rein an Leib und Seele. Sie gaben das Leben hin um ihres Seelenheils willen.
11. das Christentum auszubreiten.
12. mit reinem Herzen.

ia hat iu got hie gegebin
ein uil uolliclichez lebin.
daz hat er umbe daz getan,
sin dinist wil er da uon han.
swer durch got arbeitet[13],
sin lon wirt ime gereitet,
da der keiser allir hiemele
uorderet hin widere,
daz er iu uirlihin hat.
frolichen ir uor im stat.
swer durch got irstirbit,
ich sage iu waz er da mit erwirbít:
eine kůnincliche chrone
in der marterere chore,
diu luchtet sam der morgen sterne.
uweren willin west ich gerne.«

An der rede waren
herzogin unde grauen.
da was der helt Růlant
unt Oliuir der wigant[14].
Samson der herzoge,
der was in grozem lobe.
da was der herre Anseis,
der was chůne unde wis.
Gergers der mare[15],
der was chůne unde wort spahe[16].
da was zeware
Wernes der graue.
der furte Waschonier[17] uan.
er was ein helt lobesam.
Engelirs was da

13. wer hier um Gottes willen leidet.
14. Streiter.
15. berühmte.
16. wortgewaltig.
17. Gascogner.

uzer Prittania.
der het tugentlich gemûte.
er was ein helt gûte.
da was Anshelm,
ein helt chûne unde snel
uon Moringen.
mit sínín snellen íungelingen
Gotefrit des kaiseres uanere:
daz waren die uzerwelten zwelfe,
die dem keisere nie geswichen ze nicheiner nót.
si dinten im alle unz an den tót.

Also die rede was getan,
di herren sprachen[18] ir man.
si berieten sich besunder[19],
ob iman were dar undir,
der in nicht helfen wolde.
si sprachin, daz er scolte
in ze stete widirsagen,
welhen trost si zu im machten haben[20].
si redeten alle gemeinlichen,
si ne wolten in niemer geswichen.
swaz si durch got wolten bestan,
des ne wolten si nicht abegan.
daz lobeten si mit ufferhabener hant.
do sprach der helt Rǒlant:
»wi salic der geborn wart,
der nu dise heruart
geurǒmit willicliche!
dem lonet got mit sineme riche.
des mager grozen trost han.
ist aue hie dihein man,
der gvt nemen wil,

18. befragten.
19. Sie berieten sich einzeln.
20. Der solle, so sagten sie, ihnen sogleich den Dienst aufkündigen, (oder ihnen sagen,) welche Hilfe sie von ihm haben würden.

man gít im sin uil[21].
er hat imer des kaiseres willin.
daz merket snelle íungelinge.«

Also der keiser uírnam,
daz im waren willic sine man,
di boten strichen in daz lant,
ir iegelich dar er wart gesant.
si sageten starke niumare.
di lant bestunten aller maist lare[22].
ia wart di selbe botscaft
lieb unde lobehaft.
er were fri oder eigen,
si cherten uf di heiden.
si zeichinoten sich mit chrucen[23].
ia wart unter den liuten
daz aller meiste lob.
si riefin alle an got.
si manten in uerre,
daz in nicht mochte gewerre
der michelen heiden craft[24].
er tete si lobelichen sigehaft.

Mit michelem magene[25]
chom daz her zesamene.
di durh got uz chůmen waren
unt si im uernamen,
diu zucht also groz wart.
der keiser uf eine hohe trat,
er sprach: »alle di uz chůmin sin,

21. Ist aber hier ein Mann, der bezahlt werden will, dem wird man reichlich geben.
22. Weite Landstriche entvölkerten sich (gleichsam).
23. Sie hefteten sich das Kreuz an.
24. Sie baten ihn sehr, daß ihnen nichts anhaben möge die Übermacht der Heiden.
25. mit großer Kampfeskraft.

den lone selbe min trechtin[26],
also er uns geheizen hat.
swer wíp oder kínt lát,
hús oder eigen,
daz wil ich iu bescaiden,
wi in got lonen wil:
er git ime zehenzec stunt sam uíl[27],
dar zu sin himilriche.
nu scul wir froliche
im ophferen den lib.
er ist ime gereit in alle zít.
daz er unsich entphahe,
nu scul wir heim gahen
an unser alt erben.
daz wir hi irweruen,
daz wir daz himilriche buwen,
des scul wir gote wol getruwen.

Nu wil ich iu clagin,
die heiden tůnt uns grozin scadin.
si ritent in diu lant.
si stiftint růb unde brant.
di gotes hús si storent.
daz lút si hin furent[28]
unt opherent si den apgoten.
daz ist des tuvelis spót.
ir martir der ist uil.
si sezzent si ze ir zil
unt schizent dar zu.
mochte wir da widire icht getů,
des were uns nót.
ich bit uch alle durch got
daz irz williclichen tůt.

26. *Gott, Heerfürst.*
27. *Er wird ihm hundertfältig geben.*
28. *daß sie Menschen entführten.*

habet stetigen mů̊t.
habet zucht mit gů̊te.
wesit demů̊te.
wesit got untertan.
uwir meisterschefte untertan.
welt ir also uol komen,
so uíndít ir dar ze hiemele daz lon
der ewigin genaden.«
si sprachin alle amen.

II. Literatur des Rittertums in der Stauferzeit 1170–1230

1. *Kulturdokumente, Lehrdichtung*

Ein Überblick über die Literatur des Mittelalters muß davon ausgehen, daß Literaturgeschichte bisher und heute noch immer als Geschichte der Dichtung verstanden wird. Das wichtige Umfeld etwa, das sich im nichtdichterischen Fachschrifttum erschließen ließe, ist bisher kaum erst in Ansätzen erforscht oder für das Verständnis von Dichtung im Mittelalter berücksichtigt worden. Eine so willkürliche Trennung zwischen hoher und minderer Literatur verstellt den Blick für notwendige Abhängigkeiten im Literarischen und öffnet ihn für die Fragwürdigkeit literaturhistorischer Kanonisierung.

Geht man davon aus, daß früh- und hochhöfische Literatur – in ihren spezifisch historisch-gesellschaftlichen Voraussetzungen – immer auch als »Kulturdokument« verstanden werden muß, so gibt es aus der Zeit vor 1230 nur noch wenige Belege für eine ausdrückliche zeitkritische oder zeitgeschichtliche Darstellung. Heinrich von Veldekes Bericht vom Mainzer Hoffest im Jahre 1184 ist einzigartig durch die darin gegebene Aussage, die ein zu Selbstbewußtsein und Machtanspruch aufgestiegener Stand artikuliert, bevor er seine Dichtung in ethisch überhöhter Selbstbespiegelung und moralischen Ansprüchen aus der Realität wieder entfernt. Erst nach 1230, mit dem Einsetzen der Fachliteratur und der Lehrbücher, der Zunftregeln und Rechtsliteratur, entstehen wieder »typische« Kulturdokumente.

Als Lehrdichtung im ursprünglichen Sinn muß man wohl nahezu die gesamte geistliche Dichtung von der Frühzeit bis ins 11. Jahrhundert bezeichnen: sie diente der Verbreitung und dem einzig richtigen Verständnis der Glaubenslehren, sie war Gebrauchsliteratur. Schon in der frühhöfischen Zeit erscheinen aber vereinzelt Sittenlehren, die den Menschen über seine soziale Zuordnung belehren und ihn zu rechtem Verhalten in seinem Stand ermahnen. Andererseits ist der staufisch-ritterlichen Dichtung ein stark lehrhafter Zug zu eigen, der sich in Lyrik und Epik, vor allem aber in der Spruchdichtung zeigt. Die Sprüche Walthers von der Vogelweide müssen als wichtigster Beleg gelten, wenngleich sie als Kulturdokumente und zeitkritische Aussagen nicht weniger wichtig sind. Das gilt auch für die bîspel-*Sprüche des Spervogel, für Freidanks Sprüche und die Sprüche Reinmars von Zweter sowie für die Tierdichtung, etwa den »Reinhart Fuchs«.*

Was sich anfangs in der Prägnanz des Spruches an lehrhaften Inhalten noch mitteilen und stilisieren ließ, findet in der Zeit nach 1210 seinen Ausdruck in breit angelegten Lebenslehren, die dann im späten Mittelalter ab 1230 zu zeitkritischen Sittengemälden auswuchern. Diese Entwicklung läßt sich am »Wälschen Gast« des Thomasin von Zerklære und am »Winsbecke« bereits deutlich ablesen. Immer aber dienten Lehre, Rat und Mahnung der Einpassung in einen als vorgegeben erkannten Zusammenhang der sozialen, sittlichen, rechtlichen, politischen und religiösen Ordnungen.

HEINRICH VON VELDEKE

Nur wenige Daten aus der Biographie Heinrichs von Veldeke lassen sich erschließen. Geboren um die Mitte des 12. Jahrhunderts, muß er um 1210 bereits tot gewesen sein, denn Gottfried rühmt in seiner Literaturstelle (V. 4726 f.) im *Tristan* den verstorbenen Veldeke.

Heinrich kam aus niederländischem Ministerialengeschlecht, das sich nach dem Dorf Veldeke bei Maastricht nannte. Er stand im Dienst der Grafen von Loon. Um 1170 trat er zuerst hervor, mit einer gereimten Heiligenlegende, dem *Servatius*. Unmittelbar darauf begann er wohl seinen Äneas-Roman, die *Eneit*. Er lieh die unvollendete Handschrift der Gräfin von Cleve, der sie 1174 gestohlen wurde. Erst 1183 erhielt er sie am Hof des Pfalzgrafen Hermann von Thüringen zurück; er hat sie dann überarbeitet und zwischen 1187 und 1189 abgeschlossen. 1184 hat er wahrscheinlich in Begleitung Hermanns von Thüringen am Mainzer Hoffest teilgenommen.

Das Mainzer Hoffest
(Eneit, Auszug)

In Mainz feierte Friedrich Barbarossa Pfingsten 1184 die Schwertleite zweier Söhne. Das Fest fand unter Teilnahme von weltlichen und geistlichen Würdenträgern, von Adligen und fast allen damals bekannten Dichtern aus Frankreich und Deutschland statt. Dieses Hoffest, das Heinrich von Veldeke in einem Exkurs in seiner »Eneit« rühmt, war die erste geschlossene, umfassende Selbstdarstellung des auch politisch formierten Ritterstandes; es wurde zum Auslöser für eine neue Welle höfisch-ritterlicher Dichtung.

Dâ vane sprac man doe wîden[1].
ich envernam van hôtîde
in alre wîlen[2] mâre,
die alsô grôt wâre,
als doe hadde Ênêas,
wan die te Meginze[3] was,
die wir selve sâgen[4].
des endorfe wir niet frâgen.
die was betalle onmetelîch[5],
dâ der keiser Frederîch
gaf twein sînen sonen swert,

1. *weithin.*
2. *zu allen Zeiten.*
3. *Mainz.*
4. *sahen.*
5. *Die war ganz und gar unermeßlich.*

dâ menich dûsont marke wert
vertert[6] wart ende gegeven.
ich wâne, alle die nu leven,
neheine grôter hân gesien.
ich enweit, wat noch sole geskien:
des enkan ich ûch niet bereiden[7].
ich envernam van swertleiden
nie wârlîke mâre,
da so menich vorste wâre
end alre slachte lûde.
her[8] levet genoech noch hûde,
die't weten wârlîke.
den keiser Frederîke
geskiede[9] sô menich êre,
dat man iemer mêre
wonder dâ vane seggen mach
went an[10] den jongesten dach
âne logene vor wâr.
et wert noch over hondert jâr
van hem geseget end geskreven,
dat noch allet es verholen bleven[11].

WALTHER VON DER VOGELWEIDE

Um 1170 in Niederösterreich (?) geboren, lebte Walther ab etwa 1190 am Hof Leopolds V. in Wien, zusammen mit Reinmar von Hagenau. 1194 folgt auf Leopold sein Sohn Friedrich I., der bis zu seinem Tod auf dem Kreuzzug von 1198 Walthers Förderer gewesen sein dürfte. Mit Friedrichs Bruder und Nachfolger, Leopold VI., kommt es 1198 zum Bruch. Wal-

6. *verzehrt.*
7. *Auskunft geben.*
8. *ihrer.*
9. *geschah.*
10. *bis zu.*
11. *was bisher alles noch im verborgenen geblieben ist.*

ther beginnt sein Wanderleben zwischen den europäischen Höfen: 1198 bis 1201 am Hof des Staufers Philipp von Schwaben, um 1200 und 1207 längere Aufenthalte auf der Wartburg bei Hermann von Thüringen, dann beim Markgrafen Friedrich von Meißen und dort Begegnung mit Wolfram von Eschenbach; 1203 noch einmal in Wien, endgültiger Bruch mit Leopold VI. und Reinmar. Am 12. November 1203 erhält er von seinem damaligen Herrn, Bischof Wolfger von Passau, dem späteren Patriarchen von Aquileja (vgl. Thomasin von Zerklære), ein Geldgeschenk für einen Pelzrock. Nach der Ermordung Philipps im Jahr 1208 schließt sich Walther Philipps Gegner, dem Welfen Otto IV., an und bezieht eine politisch-polemische Position gegen den Papst. Ab 1213 in der Nähe Friedrichs II. von Hohenstaufen, der ihm 1220 endlich ein kleines Lehen in der Gegend von Würzburg gibt. Dennoch Fortsetzung seiner Wanderungen. Zeitweise wohl im Kreis um Erzbischof Engelbert von Köln. Um 1230 gestorben und sehr wahrscheinlich in Würzburg begraben. – Von diesen Daten und Stationen ist nur der 12. November 1203 urkundlich belegt; alles andere ist aus Walthers Dichtung entschlüsselt und zum Teil gemutmaßt worden.

Spruchdichtung

Walthers Spruchdichtung gibt die zuverlässigsten Aufschlüsse über seine Biographie. Sie spiegelt unmittelbar die zeitgeschichtlich-politischen wie die persönlichen Entwicklungen Walthers. Er hat als erster den Spruch zu einer hohen, in der höfischen Gesellschaft akzeptierten Kunstform entwikkelt, ihn gesellschaftsfähig gemacht und als politisch-polemisches »Kampfmittel« eingesetzt. Eine größere Gruppe von Gelegenheitssprüchen zielte auf aktuelle Anlässe, die er auf seinen Reisen, in wechselnden Umgebungen und Diensten vorfand. Bitte und Dank, Lob und Schelte, Ermahnung und Spott, in kunstvolle Form gebracht, verraten viel über die damaligen Zustände und Probleme der Gesellschaft, sind Zeitdokumente.

Als besondere Gruppe deutlich abgehoben stehen die politischen Sprüche Walthers. Sie alle ruhen auf einem eigenständigen Fundament von Überzeugungen und Einsichten, auf das sich Walther in der politischen Auseinandersetzung zwischen Kaiser und Papst, zwischen sacerdotium und imperium stets beruft, das er beschwört. Politisch eher konservativ-bewahrend eingestellt, verteidigt er das imperium der Kaiser als eine Fortsetzung des römischen Weltreichs, erkennt er dem sacerdotium die Verwirklichung des Gottesreiches auf Erden als Aufgabe zu. Wo Fürsten oder Papst in diese Ordnung störend eingreifen, setzt Walthers Kritik und Mahnung ein. Hier will er politisch erziehen, belehren und aufrütteln. Aber er selbst kann diese Idee nicht freihalten von persönlichen Erwartungen; auf der Suche nach Anerkennung und materieller Sicherung durch ein Leben, ist er oft allzuschnell bereit, den Herrn zu verlassen, der ihm die milte, *den zukommenden Lohn, vorenthält oder zu gering austeilt. Hier wird eigene Enttäuschung oft zu schnell ins Prinzipiell-Politische stilisiert, um den Verdacht des Opportunismus noch entkräften zu können. Gerade aus dieser ambivalenten Haltung heraus wurden Walthers Sprüche zu Dokumenten für das politische, gesellschaftliche und nicht zuletzt täglich-persönliche Leben eines Berufsdichters in seiner Zeit.*

I. Sprüche unter Philipp von Schwaben

Im sogenannten ›Reichston‹ und für Philipp sind die Sprüche 1 und 2 verfaßt (nach 1198). Sie sind Mahnungen und Beschwörung in chaotischer Zeit, die nach dem Tod Heinrichs VI. einsetzte. Hier tritt noch deutlich Walthers politische Grundhaltung zutage. Spruch 3 ist zwar nicht für Philipp direkt gedichtet, aber im sogenannten ›Philippston‹ gehalten. Er ist Anzeichen für Walthers Lösung von seinem Herrn: aus Enttäuschung über nicht empfangenen Lohn.

1

Ich hôrte ein wazzer diezen
und sach die vische fliezen,
ich sach swaz in der welte was,
velt walt loup rôr unde gras.

swaz kriuchet unde fliuget
und bein zer erde biuget,
daz sach ich, unde sage iu daz:
der keinez lebet âne haz[1].
daz wilt und daz gewürme
die strîtent starke stürme,
sam tuont die vogel under in;
wan daz si habent einen sin:
si dûhten sich ze nihte[2],
si enschüefen starc gerihte[3].
si kiesent künege unde reht,
si setzent hêrren unde kneht.
sô wê dir, tiuschiu zunge,
wie stêt dîn ordenunge!
daz nû diu mugge ir künec hât,
und daz dîn êre alsô zergât.
bekêrâ[4] dich, bekêre.
die cirkel sint ze hêre[5],
die armen künege dringent dich:
Philippe setze en weisen[6] ûf, und heiz si treten hinder sich[7].

2

Ich saz ûf eime steine,
und dahte bein mit beine:
dar ûf satzt ich den ellenbogen:
ich hete in mîne hant gesmogen
daz kinne und ein mîn wange.
dô dâhte ich mir vil ange,

1. *Feindschaft.*
2. *für nichtig.*
3. *hätten sie nicht ein starkes Regiment geschaffen.*
4. *wende.*
5. *die Kronen sind zu mächtig.*
6. *Waisen: die deutsche Königskrone (eigtl. ein Edelstein in der deutschen Königskrone).*
7. *zurücktreten.*

wie man zer welte[8] solte leben:
deheinen rât kond ich gegeben,
wie man driu dinc erwurbe,
der keines niht verdurbe.
diu zwei sint êre und varnde guot[9],
daz dicke ein ander schaden tuot:
daz dritte ist gotes hulde,
der zweier übergulde.
die wolte ich gerne in einen schrîn.
jâ leider desn mac niht gesîn,
daz guot und weltlich êre
und gotes hulde mêre
zesamene in ein herze komen.
stîg unde wege sint in benomen:
untriuwe ist in der sâze[10],
gewalt[11] vert ûf der strâze:
fride unde reht sint sêre wunt[12].
diu driu enhabent geleites niht, diu zwei enwerden ê gesunt[13].

3

Philippes künec, die nâhe spehenden[14] zîhent dich,
dun sîst niht dankes milte: des bedunket mich
wie dû dâ mite verliesest michels mêre.
dû möhtest gerner dankes geben tûsent pfunt,
dan drîzec tûsent âne danc. dir ist niht kunt
wie man mit gâbe erwirbet prîs und êre[15].
denk an den milten Salatîn:

8. in dieser Welt.
9. Besitz.
10. Treulosigkeit lauert im Hinterhalt.
11. Gewalttätigkeit.
12. todwund.
13. Die drei haben kein Geleit, ehe nicht diese beiden vorher genesen.
14. genauen Beobachter.
15. Ruhm und Achtung.

der jach daz küneges hende dürkel solten sîn[16]:
sọ[17] wurden sie erforht und ouch geminnet.
gedenke an den von Engellant,
wie tiure er wart erlôst von[18] sîner gebenden hant.
ein schade ist guot, der zwêne frumen[19] gewinnet.

II. Sprüche unter Otto IV.

Nach Philipps Ermordung im Jahr 1208 sieht Walther eine sicherere und wohl einträglichere Stellung im Lager des Welfen Otto IV. 1209 zum Kaiser gekrönt, wird Otto 1210 vom Papst mit dem Bann belegt: Walther richtet seine schärfste Polemik gegen Innozenz III. Als Otto 1212 nach Deutschland zurückkehrt, empfängt Walther ihn mit seinem Spruch (4) im ›Ottenton‹ auf dem Hoftag in Frankfurt – eine notwendige Ergebenheitsadresse; denn weder der Markgraf von Meißen noch Walther hatten ihrem Herrn so fest die Treue gehalten in den deutschen Thronstreitigkeiten dieser Jahre.
Als eine der schärfsten Invektiven gegen den Papst ist der Spruch 5 (›Unmutston‹) einzuschätzen, Höhepunkt einer an Demagogie grenzenden Auseinandersetzung, die Walther als Parteigänger Ottos begann und noch im Frühjahr 1213 weiterführte – als er sich bereits Friedrich II. zuzuwenden begann, wie es mehrere deutsche Fürsten taten. Walther provozierte damit die Kritik der Zeitgenossen: Thomasin von Zerklære geißelt in seinem Lehrgedicht »Der Wälsche Gast« (V. 11 191 ff.) die Unangemessenheit und unmâze *in diesem Angriff.*

16. der erklärte, daß Königshände durchsichtig sein sollten.
17. dann.
18. durch.
19. Vorteile.

4

Hêr keiser, sît ir willekomen.
der küneges name ist iu benomen:
des[20] schînet iuwer krône ob allen krônen.
iur hant ist krefte und guotes vol:
ir wellet übel oder wol,
sô mac si beidiu rechen unde lônen.
dar zuo sag ich iu mære:
die fürsten sint iu undertân,
si habent mit zühten iuwer kunft erbeitet
und ie der Mîssenære[21]
derst iemer iuwer âne wân:
von gote wurde ein engel ê[22] verleitet.

5

Ahî wie kristenlîche nû der bâbest lachet,
swenne er sînen Walhen[23] seit »ich hânz alsô gemachet«!
daz er dâ seit, des solt er niemer hân gedâht.
er giht »ich hân zwên Allamân undr eine krône brâht,
daz siz rîche sulen stœren[24] unde wasten.
ie dar under füllen wir die kasten:
ich hâns an mînen stoc gement[25], ir guot ist allez mîn:
ir tiuschez silber vert in mînen welschen schrîn.
ir pfaffen, ezzent hüenr und trinkent wîn,
unde lânt die tiutschen leien magern unde vasten.«

20. *und deshalb.*
21. *Meißner.*
22. *eher.*
23. *Welschen.*
24. *verwüsten.*
25. *Opferstock getrieben.*

III. Sprüche unter Friedrich II.

Im September 1212 kehrt Friedrich II. nach Deutschland zurück und wird im Dezember zum König gekrönt. Walther nutzt die Stunde, um seinen bei Otto nicht erhaltenen Lohn zu erbitten. Spruch 6 geht ein bissig-witziger Spruch voraus (Wa.-Kr. 26, 33), in dem Walther die Körpergröße Ottos zu seiner Freigebigkeit ins Maßverhältnis setzt; auf Friedrich übertragen, gerät das dort gesehene Mißverhältnis in positive Dimensionen. Spruch 6 (wie auch 7 im ›König-Friedrich-Ton‹) ist direkte Bitte um eine eigene Bleibe, die Friedrich dann 1220, vor seiner Reise zur Kaiserkrönung in Rom, erfüllt hat: Spruch 7.

6

Von Rôme vogt[26], von Pülle[27] künec, lât iuch erbarmen
daz man mich bî sô rîcher kunst lât alsus armen.
gerne wolde ich, möhte ez sîn, bî eigenem fiure erwarmen.
zâhiu[28] wiech danne sunge von den vogellînen,
von der heide und von den bluomen, als ich wîlent sanc!
swelch schœne wîp mir denne gæbe ir habedanc[29],
der liez ich liljen unde rôsen ûz ir wengel schînen[30].
sus kume ich spâte und rîte fruo, »gast[31], wê dir, wê!«:
sô mac der wirt baz singen von dem grüenen klê.
die nôt bedenkent, milter künec, daz iuwer nôt zergê.

26. *Schirmherr.*
27. *Apuliens.*
28. *ach.*
29. *Preis.*
30. *erblühen.*
31. *Fremder.*

7

Ich hân mîn lêhen, al die werlt, ich hân mîn lêhen.
nû enfürhte ich niht den hornunc[32] an die zêhen,
und wil alle bœse hêrren dester minre flêhen[33].
der edel künec, der milte künec hât mich berâten[34],
daz ich den sumer luft und in dem winter hitze hân.
mîn nâhgebûren[35] dunke ich verre baz getân:
si sehent mich niht mêr an in butzen wîs[36] als sî wîlent
tâten.
ich bin ze lange arm gewesen ân mînen danc.
ich was sô voller scheltens daz mîn âten stanc:
daz hât der künec gemachet reine, und dar zuo mînen san

IV. Lehrsprüche

Die moralisch-ethische Komponente in Walthers Sprüch tritt in seinen erzieherisch gemeinten Lehrsprüchen deutli hervor. Sie beschäftigen sich wiederholt mit der Jugend se ner Zeit und dem Untergang hergebrachter Normen d Zucht, des Anstands und der mâze. *Ein Beispiel ist Spru 8. – Allgemeiner auf den Verfall von Offenheit und Ehrlic keit zielt Spruch 9.*

8

Wer zieret[37] nû der êren sal?
der jungen ritter zuht ist smal[38]:
sô pflegent die knehte gar unhövescher dinge,

32. *Februar(frost).*
33. *deshalb nicht mehr anflehen.*
34. *versorgt.*
35. *Nachbarn.*
36. *wie ein Gespenst.*
37. *schmückt.*
38. *mäßig.*

Mit worten, und mit werken ouch:
swer zühte hât, der ist ir gouch[39].
nemt war wie gar unfuoge[40] für sich dringe.
Hie vor dô berte[41] man die jungen,
die dâ pflâgen frecher zungen[42]:
nû ist ez ir werdekeit.
si schallent[43] unde scheltent reine frouwen.
wê ir hiuten[44] und ir hâren[45],
die niht kunnen frô gebâren
sunder wîbe herzeleit!
dâ mac man sünde bî der schande schouwen,
die maneger ûf sich selben leit.

9

Got weiz wol, mîn lop wær iemer hovestæte[46]
dâ man eteswenne[47] hovelîchen tæte,
mit gebærde, mit gewisser rede, mit geræte[48].
mir grûset, sô mich lachent an die lechelære[49],
den diu zunge honget und daz herze gallen hât.
friundes lachen sol sîn âne missetât,
lûter als der âbentrôt, der kündet süeziu mære.
nû tuo mir lachelîche, od lache ab anderswâ.
swes munt mich triegen wil, der habe sîn lachen dâ:
von dem næm ich ein wârez nein für zwei gelogeniu jâ.

39. *Narr.*
40. *Gemeinheit.*
41. *schlug.*
42. *die dreiste Reden führten.*
43. *prahlen.*
44. *prügeln.*
45. *kahlscheren.*
46. *einem Hofe treu ergeben.*
47. *mitunter.*
48. *mit Geste, durch zuverlässiges Wort, durch Zurüstung.*
49. *Heuchler.*

THOMASIN VON ZERKLÆRE

Um 1185/86 in der Mark Friaul geboren, entstammt Thomasin einem Ministerialengeschlecht der Cerclaria; seine Familie gehörte dem Stadtpatriziat von Cividale an. Gelehrte Schulbildung und höfisch-provenzalische Erziehung an kleinen italienischen Fürstenhöfen geben ihm die Voraussetzung, daß er als Geistlicher an den Hof des Patriarchen von Aquileja kommt – Wolfger von Ellenbrechtskirchen, der Gönner Walthers von der Vogelweide. Nach 1200 hat Thomasin eine nicht überlieferte *Minnelehre* verfaßt; von 1215 auf 1216, in zehn Monaten, hat er sein großes, über 14 700 Verse umfassendes Lehrgedicht *Der Wälsche Gast* geschrieben. Diese spärlichen Daten sind in seinem Gedicht enthalten. Weiteres über ihn ist nicht bekannt; er wird vor 1238 in Aquileja verstorben sein.

Der Wälsche Gast (I. Buch, Auszug)

»Der Wälsche Gast« ist das erste umfangreiche Lehrgedicht des Mittelalters. In 10 Büchern gibt Thomasin eine nichtsystematisierte Tugendlehre, die gleichwohl umfassend ist und in ihren auf die Praxis gezielten Beispielen ein wichtiges kultur- und sittengeschichtliches Dokument darstellt. Seine Verhaltenslehre, im Anfang als Fürstenlehre angelegt, ist eine Anleitung für Laien über das rechte Verhalten, um Gott und der Welt zu gefallen: durch mâze *vor allem, aber auch durch* milte, reht, stæte *und vor allem* zuht. *Er handelt über Kinder- und Jugenderziehung – empfiehlt hier die Lektüre höfischer Dichtung, insbesondere Gawein, Parzival, Tristan, Erec –, über Tischzucht, Hofzucht; er entwickelt im VII. Buch eine Wissenschaftslehre und übt zum Beispiel im VIII. Buch Kritik an den Papstsprüchen Walthers von der Vogelweide.*
Von eher konservativer Einstellung, vertritt Thomasin in seinem Lehrgedicht die bestehende Sozialordnung und die gegebenen politischen Konstellationen zwischen Kaisertum und Papsttum. Seine Lehre ist Verteidigung der gefährdeten staufischen Ordnung, Schutz vor den Kräften des Zerfalls, die sich nicht nur in den literarischen Veränderungen zeigen,

Der vnweise weises zvnge hat.
Der weise chan niht geben rat.
Vor den alten dringet der ivnge.
Daz vihe hat aines mannis zvnge.
Kriuschet vnd went sprechen wol.
Ain regelich man sol
Hume fur sein zvnge han
Stille vnd sol daz vihe lan.
Reden. daz ist worden reht.
Der herre sol eren den chneht
Di ritter soln gen ze fvzzen.
Von reht di loter reiten mvzzen.
Der hailige weissage sprach
Daz er di schalche reiten sach
Do di herren mvsten gen.
Daz sol man also versten.
Daz di boesen habent ere.
Di frvmen sint genidert sere.
Daz ist nv allez worden schein.
Warumbe sol daz also sein
Da habent di vntugenthaft
In der werlde maisterschaft.
Wi habt ir mich niht vernomen.
Daz di berchbavme sint bechomen
Her ab zemmos. da daz mos gras
Her abe in dem mos was.
Vnd dv der schamel nider lagen
Vnd dv wir hohe tische phlagen.
Vnd nider bench wizzet daz.
Daz dev werlt do stvnt baz.
Do tet der herre vnd der chneht
Daz si solten tvn von reht.

Eine Seite aus dem »Wälschen Gast« des Thomasin von Zerklære

sondern auch die Säulen der auf Rittertum und Geistlichkeit gegründeten Gesellschaft samt ihrer Kultur gefährden. Ideenarmut und Stoffreichtum haben dem »Wälschen Gast« zu weiter Verbreitung im späten Mittelalter verholfen.
Der ausgewählte Text ist ein Auszug aus der Tugendlehre im I. Buch (vgl. dazu: »Der Winsbecke«).

Ich hân gehôrt unde gelesen,
man sol ungerne müezec wesen.
ein ieglîch biderbe man sol
zallen zîten sprechen wol
ode tuon ode gedenken:
von dem wege sol er niht wenken.
muoze ist jungen liutn untugent;
trâkeit ist niht wol bî jugent.
swenn man niht ze tuon hât,
man habe den sin[1] und ouch den rât[2]
daz man eintweder spreche wol
od gedenke daz man sol.
swer hüfsch[3] wil sîn unde gevuoc,
der gewinnet immer gnuoc
materge[4] an den drin dingen;
im mac dar an vil wol gelingen.
swer junger lebet müezeclîchen,
der ruowet alter lesterlîchen,
wan er niht tuon enwolde,
dô er mohte, daz er solde.
swer an unzuht sîn jugent wendet,
der hât sîn alter gar geschendet.
swer alter wil mit êren leben,
der sol nâch êren junger streben.

1. *Vorsatz.*
2. *Entschluß.*
3. *hövesch: fein gebildet.*
4. *Materie, Stoff.*

Man læt vil selten di untugent,
was man dran stæte in der jugent.
swenne des obezes niemêr ist,
sô vert daz kint zuo der vrist
in dem boumgarten hin und her;
sîn gelust wirt michels mêr.
dem spiler tuot daz spiln baz,
swenner nien hât, wizzet daz.
dem vrâze ist nâch ezzen nôt;
der trinker ist nâch trinken tôt:
swenner niht ze trinken hât,
sô wil ers dan niht haben rât[5].
alsam dem alten manne geschiht:
er kan sich enthaben[6] niht
der undinge noch der untugent
der er phlac in sîner jugent.
dâ von sô gib ich mîne ræte
daz man sîn jugent wol bestæte[7]
an hüfscheit und an guoten dingen:
uns mac dar an niht misselingen.
Ich gibe den kinden dise lêre
(ob si ir iht dan wellent mêre,
daz mugen si dar nâch gewinnen,
ob si sichs vlîzent von ir sinnen):
si sulen schamen sich ze mâzen,
wan swer sich schamt, der muoz verlâzen
ruom[8], lüge, spot und schalkeit,
und manger slaht unstætekeit.
an drin dingen man haben sol
scham, swer ir wil phlegen wol:
ein, daz man niht spreche unêre,
diu ander, daz man habe die lêre

5. *verzichten.*
6. *sich enthalten.*
7. *beständig.*
8. *Prahlerei, bes. mit Erfolg und Gunst bei Frauen.*

daz man gebâr reht unde wol,
diu drite, daz man tuo daz man sol.
swâ ein vrouwe reht tuot,
ist ir gebærde niht guot
und ist ouch niht ir rede schône,
ir guot getât ist âne krône,
wan schœne gebærde und rede guot
die krœnent daz ein vrouwe tuot.
ich sagiu daz ir guot getât
mac ouch nimmer wesen stât[9],
kan si niht gebâren wol
und reden daz si reden sol.
unschœne gebærde bezeigt unstât,
nâch bœser rede kumt missetât.
etlîchiu wænt tuon vröuwelîchen[10]
swenn si gebârt hôhverticlîchen:
diu muoz sich vor hôhvart bewarn
diu vröuwelîchen wil gebârn.
si suln bêde schamec sîn,
juncherren unde vröuwelîn.
Ruom, lüge, spot, swer die drî
hât, der mac niht heizen vrî,
wan der ist schalc der schalkeit[11],
im sî mîn dienest widerseit.
daz ist der zühte gebot
daz niemen habe des andern spot.
und daz weder wîp noch man
niht enliege den andern an.
ruom ist diu meiste schalkeit;
spot von ruom nimmer gescheit[12].
der ruomær ist aller schame vrî,
die lüge sint im nâhen bî.

9. *fest, beständig.*
10. *damenhaft.*
11. *gemeiner Knecht.*
12. *scheidet.*

ruomte er sich an der wârheit,
sô brichet er vil lîht sînen cit.
dar umbe sol ein ieglîch man
der hüfschiu dinc erkennen kan
vor ruom sîn vil wol behuot.
er sol hân in sînem muot
»eintweder ich ensprich niht wâr
od ich bin meineide gar;
wan ist ez wâr, ich lobte daz,
daz ichz niht sagen solt vürbaz«.
swelch man zîhlîchen[13] tuot,
der ist vor ruom niht wol behuot.
der rüemt sich tœrschen sicherlîchen
swer gebâret zîhlîchen.
swer durch ruom nahts umbe rît
ode bî einem zûne lît,
den kumt an niht vergeben[14]
daz ich im wolde umb sus geben.

Der Winsbecke

Unter diesem Namen wird in den Literaturgeschichten ein Lehrgedicht aufgeführt, das zwischen 1210 und 1220 von einem ostfränkischen Herrn von Wind(e)sbach verfaßt worden ist. Dieses Lehrgespräch, das ein Vater mit seinem Sohn führt, stellt eine in 56 zehnzeiligen Strophen gefaßte Regelsammlung dar; sie ist keineswegs systematisch zusammengestellt, vielmehr sollen exemplarische Anweisungen verdeutlichen, wie ein Leben in mâze, êre *und* gotes hulde *zu führen sei. Gott, Minne und Ritteramt sind die zentralen Themen im ersten Teil, während der zweite Teil Anweisung*

13. angeberisch.
14. dem fällt es nicht umsonst zu.

zur standesgemäßen Lebensführung enthält. Dabei steht die mâze, *das Ausgeglichensein zwischen zwei Extremen, als oberster Leitsatz über aller Belehrung. Diese in Sprache und Einstellung originale Sittenlehre ist offensichtlich vor dem Hintergrund erkannter Gefährdung in der Zeit geschrieben: die Katalogisierung von Normen, die auf dem Gipfelpunkt höfischer Dichtung nicht mehr unbefragt und allgemein akzeptiert wurden.*
Weitgehend wurde zeitnahes Sprichwortgut benutzt, doch sind Einflüsse und Kenntnis der Dichtung Wolframs, Walthers und Hartmanns sicher. Das Lehrgedicht war verbreitet. Von einem Geistlichen wurde eine Kontrafaktur, eine Erweiterung auf 80 Strophen, geschrieben: ein Gespräch des Sohnes mit dem Vater, die Aufforderung, vor der Eitelkeit der Welt zu fliehen und gemeinsam ein Spital zu errichten. Eine weitere anonyme Bearbeitung des Stoffes in »Die Winsbeckin«: Wechselgespräch zwischen Mutter und Tochter über höfisches Frauenideal und Minnelehre. Im 14. Jahrhundert schließlich unter dem Namen »Winsbecke« eine Parodie, in der ein Vater seinen Sohn zu Luderleben, Wirtshaus, Prahlerei und Gottlosigkeit erzieht.

Hofzucht

Sun, dû solt wizzen, daz der schilt
hât werdekeit und êren vil:
den ritter tugende niht bevilt,
der im ze rehte volgen wil.
die wârheit ich dich niht enhil[1]:
er ist zer werlte sunder wân
  ein hôchgemezzen vreuden zil.
nimt in ze halsẹ[2] ein tumber man,
der im sîn reht erkennet niht,
  dâ ist der schilt unschuldic an.

1. verbergen, vorenthalten.
2. zum Schutz.

Sun, lât dich got geleben die zît,
daz er mit rehte wirt dîn dach[3],
waz er dir danne vreuden gît,
wiltû im baltlîch volgen nâch!
weistû, wie Gahmuret geschach,
der von des schiltes werdekeit
der mœrin in ir herze brach?
si gap im lîp, lant unde guot:
er gît ouch dir noch hôhen prîs,
gîstû im lîp, herẹ unde muot.

Sun, wiltû ganzlîch schiltes reht
erkennen, sô wis wol gezogen,
getriuwe, milte, küenẹ und sleht[4],
sô ẹnist er an dir niht betrogen
und kumt dîn lop wol vür gevlogen.
wilt aber dû leben in vrîer wal,
den tugenden allen vor verlogen[5],
der rede mîn triuwe sî dîn phant,
wiltû ịn alsô ze halse nemen,
er hienge baz[6] an einer want.

Sun, als dîn helm genem den stric,
zehant wis muotic unde balt[7].
gedenkẹ an reiner wîbe blic,
der gruoz man ie mit dienste galt:
sitz ebenẹ und swende sô den walt[8],
als dir von arte sî geslaht.
mîn hant hât manegen abe gevalt:
des selben muoz ich mich bewegen.

3. *Schutz.*
4. *aufrichtig.*
5. *unbekümmert um.*
6. *besser.*
7. *kühn.*
8. *sitz aufrecht, verstich deine Speere.*

guot ritterschaft ist topelspil[9]:
  diu sælde muoz des siges phlegen.

Sun, nim des gen dir komenden war
und senke schône dînen schaft,
als ob er sî gemâlet dar.
lâz an dîn ors mit meisterschaft,
ie baz und baz rüerẹ im die kraft.
ze nageln vieren ûf den schilt
  dâ sol dîn sper gewinnen haft,
oder dâ der helm gestricket ist:
diu zwei sint rehtiu ritters mâl
  und ûf der tjost[10] der beste list.

Sun, wiltû kleiden dîne jugent,
daz si ze hovẹ in êren gê,
snît an dich[11] zuht und reine tugent.
ich weiz niht, waz dir baz an stê,
wiltû si tragen in rehter ê.
si machet dich den werden wert
  und gît dir dannoch sælden mê:
ich meine reiner wîbe segen.
der ist ein sô genæmer hort,
  in möhtẹ ein lant niht widerwegen[12].

Sun, dû solt bî den werden sîn
und lâ ze hove dringen dich.
der man ist nâch den sinnen mîn
dar nâch als er gesellet sich.
ze rehte swîc, ze staten sprich.
die bœsiu mære dir zôren tragen,
  von in dîn stætez herze brich:

9. *Würfelspiel.*
10. *im ritterlichen Zweikampf.*
11. *leg dir an, statte dich aus mit.*
12. *aufwiegen.*

wiltû dîn ôrẹ, als maneger tuot,
den velschelæren[13] bieten dar,
sô wirstû selten wol gemuot.

[...]

Sun, dû solt haben und minnen guot,
alsô daz ez dir niht ligẹ obe:
benimtz dir tugent und vrîen muot,
sô stêt dîn herzẹ in krankem lobe.
guot ist gîtekeit[14] ein klobe[15]:
swem ez ist lieber danne got
und werltlîch êrẹ, ich wænẹ, er tobe.
swen ez alsô gevazzet vür[16],
der ânet sich der beider lieber[17],
ê daz er daz eine verlür.

Sun, dînen guoten vriunt behalt,
der dir mit triuwen bî gestât,
und wis in zorne niht ze balt
mit gæhen siten[18], dêst mîn rât.
ob dir daz guot ze nâhen gât
und ob dûz âne tugent vertuost,
diu beidiu machent missetât.
wirf in die mitte dînen sin,
habẹ und henge[19], vürhte got,
sô gât dîn leben mit sælden hin.

Sun, merke, daz diu mâze gît
vil êren unde werdekeit:
die soltû minnen zaller zît,
sô wirt dîn lop den werden breit.

13. *Verleumdern.*
14. *Geiz.*
15. *Falle.*
16. *wen es so erfaßt.*
17. *der verzichtet lieber auf beide.*
18. *in übereilter Hast.*
19. *halt straff und doch leicht.*

ist daz den wandelbæren leit,
waz umbe daz? der bœsen haz
die biderben selten ie vermeit.
lebe dû in tugentlîcher aht
und lâ die krancgemuoten[20] leben,
als in von arte sî geslaht.

2. *Lyrik*

Die Frage nach den moralisch-ethischen, nach den ästhetisch-formalen Grundlagen mittelalterlicher Lyrik hat die Germanistik lange und nahezu ausschließlich beschäftigt. Sie ist bis heute nicht hinreichend geklärt, der Versuch zu einer Beantwortung kaum über eine textimmanente Betrachtung hinausgekommen. Ebensowenig aber ist auch erklärt, mit den bisher genutzten formalen Kriterien wohl nie erklärbar, warum um 1160 etwa die ritterlich-höfische Lyrik so unvermittelt in die geistig-literarische Landschaft tritt, um sie, neben dem Epos, für wenige Jahrzehnte gleichsam zu beherrschen. Ob eine noch zu versuchende Psychopathologie des Ritterkults und Minnesangs hier weiterführen, ob eine gründlichere Kenntnis der historisch-gesellschaftlichen Bedingungen des Rittertums und seiner literarischen Emanationen hier bessere Antworten bieten könnte, es wäre zumindest zu prüfen.

Zur Erklärung für das Herkunftsproblem hat die Mittelalter-Germanistik inzwischen sieben Theorien angeboten und zum Teil auch mit stichhaltigen Beweisen untermauert. Zum einen der Ursprung aus einer volkstümlichen Poesie der einfachen Formen; der frühe donauländisch-bairische Minnesang liefert hierfür Belege. Die mittellateinische Vagantenlyrik der Kleriker und Scholaren erbringt formal und inhalt-

20. Schlechten, Gemeinen.

lich ebenso Beweise wie die antik-lateinische Lyrik vor allem des Ovid. Die größte Zahl an überzeugenden Belegen hat die These von der Herkunft des Minnesangs aus der arabisch-moslimischen Hofkultur Spaniens geliefert. Hier liegt ein Ansatzpunkt, der historisch belegbar ist, aber nur durch eine intensivere Erschließung des umfangreichen Quellenmaterials besser zu stützen wäre. Ferner wird die Entstehung des Minnesangs aus der Marienlyrik und Marienidolatrie erklärt, die im 12. Jahrhundert einsetzt; es wird die Liturgie ebenso verantwortlich gemacht wie schließlich die Vergeistigung des germanischen Lehenssystems und eine Sublimierung seiner soziologischen Strukturen in einen geistigen Gradualismus. – Sicher ist, daß wohl keiner dieser Ansätze hinreicht zur Erklärung, doch jeder einen Teil zur Wahrheit beitragen kann, die sicherlich nicht mit der Summe aus diesen Thesen identisch ist.

Tatsache ist, daß am Ende des 11. Jahrhunderts Guilleaume IX., Graf von Poitiers und Herzog von Aquitanien, die ersten Strophen ritterlicher Minnelyrik verfaßt und damit die Normen setzt, denen sich die adligen Troubadours der provenzalischen Lyrik, die nordostfranzösischen Trouvères und die südwestdeutschen Minnesänger verpflichten. Anders als in der Epik, die in der Adaption keltisch-romanischer und antiker Stoffe aus vorhistorisch-sagenhafter Zeit eine Welt der idealen Wirklichkeiten konstruierte, war in der Lyrik die Realität einer scharfumgrenzten Standeswirklichkeit für Dichter und Publikum verbindlich.

Als adlige Standespoesie ist die mittelalterliche Lyrik, der Minnesang, ein einmaliges Phänomen in der Literaturgeschichte. Nie wieder waren Dichter, Komponist, Interpret und Publikum in vergleichbarer Weise identisch. Aber nur deshalb war es möglich, einer heute monoton erscheinenden, im Formalen und Begrifflichen sich bewegenden Dichtung bei gesellschaftlichem Konsensus Nuancen und Aussagen abzugewinnen. Nachdem über die Inhalte, das Vokabular, die Formen und die Musik Einigkeit bestand, kam es einzig auf die Nuancen an, die der Vortrag bot, die Rückschlüsse erlaubten auf den Grad der Identifikation des Sängers mit den gesellschaftlichen Normen, mit dem Inhalt des Sanges und mit der eigenen Rolle. Die Beherrschung der Formen und Normen, der Sprache und des Gestus war gleichsam der Ausweis für die Zugehörigkeit zur höfischen Gesellschaft und ihrer Ethik; denn Minnelyrik entstand nicht aus subjektiven Anlässen, war niemals individuelle Erlebnislyrik im Sinne des 19. Jahrhunderts, sondern eher das Ergebnis turnierhaft eingeübter Bewährung. Anders scheint die große Zahl gleichförmig-eintöniger, sich formal und inhaltlich kaum entwickelnder Lyrik aus der Stauferzeit schwerlich erklärbar.

Wie sehr die Gesellschaft auf die Rollenfunktion von Sänger und Gesang reagierte, dafür ist die Fehde zwischen Reinmar und Walther von der Vogelweide ein Indiz: schon der geringste Ansatz einer Infragestellung, einer eigenschöpferischen Initiative führt geradlinig in eine Kontroverse, die auch persönliche, gesellschaftliche und politische Konsequenzen nicht scheut. Das gilt zumindest für die klassisch-staufische Blütezeit; im Falle Neidharts war der Protest in sich schon wieder zur gesellschaftlich akzeptierten Rolle geworden: eine saturierte Gesellschaft amüsiert sich an ihren Kritikern, bevor sie diese integriert. Ein menschlich-gesellschaftlicher Mechanismus, zu dessen Erfindung und Erklärung es auch in unseren Tagen nicht der ideologisch fixierten Theorien bedarf.

Wie wenig die in ihrer Zeit vor allem im mündlichen Vortrag tradierte Lyrik des Minnesangs auf Verbreitung jenseits ihres Bezugsrahmens ausgerichtet war, zeigt die Geschichte ihrer Überlieferung. Weder die vor- und frühhöfische noch die höfische Lyrik ist uns aus zeitgenössischen Handschriften bekannt, sondern vor allem in drei großen Sammlungen des ausgehenden 13. und des 14. Jahrhunderts überliefert.

Die »Kleine Heidelberger Liederhandschrift« (A) wurde im

13. Jahrhundert in Straßburg zusammengestellt. Sie enthält keine Bilder.
Die »Weingartner Liederhandschrift« (B) wurde um 1300 in Konstanz geschrieben und befindet sich heute in Stuttgart. Sie enthält Bilder der aufgeführten Dichter.
Die »Große Heidelberger Handschrift« (C) entstand um 1320 in Zürich, im Kreis der Patrizierfamilie Manesse (Manesse-Handschrift) aus dem Fundus ihrer umfangreichen Liederbibliothek. Diese Handschrift enthält die reichsten Bilder der Dichter und ihrer Wappenzeichen.
Nicht weniger wichtig sind auch zwei weitere Sammlungen. Eine »Würzburger Handschrift« (E) aus der ersten Hälfte des 14. Jahrhunderts und heute in München aufbewahrt. Sie enthält vor allem die Lieder Walthers von der Vogelweide.
Einzig die »Jenaer Liederhandschrift« (J) aus dem zweiten Viertel des 14. Jahrhunderts enthält auch Noten zu den Gedichten vor allem der mittel- und niederdeutschen Dichter.
Ein Vergleich etwa in der Text- und Bildabfolge dieser Handschriften legt die Vermutung nahe, daß sie zumindest in Teilen auf verlorenen älteren Vorlagen aufbauen. Unsicherheiten in der Datierung von Dichtern und der Zuordnung einzelner Lieder zu bestimmten Autoren entstehen nicht zuletzt daraus, daß zwischen der Entstehung der großen Sammelhandschriften und ihrer Inhalte eine Zeitspanne von bis zu 150 Jahren liegt.
Die nachfolgende Auswahl soll einen Überblick über die Entwicklung des Minnesangs von seinen Anfängen bis zum Ende seiner klassischen Ausprägung geben. Die Abfolge nähert sich auch hier eher einer Chronologie als einer Gliederung nach literarischen Landschaften oder »Tönen«. Von den namenlosen Liedern aus dem Donauraum, die sich formal durch die Benutzung der Langzeilenstrophe und inhaltlich durch »Subjektivität« in der Minneauffassung ausweisen, führt die Entwicklung in die frühhöfische Lyrik. Sie wird zunächst bestimmt durch eine strenge Adaption der provenzalischen

Vorbilder im Formalen – die dreiteilige Liedform aus zwei »Stollen« und dem »Abgesang« bleibt nun durch alle Gattungen und Typen hindurch von der höfischen bis in die Meistersinger-Lyrik bestimmend – sowie im Inhaltlich-Begrifflichen: von den Liedern Heinrichs VI., des Burggrafen von Regensburg, Meinlohs von Sevelingen bis hin zu Friedrich von Hausen. Mit Albrecht von Johansdorf schließlich, mit Reinmar von Hagenau und Heinrich von Morungen wird der Minnesang zu einer eigenständigen »Literatur«, die sich der eigenen Sicherheit in den Ansprüchen und Hervorbringungen bewußt ist, die Fiktion zum Eigenwert erhebt und damit inhaltlich-formal sehr schnell auch die Erstarrung herbeiführt, aus der Neidharts Dorfpoesie bewußt zerstörend einen Ausweg öffnet.

Namenlose Lieder

Am Beginn der mittelhochdeutsch-höfischen Lyrik steht eine Reihe von kürzeren Liedern, die, verstreut über mehrere spätere Handschriften, gleichwohl alle im österreichisch-donauländischen Raum entstanden sind. Diese Gedichte tragen die Züge »volkstümlicher« Lyrik in ihrer einfachen Typik und Sprache; deutlicher aber sind die Elemente einer frühen, noch undifferenzierten höfischen Gedankenwelt erkennbar: Noch fehlt die minne*-Theorie, ist* minne *die sinnlich gemeinte und gewährte Liebe. In den Frauenstrophen erscheint die* frouwe *als in Sehnsucht, Klage und Anspruch gleichberechtigte Partnerin des Mannes und nicht als die moralisch-sittliche Instanz der klassischen Lyrik.*

1

Dû bist mîn, ich bin dîn:
des solt dû gewis sîn.

dû bist beslozzen
in mînem herzen:
verlorn ist daz slüzzelîn:
dû muost immer drinne sîn.

2

Der walt in grüener varwe stât:
wol der wunneclîchen zît!
mîner sorgen wirdet rât.
sælic sî daz beste wîp
diu mich trœstet sunder spot.
ich bin vrô: dêst ir gebot.

Ein winken unde ein umbe sehen
wart mir do ich si nâhest sach.
dâ moht anders niht geschehen
wan daz si minneclîche sprach
»vriunt, du wis vil hôchgemuot.«
wie sanfte daz mîm herzen tuot!

»Ich wil weinen von dir hân«
sprach daz aller beste wîp.
»schiere soltu mich enphân
unde trœsten mînen lîp.«
swie du wilt sô wil ich sîn.
lache, liebez frowelîn.

3

»Mich dunket niht sô guotes noch sô lobesam
sô diu liehte rôse und diu minne mînes man.
diu kleinen vogellîne
diu singent in dem walde: dêst menegem herzen liep.
mirn kome mîn holder geselle, in hân der sumerwünne niet.«

Vil lieber friunt dc ist schedelich.
swer sinen friunt behaltet dc
ist lobelich. die site wil ich
minnē. bitte in dc er mir holt
si als er hie bi vor was. vn̄ man in was
wir redeten. do ich in ze iungest sach. 2
Wes manst dv mich leides min vil liebe.
vnser zweier scheiden mv̊sse ich ge
leben niet. vliuse ich dine minne. so lasse
ich die liute wol entstan. dc min fröide ist
der minnist vn̄ alle andere man. 3
Leit machet sorge. vil lieb wünne. eines
hübschen ritters gewan ich kunde. dc
mir den benomē hant. die merker vn̄
ir nit. des mohte mir min h'ze nie fro w'
den sit. 4
Ich stv̊nt mir nehtint spate an einer zin
ne. do hort ich einen riter vil wol singē
in Kv̊renberges wise. al vs der menigin.
er mv̊s mir dv lant rumen alder ich ge
niete mich sin. 5
Io stünt ich nehtint spate vor dinem bete
io getorste ich dich fröwe niwet weken.
des gehasse got den dinē lib. io en was

Die Lieder des Kürenbergers

DER VON KÜRENBERG

Der älteste namentlich bekannte mittelhochdeutsche Dichter lebte um die Mitte des 12. Jahrhunderts und stammte aus Niederösterreich (Linz?).

Erhalten sind 15 Lieder, zumeist einstrophig, einfach gebaut, in »des Kürenberges wîse« – die Nibelungenstrophe in freier Versfüllung. Die Nähe zum frühhöfischen Heldenlied ist erkennbar in der häufig episch gestalteten, balladenartig geschilderten Grundsituation seiner Lieder. Wie in den frühen namenlosen Liedern übernimmt auch beim Kürenberger die Frau eine aktive, werbende Rolle – am stärksten ausgeprägt im Falkenlied (Nr. 1). Die dialogisch, im Rollenwechsel zwischen Mann und Frau geführten Lieder zeigen keine Verbindung zum provenzalischen Minnesang, sind aber Hervorbringungen einer adligen Standesdichtung.

1
Falkenlied

»Ich zôch mir einen valken mêre danne ein jâr.
dô ich in gezamete als ich in wolte hân
und ich im sîn gevidere mit golde wol bewant,
er huop sich ûf vil hôhe und floug in anderiu lant.

Sît sach ich den valken schône fliegen:
er fuorte an sînem fuoze sîdîne riemen,
und was im sîn gevidere alrôt guldîn.
got sende si zesamene die gerne geliep wellen sîn!«

2

Wîp unde vederspil[1] diu werdent lîhte zam:
swer[2] si ze rehte lucket, sô suochent si den man.

1. *Jagdfalke.*
2. *wenn einer.*

als[3] warb ein schœne ritter umb eine frouwen guot.
als ich dar an gedenke, sô stêt wol hôhe mîn muot.

3

»Ich stuont mir nehtint spâte an einer zinnen:
dô hôrte ich einen ritter vil wol singen
in Kürenberges wîse al ûz der menigîn[4]:
er muoz mir rûmen diu lant, ald[5] ich geniete[6] mich sîn.«

Nu brinc mir her vil balde mîn ros, mîn îsengwant,
wan ich muoz einer frouwen rûmen diu lant.
diu wil mich des betwingen daz ich ir holt sî.
si muoz der mîner minne iemer darbende sîn.

DIETMAR VON AIST

Wie der Kürenberger stammt Dietmar aus österreichischem Adel, aus der Gegend von Mauthausen. Er ist 1139 bis 1171 urkundlich bezeugt. Mit dem Kürenberger ältester deutscher Minnesänger der donauländischen Frühlyrik.

Anders als der Kürenberger handhabt Dietmar die Form: Er benutzt und variiert die wenigen feststehenden Elemente, fügt neue hinzu, die er als erster aus der westlich-provenzalischen Lyrik übernimmt. Der Natureingang seiner Lieder ist charakteristisch und in seiner Typik bestimmend für die mittelalterliche Lyrik: wenige Elemente charakterisieren eine bukolisch-heitere Kulturlandschaft, die auch in ihrer Negation als Spiegelung seelischer Grundgestimmtheit der Liebenden begriffen ist. Hier wird der Einfluß antiker Idyl-

3. so.
4. Menge, Schar.
5. oder.
6. erfreue.

lik und der Vagantenlyrik spürbar. Die Rolle der Frau bleibt die Rolle der Liebenden, doch werden erste Varianten hörbar, so im frühesten deutschen Tagelied (Nr. 1) die Bindung des Mannes an die Frau.

1

»Slâfst du, friedel ziere?
man weckt uns leider schiere:
ein vogellîn sô wol getân
daz ist der linden an daz zwî gegân.«

»Ich was vil sanfte entslâfen:
nu rüefstu kint Wâfen[1].
liep âne leit mac niht gesîn.
swaz du gebiutst, daz leiste ich, friundin mîn.«

Diu frouwe begunde weinen.
»du rîtst und lâst mich eine.
wenne wílt du wider her zuo mir?
owê du füerst mîn fröide sament dir!«

2

Ez stuont ein frouwe alleine
und warte[2] uber heide
und warte ire liebe,
so gesach si valken fliegen.
»sô wol dir, valke, daz du bist!
du fliugest swar[3] dir liep ist:
du erkíusest[4] dir in dem walde
einen bóum der dir gevalle.

1. *weh.*
2. *hielt Ausschau.*
3. *wohin.*
4. *suchst dir.*

also hân ouch ich getân:
ich erkós mir selbe einen man,
den erwélten mîniu ougen.
daz nîdent schœne frouwen.
owê wan[5] lânt si mir mîn liep?
jô 'ngerte ich ir dekeiner trûtes niet.«

3

Ûf der linden óbené dâ sanc ein kleinez vogellîn.
vor dem walde wart ez lût: dô huop sich aber daz herze mîn
an eine stat da'z ê dâ was. ich sach die rôsebluomen stân:
die manent mich der gedanke vil die ich hin zeiner frouwen hân.

4

»Ez dunket mich wol tûsent jâr daz ich an liebes arme lac.
sunder âne mîne schulde fremdet er mich mangen tac.
sît ich bluomen niht ensach noch hôrte kleiner vogele sanc,
sît was mir mîn fröide kurz und ouch der jâmer alzelanc.«

BURGGRAF VON REGENSBURG

Von 1150 bis 1181 urkundlich bezeugt, Bruder des gleichfalls dichtenden Burggrafen von Rietenburg: die Burggrafschaft Regensburg gehörte bis 1185 den Herren von Stevening und Rietenburg.

Wichtig sind seine wenigen Strophen als Zeugnisse einer Übergangszeit, vornehmlich alter Form und Vorstellung noch verbunden. Er verwendet ausschließlich die Langzeile für

5. *warum nicht.*

seine Verse; die Frauenstrophen (Nr. 2) sind Liebeslyrik der Frau, der Wechsel (Nr. 1) episch gehaltene Selbstaussage.

1

Ich lac den winter eine. wol trôste mich ein wîp
diu mir frőide wolde kunden vür[1] bluomen und vür
sumerzît.
daz nîdent merkære: des ist mîn herze wunt.
ezn heile mir ein frowe mit ir minne, ezn[2] wirdet niemer
mê gesunt.

»Nu heizent si mich mîden einen rítter: ine mac.
swenn ich dar an gedenke daz ich sô guotlîchen lac
verholne an sînem arme, des tuot mir senede wê.
von im ist ein alse unsanftez scheiden, daz mac mîn herze
wol entstên[3].«

2

»Ich bin mit rehter stætekeit eim guoten rîter undertân.
wie sanfte ez mînem herzen tuot, swenn ich in
umbevangen hân!
der sich mit mangen tugenden guot
gemachet al der werlde liep, der mac wol hôhe tragen den
muot.«

»Sine múgen alle mir benemen den ich mir lange hân
erwelt
ze rehter stæte in mînen muot, der mich vil manges liebes
went.
und lægen si vor leide tôt,
ich wil im iemer wesen holt. si sint betwungen âne nôt[4].«

1. *mehr als.*
2. *das.*
3. *verspüren.*
4. *sie machen sich vergebens Sorgen.*

MEINLOH VON SEVELINGEN

Urkundlich nicht nachzuweisen. Zu erschließen (aus seiner Lyrik) ist Meinloh für die zweite Hälfte des 12. Jahrhunderts. Er stammt aus einem Ministerialengeschlecht, das seinen Namen nach einem Dorf Söfflingen bei Ulm trägt, jedoch erst im 13. Jahrhundert nachweisbar ist.

Seine Lyrik gehört formal (Langzeilen, Frauenstrophen) zur donauländischen Kürenberger Gruppe. Die Elemente der provenzalischen Minnelyrik und -theorie sind ihm bekannt: die Geliebte wird zur Herrin, die Minne als selbständige, apersonale Macht wird gesehen (Nr. 1), das trûren *um die ferne* frouwe *wird zum eigenständigen Thema (MF 12,27), richtiges Minneverhalten und Minnetheorie werden vorgestellt (MF 12,1).*

1

Dô ich dich loben hôrte, dô het ich dich gerne erkant.
durch dîne tugende manige fuor ich ie sende[1], unz ich dich vant.
daz ich dich nu gesehen hân, daz enwirret dir niet[2].
er ist vil wol getiuret, den du wilt, frouwe, haben liep.
du bist der besten eine, des muoz man dir von schulden jehen.
sô wol den dînen ougen!
diu kunnen swen si wellen an vil güetlîchen sehen.

2

Ich bin hólt einer frouwen: ich weiz vil wol umbe waz.
sît ich ír begunde dienen, si gevíel mir ie baz und ie baz.
ie lieber und ie lieber sô ist si zallen zîten mir,
ie schœner und ie schœner: vil wol gevallet si mir.

1. sehnend.
2. das berührt dich nicht.

sist sælic zallen êren, der besten tugende pfligt ir lîp.
sturbe ich nâch ir minne,
  und wurde ich danne lebende, sô wurbe ich aber[3] umb daz wîp.

3

»Sô wê den merkæren[4]! die habent mîn übele gedâht:
si habent mich âne schulde in eine grôze rede brâht.
si wænent mir in leiden[5], sô si sô rûnent under in.
nu wizzen[6] algelîche daz ich sîn friundinne bin;
âne nâhe bî gelegen: des hân ich weizgot niht getân.
stæchens ûz ir ougen,
  mir râtent mîne sinne an deheinen andern man.«

HEINRICH VON VELDEKE

In seiner Lyrik geht Veldeke von einer nordfranzösischen Kleinlyrik aus, die durch schlichte Naturmotive, formelhafte Wendungen und additiven Aufbau bestimmt ist. Einflüsse aus der Vagantenlyrik (Naturmotiv) sind möglich. Das Thema seiner »Eneit« kehrt auch in der Lyrik wieder: der Zwang der Minne, die gleichwohl rîke *und* wîse *machte, die in Natur und Gesellschaft ihre Existenzberechtigung nicht problematisieren muß, sondern ohne Spannungen auslebt. Als Lyriker ist Veldeke ohne Einfluß auf seine Zeit geblieben, was nicht zuletzt mit der inhaltlichen Eigenständigkeit und seiner regionalsprachlichen Isolierung zu erklären wäre.*

3. *wieder.*
4. *Aufpassern.*
5. *zu verderben.*
6. *sie sollen wissen.*

1

In den tîden van den jâre
dat dî dage werden lanc
endẹ dat weder weder clâre,
sô ernouwen openbâre
merelâre heren sanc,
dî uns brengen lîve mâre.
gode mach her's weten danc
dê hevet rechte minne
   sunder rouwẹ endẹ âne wanc.

Ich bin blîde dorẹ herẹ êre
di mich hevet dat gedân
dat ich van den rouwen kêre,
dê mich wîlen irde sêre.
dat ịs mich nû alsô ergân:
ich bin rîkẹ endẹ grôte hêre,
sint ich mûstẹ al umbevân
dî mich gaf rechte minne
   sunder wîc endẹ âne wân.

Dî mich drumbe willen nîden
dat mich lîves ît geschît,
dat mach ich velẹ sachte lîden
noch mînẹ blîtscap nîwet mîden,
ende nẹ wille drumbe nît
nâ gevolgen den unblîden,
sint dat sî mich gerne sît
dî mich dorẹ rechte minne
   lange pîne dougen lît.

2

»Dê blîtscap sunder rouwẹ entfeit
bit êren, hê is rîke.
dat herte dâ der rouwẹ in steit,
dat levet jâmerlîke.

hê is edelę ende vrût:
wê bit êren kan gemêren
sîne blîtscap, dat is gût.«

Dî scône dî mich singen dût,
sî sal mich spreken lêren
dâr ave dat ich mînen mût
nît wale ne kan gekêren.
sî is edelę ende vrût:
wê bit êren kan gemêren
here blîtscap, dat is gût.

KAISER HEINRICH (VI.)

Sohn Kaiser Friedrichs I. Barbarossa, 1165 in Nymwegen geboren, 28. September 1197 in Messina gestorben. 1169 wird er zum deutschen König gewählt, 1184 in Mainz zum Ritter geschlagen (vgl. Veldekes Bericht: Das Mainzer Hoffest, S. 121 f.); 1186 Vermählung mit Konstanze von Sizilien in Mailand; am 15. April 1191 Krönung zum deutschen Kaiser.

Die drei unter Heinrichs Namen überlieferten Lieder dürften vor seiner Regentschaft, also zwischen 1184 und 1186, entstanden sein; sie sind Gelegenheitsdichtung. Während der Wechsel (Nr. 1) noch in Form und Inhalt den frühen österreichischen Minnesang erkennen läßt, gehören die beiden anderen Lieder (MF 4,17 und Nr. 2) der neuen Lyrik zu, insbesondere die vierstrophige Kanzone (Nr. 2) in freien Daktylen. Das Motiv der verschenkten Krone wird zu einer Minnesangformel; das Thema des Trauerns aus der Ferne entsteht hier aus der Dichtung des Hausen-Kreises in Italien und wird zu einem beständigen Thema auch der höfischen Kreuzzugslyrik.

1

»Rîtest du nu hinnen, der aller liebste man,
der beste in mînen sinnen für al[1] deich ie gewan.
kumest du mir niht schiere[2], sô vliuse ich mînen lîp:
den möhte in al der welte
got niemer mir vergelten« sprach daz minneclîche wîp.

Wol dir, geselle guote, deich ie bî dir gelac.
du wonest mir in dem muote[3] die naht und ouch den tac.
du zierest mîne sinne und bist mir dar zuo holt:
nu merke et wiech daz meine:
als edelez gesteine, swâ man daz leit[4] in daz golt.

2

Ich grüeze mit gesange die süezen
die ich vermîden niht wil noch enmac.
deich si réhte von munde mohte grüezen,
ach leides, des ist manic tac.
swer disiu liet nu singe vor ir
der ich gár unsenfteclîchen enbir,
ez sî wîp oder man, der habe si gegrüezet von mir.

Mir sint diu rîche und diu lant undertân
swenn ich bî der minneclîchen bin;
unde swénne ab ich gescheide von dan,
sost mir ál mîn gewalt und mîn rîchtuom dâ hin;
senden kúmber den zele ich mir danne ze habe[5]:
sus kan ich an vröuden ûf stîgen joch abe,
unde brínge den wehsẹl, als ich wæn, durch ir liebe ze
grabe.

1. *vor allen anderen.*
2. *schnell.*
3. *Gedanken.*
4. *faßt.*
5. *zähl ich zu meinem Besitz.*

Sît deich si sô herzeclîchen minne
unde sí âne wenken[6] alzît trage
beid in dem herzen und ouch in sinne,
underwîlent mit vil maniger klage,
waz gît mir dar umbe diu liebe ze lône?
dâ biutet si mirz sô wol und sô schône:
ê ich mích ir verzige[7], ich verzige mich ê der krône.

Er sündet sich swer des niht geloubet,
ich möhte geleben mangen lieben tac,
ob joch níemer krône kæme ûf mîn houbet;
des ích mich ân si niht vermezzen enmac.
verlüre ich si, waz hette ich danne?
dâ töhte[8] ich ze vröuden noch wîbe noch manne
unde wære mîn bester trôst beidiu zâhte und ze banne.

VAGANTENLYRIK

Zur selben Zeit, als sich im Donaugebiet die ersten ritterlichen Poeten an einer neuen Standespoesie versuchen, als der Kürenberger und Dietmar von Aist frühe Minnelieder dichten, nur zehn Jahre etwa vor der ersten Hausen-Schule (vgl. S. 167), taucht auch in Deutschland eine Lyrik auf, die ohne allen Anspruch auf Transzendenz und Standeskodex auskommt. – Beginnend im 11. Jahrhundert, setzte mit dem Aufblühen der geistlichen Schulen und Universitäten eine Wanderung von Studenten ein, die zu den berühmtesten Lehrern pilgerten oder nach Abschluß ihres Studiums ohne Beruf und Auskommen bettelnd durch die Lande sich bewegten. Die Kirchenämter waren zumeist fest in den Händen einiger weniger und der Bedarf an Juristen etwa bei Hofe

6. *Schwanken.*
7. *entsage.*
8. *taugte.*

und in den sich entwickelnden Städten war begrenzt. Von Frankreich und Oberitalien ausgehend, setzte eine Scholaren-Bewegung ein, die aus materieller Not und ungenutzter Bildung eine Tugend machte. Ihre Wander-, Sauf- und Liebeslieder, zumeist in lateinischer Sprache abgefaßt, feierten in leidenschaftlicher Hingabe und Sinnlichkeit die Freuden des Lebens.

Liebe ist sinnliche Liebe, die nur selten nach den geistigen Gaben der Geliebten fragt, eine direkte Gewährung jeder Vergeistigung, Moral oder Verantwortung vorzieht. Statt in langatmigen Reflexionen und Werbungsritualen wird Begehrlichkeit notfalls auch unter Gewaltanwendung ausgelebt (Nr. 1). Nicht die verheiratete Frau, sondern das junge Mädchen wird besungen in Sequenzen, antik-metrischen oder freien rhythmischen Strophen, wie es die an lateinischen Vorbildern (Catull, Ovid) geschulte Gelehrsamkeit eingibt.

In den Streitgedichten und Parodien der Vaganten spiegeln sich nicht nur aufsässige Streitlust und kritischer Geist, wie er auf den hohen Schulen gefördert wurde, nicht nur die geistige Überlegenheit und ein deutliches Selbstwertgefühl der zumeist anonymen Verfasser. Diese Gedichte sind ein Abbild der heftig einsetzenden Konflikte zwischen weltlichen und geistlichen Fürsten, des Investiturstreits, eine Anklage gegen die Sittenlosigkeit der Geistlichen, die Verderbtheit der Kurie, die in Simonie und Korruption lebt (Nr. 2). Solche Parodien leben aus dem direkten Angriff wie aus dem Wortspiel, aus der Konfrontation gelehrter Zitate mit der Realität: ara (Altar) und arca (Geldtruhe), Marcus und marca, numen (Gottheit) und numus (Geld). Hier ist jene Realität greifbar, die in ritterlicher Minnedichtung und höfischer Lebensart der Zeit zwischen 1160 und 1230 bewußt negiert oder verdrängt wird. Vagantendichtung könnte die Realität spiegeln, vor der die sich abkapselnde Stilisierung des Minnesangs stattfand.

Nur wenige Dichter dieser bis heute kaum zureichend in Bestand und Voraussetzungen erforschten Lyrik sind be-

kannt: der Archipoeta (2. Hälfte 12. Jh.), zeitweilig in der Nähe des Erzkanzlers Rainald von Dassel in Köln, in dessen Auftrag er u. a. eine Huldigung an Friedrich I. verfaßte; Walther von Châtillon (um 1135 bis um 1200), zuletzt Domherr von Amiens; Primas Hugo von Orléans (um 1095 bis um 1150). Die umfangreichste Sammlung mittelalterlicher Vagantenlyrik, die »Carmina Burana«, entstand um 1230; sie wurde 1803 im Kloster Benediktbeuren aufgefunden und enthält 250 lateinische sowie 55 deutsche und deutsch-lateinische Gedichte.

1

Carmen Buranum Nr. 72

Grates[1] ago Veneri,
Que prosperi
Michi risus numine
De virgine
Mea gratum
Et optatum
Contulit tropheum.

Dudum militaveram
Nec poteram
Hoc frui stipendio;
Nunc sencio
Me beari,
Serenari
Vultum Dioneum.

1. Dank sag ich der Venus hier, / Sie hat ja mir / Durch des holden Lachens Macht / Jetzt zugebracht / Dankenswerten / Und begehrten / Sieg ob meinem Mädel.
Lange kämpfend müht ich mich, / Doch konnte ich / Nicht gewinnen meinen Lohn. / Jetzt fühl ich schon / Froh mich werden, / Die Gebärden / Amors sich erheitern.

Visu, colloquio,
Contactu, basio
Frui virgo dederat,
Sed aberat
Linea posterior
Et melior
Amoris.
Quam nisi transiero,
De cetero
Sunt, que dantur alia,
Materia furoris.

Ad metam propero,
Sed fletu tenero
Mea me sollicitat,
Dum dubitat
Solvere virguncula
Repagula
Pudoris.
Flentis bibo lacrimas
Dulcissimas,
Sic me plus inebrio
Plus haurio
Fervoris.

Delibuta lacrimis
Oscula plus sapiunt,
Blandimentis intimis

Ich kam zwar zum Genuß / Von Blick und Wort und Kuß, / Streicheln auch, das gab sie mir; / Doch fehlte schier / Jenes allerletzte Heil, / Der bessre Teil / Der Liebe. / Nicht will den ich übergehn, / Will nur gestehn: / Alles, was sich dann noch tut, / Ist glühend Glut / Der Triebe.
Aufs Ziel hin eil ich los, / Sie aber reizt mich bloß / Durch der zarten Zähren Fluß / Schwankt vor dem Schluß, / Daß sie jungfräulicher Scham / Die Schranken nahm, / Das Steuer. / Tränen trink ich von der Maid / Voll Süßigkeit, / Immer trunkner mach ich mich, / Mir wecke ich / Mehr Feuer.
Küsse, die die Zähre netzt, / Haben stets viel mehr ergetzt, / Führen

Mentem plus alliciunt.
Ergo magis capior
Et acrior
Vis flamme recalescit.
Sed dolor Coronidis
Se tumidis
Exerit singultibus
Nec precibus
Mitescit.

Preces addo precibus
Basiaque basiis,
Fletus illa fletibus,
Iurgia conviciis.
Meque cernit oculo
Nunc emulo,
Nunc quoque supplicanti.
Nam nunc lite dimicat,
Nunc supplicat,
Dumque prece blandior,
Fit surdior
Precanti.

Vim nimis audax infero,
Hec ungue sevit aspero,
Comas vellit,
Vim repellit

durch die Koserei / Lockend größern Reiz herbei. / Immer mehr ergreift es mich, / Es steigert sich / Der Flamme heißes Wehen. / Was Coronis schmerzlich litt, / Teilt sich mit / In geschwellter Seufzer Füll / Und wird nicht still / Durch Flehen.
Bitten füg ich Bitten an, / Küsse zu den Küssen dann, / Doch sie setzt ihr Weinen fort, / Reiht gleich scheltend Wort an Wort. / Und ihr Auge schaut mich an / Erst feindlich, dann / Hinwiederum mit Flehen. / Bald ja widersetzt sie sich, / Bald bittet mich, / Geht beim Bitten schmeichelnd vor, / Schließt doch ihr Ohr / Vorm Flehen.
Ich brauch Gewalt, kühn werd ich sehr, / Sie setzt mit Nägeln sich zur Wehr, / Haare reißt sie, / Angriff weist sie / Wacker ab, / Drängt zu-

Strennua,
Sese plicat
Et intricat
Genua,
Ne ianua
Pudoris resolvatur.

Sed tandem ultra milito,
Triumphum do proposito.
Per amplexus
Firmo nexus,
Brachia
Eius ligo,
Pressa figo
Basia,
Sic regia
Diones reseratur.

Res utrique placuit,
Et me minus arguit
Micior amasia
Dans basia
Mellita.

Et subridens tremulis
Semiclausis oculis
Veluti sub anxio
Suspirio
Sopita.

sammen, / Zwängt zusammen / Ihre Knie: / Nicht soll für sie / Der Keuschheit Tor zerbrechen.

Doch immer weiter führ ich Krieg, / Verschaffe meinem Willen Sieg. / Im Umschlingen, / Festem Ringen / Bind ich ihr / Hände drängend, / Küsse zwängend / Geb ich ihr. / So wird von mir / Der Venus Schloß zerbrochen.

Das gefiel uns beiden sehr, / Die Geliebte schalt nicht mehr, / Immer sanfter ward sie schier, / Gab Küsse mir / Ganz liebe.

Und indem ihr Augenpaar / Zitternd halb geschlossen war, / Lachte sie, als schlief sie ein / Mit Seufzerlein / Noch trübe.

2

Carmen Buranum Nr. 44

In[2] *illo tempore* [Beginn der Evangelienperikopen] dixit papa Romanis:
»*Cum venerit filius hominis* [Mt. 25,31] ad sedem maiestatis nostre, primum dicite: ›*Amice, ad quid venisti*‹ [Mt. 26,50]?
At ille si perseveraverit pulsans [Lc. 11,4], nil dans vobis, eicite eum in tenebras *exteriores* [Mt. 25,30]!«
Factum est autem [Lc. 1,8 u. ö.], ut quidam pauper clericus veniret ad curiam domini pape, et *exclamavit dicens* [Mt. 15,22 u. ö.]:
»*Miseremini mei saltem vos*, hostiarii pape, *quia manus paupertatis tetigit me* [Job 19,21]. *Ego vero egenus et pauper sum* [Ps. 69,6], ideo peto, ut subveniatis *calamitati et miserie* [Soph. 1,15] mee.«
Illi autem *audientes indignati sunt* [Mt. 20,24] valde et dixerunt:
»Amice, paupertas tua *tecum sit in perdicione* [Act. 8,20]. *Vade retro, satanas*, quia *non sapis* [Mc. 8,33] ea, *que* sapiunt nummi.
Amen, *amen, dico tibi*: non intrabis in gaudium domini tui, *donec* dederis *novissimum quadrantem* [Mt. 5,26].«

2. Zu jener Zeit sprach der Papst zu den Seinen in Rom:
»Wenn des Menschen Sohn kommen wird an den Sitz unserer Herrlichkeit, dann sagt zuerst: ›Mein Freund, warum bist du gekommen?‹
So jener aber fortfährt mit Klopfen und gibt euch nichts, dann werfet ihn in die äußerste Finsternis hinaus!«
Und es begab sich, daß ein armer Kleriker in die Kurie des Herrn Papstes kam, und er schrie und sprach:
»Erbarmet wenigstens ihr euch meiner, ihr Pförtner des Papstes, denn die Hand der Armut hat mich gerühret. Ich aber bin elend und arm; deshalb bitte ich, daß ihr meinem Unglück und Jammer abhelft!«
Da sie aber das hörten, wurden sie sehr unwillig und sprachen:
»Mein Freund, daß du verdammt werdest mit deiner Armut! Gehe hinter dich, du Satan, denn du meinst nicht das, was das Geld meint.
Wahrlich, wahrlich, ich sage dir, du wirst nicht zu deines Herren Freude eingehen, bis du den letzten Heller hergibst.«

Pauper vero *abiit et vendidit* [Mt. 13,46] *pallium et tunicam* [1. Esra 9,4] et *universa, que habuit* [Mt. 13,44], et dedit cardinalibus et hostiariis et camerariis.

At illi dixerunt: »Et hoc *quid est inter tantos* [Job 6,9]?« Et *eiecerunt eum ante fores* [Jo. 9,34], *et egressus foras flevit amare* [Mt. 26,75] et *non habens consolacionem* [Thren. 1,9].

Posta venit ad curiam *quidam* clericus dives, *incrassatus, impinguatus, dilatatus* [Deut. 32,15], *qui* propter *sedicionem fecerat homicidium* [Mc. 15,7].

Hic primo dedit hostiario, secundo, camerario tercio cardinalibus. At illi *arbitrati sunt* inter eos, *quod essent plus accepturi* [Mt. 20,10].

Audiens autem [biblisch oft] dominus papa cardinales et ministros *plurima dona* [Prov. 6,35] a clerico accepisse, *infirmatus est usque ad mortem* [Phil. 2,27].

Dives vero misit sibi electuarium aureum et argenteum, *et statim sanatus est* [Jo. 5,9].

Tunc dominus papa *ad se vocavit* [Mt. 20,25] cardinales et ministros et dixit eis:

Der Arme aber ging hin und verkaufte Mantel und Rock und alles, was er hatte, und schenkte es den Kardinälen, Pförtnern und Kämmerlingen.

Die aber sagten: »Und was ist das unter so viele?«

Und sie stießen ihn hinaus vor die Tür, und er ging hinaus und weinete bitterlich und hatte keinen Trost.

Danach kam zur Kurie ein reicher Kleriker, dick, fett und stark geworden, der im Aufruhr einen Mord begangen hatte.

Der gab erst dem Pförtner, dann dem Kämmerling, zum dritten den Kardinälen. Die aber meinten untereinander, sie sollten mehr empfangen.

Es vernahm der Herr Papst, die Kardinäle und Diener hätten sehr viele Geschenke von dem Kleriker erhalten, und er wurde krank bis auf den Tod.

Der Reiche aber schickte ihm Arznei aus Gold und Silber, und alsobald ward er gesund.

Da rief der Herr Papst die Kardinäle und Diener zu sich und sagte ihnen:

»*Fratres, videte, ne* [Hebr. 3,12] aliquis *vos seducat inanibus verbis* [Eph. 5,6].
Exemplum enim do vobis, ut, quemadmodum ego capio, *ita et vos* capiatis [Jo. 13,15].«

FRIEDRICH VON HAUSEN

Um 1150 geboren, aus freiherrlichem Geschlecht in Hausen bei Kreuznach; 1171 erstmals erwähnt, am Hof Friedrichs I. und Heinrichs VI., in dessen Diensten er sich mehrfach in Italien aufhält; 1189–90 Teilnahme am Kreuzzug Barbarossas – am 6. Mai 1190 in der Schlacht von Philomelium (Kleinasien) Tod durch Sturz vom Pferd.

In Italien bildet Friedrich von Hausen mit den südwestdeutschen Adligen Bligger von Steinach, Bernger von Horheim, Ulrich von Gutenberg, Rudolf von Fenis eine »Dichterschule«, in der sich die völlige Rezeption der provenzalischen Minnelyrik in die deutsche Dichtung vollzieht: formal in der Aufgabe der Langzeile zugunsten des vierhebigen Verses und des romanischen Zehnsilbers; inhaltlich durch Übernahme des zentralen Themas der »Hohen Minne«, ihrer Begriffs- und Denkstrukturen in Reflexion und Minnedialektik. Das Erlebnis der Ferne (Italien und Kreuzzug) zur verehrten Herrin ist Ausgangspunkt der Reflexion über das Wesen der Minne und ihre Anforderungen in der arebeit *eines beständigen und vergeblichen Dienstes der Entsagung. Das Kreuzzugserlebnis bringt die Zuspitzung des Zwiespalts zwischen Dienst für die Herrin und Dienst für Gott. Hausen formuliert als erster dieses Grundproblem der Kreuzzugslyrik des gesamten Mittelalters, das die eindimensionale Lösung im »Rolandslied« transzendiert und damit aufhebt.*

»Liebe Brüder, sehet zu, daß euch nicht einer verführt mit vergeblichen Worten!
Denn ein Beispiel habe ich euch gegeben, daß, wie ich nehme, ebenso auch ihr nehmt.«

Das unter Nr. 1 abgedruckte Lied gehört auch formal zu den schönsten Liedern Friedrichs von Hausen. Es ist in der Italienzeit entstanden und entwickelt die Ferne-Nähe-Problematik.
Die eigentliche Problematik wird deutlich schon in seinem ersten Kreuzzugslied (Nr. 2), das noch den Ausgleich sucht: erst Gott dienen, dann den Frauen.
Die Minneproblematik wird aber kompromißlos gelöst in dem Kreuzzugslied (Nr. 3), das in der gebräuchlichen Antithese von Herz und Leib die beiden Pole des Konflikts nennt: Gott und Welt (= Minne). Der Konflikt kann nur durch die letzte Konsequenz in der eingeübten Entsagung gelöst werden, durch den Abschied von der Minne. Damit ist nicht ein individueller Konflikt gelöst, sondern die zentrale Problematik des ritterlichen Weltbildes aufgezeigt. Das Thema wird für die große höfische Lyrik bis in ihre Spätzeit bestimmend.

1

Ich denke under wîlen,
ob ich ir nâher wære,
waz ich ir wolte sagen.
daz kürzet mir die mîlen,
swenn ich ir mîne swære
sô mit gedanken klage.
mich sehent mange tage
die liute in der gebære[1]
als ich niht sorgen habe,
wan ichs alsô vertrage.

Het ich sô hôher minne
nie mich underwunden[2],
mîn möhte werden rât.

1. Haltung.
2. auf mich genommen.

ich tete ez âne sinne:
des lîde ich zallen stunden
nôt diu nâhe gât.
mîn stæte mir nu hât
daz herze alsô gebunden,
daz siz niht scheiden lât
von ir als ez nu stât.

Ez ist ein grôzez wunder:
diech aller sêrest minne,
diu was mir ie gevê[3].
nu müeze solhen kumber
niemer man bevinden,
der alsô nâhe gê.
erkennen wânde i'n ê,
nu kan i'n baz bevinden:
mir was dâ heime wê,
und hie wol drîstunt mê.

Swie kleine ez mich vervâhe,
sô vröuwe ich mich doch sêre
daz mir sîn niemen kan
erwern, ichn denke ir nâhe
swar[4] ich landes kêre.
den trôst sol si mir lân.
wil siz für guot enpfân,
daz fröut mich iemer mêre,
wan ich für alle man
ir ie was undertân.

2

Si darf mich des zîhen niet,
ichn hête si von herzen liep.

3. *feindlich gesonnen.*
4. *sobald.*

des mohte si die wârheit an mir sên,
und wil sis jên.
ich quam sîn dicke in solhe nôt,
daz ich den liuten guoten morgen bôt
engegen der naht.
ich was sô verre an si verdâht[5]
daz ich mich underwîlent niht versan,
und swer mich gruozte daz ichs niht vernam.

Mîn herze unsanfte sînen strît
lât, den ez nu mange zît
haldet wider daz aller beste wîp,
der ie mîn lîp
muoz dienen swar[6] ich iemer var.
ich bin ir holt: swenn ich vor gote getar,
so gedenke ich ir.
daz ruoche[7] ouch er vergeben mir:
ob ich des grôze sünde solde hân,
zwiu schuof er si sô rehte wol getân?

Mit grôzen sorgen hât mîn lîp
gerungen alle sîne zît.
ich hâte liep daz mir vil nâhe gie:
dazn liez mich nie
an wîsheit kêren mînen muot.
daz was diu minne, diu noch mangen tuot
daz selbe klagen.
nu wil ich mich an got gehaben:
der kan den liuten helfen ûzer nôt.
nieman weiz wie nâhe im ist der tôt.

Einer fróuwen was ich undertân
diu âne lôn[8] mîn dienest nam.

5. *ich war so sehr in Gedanken an sie verloren.*
6. *wohin auch immer.*
7. *muß.*
8. *ohne mir ihre Huld zu erweisen.*

von der enspriche ich niht wan[9] allez guot,
wan daz ir muot
zunmilte wider mich ist gewesen.
vor aller nôt sô wânde ich sîn genesen,
dô sich verlie
min herze ûf genâde an sie,
der ich dâ leider funden niene hân.
nu wil ich dienen dem der lônen kan.

Ich quam von minne in kumber grôz,
des ich doch selten ie genôz.
swaz schaden ich dâ von gewunnen hân,
sô friesch nie man
daz ich ir spræche iht wan guot,
noch mîn munt von frouwen niemer tuot
doch klage ich daz
daz ich sô lange gotes vergaz:
den wil ich iemer vor in allen haben,
und in dâ nâch ein holdez herze tragen.

3

Mîn herze und mîn lîp diu wellent scheiden,
diu mit ein ander varnt nu mange zît.
der lîp wil gerne vehten an die heiden:
sô hât iedoch daz herze erwelt ein wîp
vor al der werlt. daz müet[10] mich iemer sît,
daz si ein ander niene volgent beide.
mir habent diu ougen vil getân ze leide.
got eine[11] müeze scheiden noch den strît.

Ich wânde ledic sîn von solher swære,
dô ich daz kriuze in gotes êre nam.

9. nur.
10. quält, macht mir Kummer.
11. selbst, alleine.

ez wære ouch reht deiz herze als ê dâ wære,
wan daz sîn stætekeit im sîn verban[12].
ich solte sîn ze rehte ein lebendic man,
ob ez den tumben willen sîn verbære[13].
nu sihe[14] ich wol daz im ist gar unmære[15]
wie ez mir an dem ende süle ergân.

Sît ich dich, herze, niht wol mac erwenden[16],
dun wellest mich vil trûreclîchen lân,
sô bite ich got daz er dich ruoche[17] senden
an eine stat dâ man dich wol enpfâ.
owê wie sol ez armen dir ergân!
wie torstest[18] eine an solhe nôt ernenden[19]?
wer sol dir dîne sorge helfen enden
mit solhen triuwen als ich hân getân?

Nieman darf mir wenden[20] daz zunstæte,
ob[21] ich die hazze diech dâ minnet ê.
swie vil ich si geflêhet oder gebæte,
sô tuot si rehte als ob sis niht verstê.
mich dunket wie mîn wort gelîche gê
als ez der summer vor ir ôren tæte.
ich wære ein gouch[22], ob ich ir tumpheit[23] hæte
für guot: ez engeschiht mir niemer mê.

12. *verbot.*
13. *aufgeben wolle.*
14. *begreife.*
15. *gleichgültig.*
16. *davon abbringen.*
17. *möge.*
18. *wagtest.*
19. *Gefahr begeben.*
20. *auslegen als.*
21. *als ob.*
22. *ein Tor.*
23. *Torheit, Unbesonnenheit, Wankelmut.*

HEINRICH VON RUGGE

Lebte in der zweiten Hälfte des 12. Jahrhunderts und ist 1175 bis 1178 urkundlich nachgewiesen. Herkunft aus schwäbischem Ministerialengeschlecht des Pfalzgrafen von Tübingen in Blaubeuren. Wahrscheinlich ist seine Teilnahme am Kreuzzug 1191.

Die Zuweisung der unter seinem Namen überlieferten Lieder ist umstritten. Er gehört mit Albrecht von Johansdorf und Hartmann von Aue in eine Gruppe von Dichtern, die sich von den strengen Regeln des provenzalisch-französischen Vorbilds zu lösen versuchen und einen Gegenpol zur Hausen-Schule bilden. Der Minnedienst ist nicht durchproblematisiert, er wird als eine Zeiterscheinung gesehen und relativiert angesichts der eindeutig getroffenen Entscheidung zu einem Dienst für Gott. Unter dem Eindruck des Todes Barbarossas auf dem Kreuzzug 1190 schreibt Rugge seinen »Kreuzleich«, Aufruf und Mahnung zur Teilnahme am Kreuzzug. Hier erscheint wieder die im »Rolandslied« des Pfaffen Konrad fixierte Vorstellung vom Waffendienst als einem Dienst für Gott; der Tod des Ritters auf dem Kreuzzug ist Märtyrertod. – In den oft spruchhaften Sentenzen seiner Minnelieder erscheint Rugge als Moralist und Mahner.

Diu werlt wil mit grímme zergân nu vil schiere.
ez ist an den líuten grôz wunder geschehen:
fröuwent sich zwêne, sô spottent ir viere.
wæren si wîse, si möhten wol sehen
daz ich dur jâmer die fröide verbir[1].
nu sprechent genuoge war umbe ich sus truobe[2],
den fröide geswîchet[3] noch ê danne mir.

Diu werlt hât sich alsô von fröiden gescheiden
daz ir der vierde niht rehte nu tuot.

1. loswerde, verzichte auf.
2. betrübt sei.
3. im Stich läßt.

juden unde crísten, in weiz umbe heiden,
die denkent álle ze verre an daz guot,
wie sis vil gewínnen. doch wil ich in sagen
ez muoz hie belîben. daz niemen den wîben
nu dienet ze réhte, daz hœre ich si klagen.

Swer nu den wîben ir reht wil verswachen[4],
dem wil ich verteílen[5] ir minne und ir gruoz.
ich wil ir leídes von herzen niht lachen,
swer sô nu wélle, der lâze oder tuoz.
wan ist ir eíniu niht rehte gemuot,
dâ bî vind ich schiere wol drî oder viere
die zallen zîten sint höfsch unde guot.

ALBRECHT VON JOHANSDORF

Stammt aus dem östlichen Bayern (heute: Jahrsdorf in Niederbayern), Zeitgenosse von Reinmar und Heinrich von Morungen. Für 1185 bis 1209 urkundlich feststellbar als Ministeriale der Bischöfe von Passau; seit 1194 hier im Dienste des Bischofs Wolfger von Ellenbrechtskirchen, dem Gönner Walthers von der Vogelweide (s. auch Thomasin von Zerklære). Mit Hartmann von Aue nahm er am Kreuzzug Friedrich Barbarossas 1189–91 teil.

Minne und Kreuzzug sind die Themen seiner 11 Lieder. Beherrschung der höfischen Formelsprache, doch wird die Frau freier, »emanzipierter« begriffen; Minne ist nicht Ausgeliefertsein, sondern gegenseitige Neigung, die auch von der Frau frei ausgesprochen wird (Nr. 1). Damit löst Johansdorf das starre hochhöfische Frauenideal auf, wie es im Hausen-Kreis entstanden war, zugunsten einer dialogischen Haltung, die sich in der Form des Wechsels (Nr. 1 u. 2) wieder den Elementen der frühen donauländischen Lyrik nähert (Diet-

4. *mindern, einschränken.*
5. *aberkennen.*

mar von Aist). Der von Hartmann als Krise erlebte Zwiespalt zwischen Minne und Gott wird von Johansdorf in seinen 4 Kreuzzugsliedern erkannt, aber nicht in Weltabkehr gelöst, sondern in der Sicherheit, daß die Rückkehr zur wartenden Frau neues Glück bringen, der mögliche Tod auf dem Kreuzzug aber den Himmel eröffnen wird.

1

»Wie sich minne hebt[1] daz weiz ich wol;
wie si ende nimt des weiz ich niht.
ist daz ich es inne werden sol
wie dem herzen herzeliep geschiht,
sô bewar mich vor dem scheiden got,
daz wæn bitter ist.
  disen kumber fürhte ich âne spot.

Swâ[2] zwei herzeliep gefriundent sich
unde ir beider minne ein triuwe wirt,
die sol niemen scheiden, dunket mich,
al die wîle unz[3] si der tôt verbirt[4].
wær diu rede mîn, ich tæte alsô:
verlüre ich mînen friunt,
  seht, sô wurde ich niemer mêre frô.

Dâ gehœret manic stunde zuo
ê daz sich gesamne[5] ir zweier muot[6].
dâ daz ende denne unsanfte tuo,
ich wæne des wol, daz ensî niht guot.
lange sî ez mir vil unbekant.
und werde ich iemen liep,
  der sî sîner triuwe an mir gemant.«

1. *anfängt.*
2. *wo.*
3. *bis daß.*
4. *trennt.*
5. *übereinstimmen.*
6. *Herzen.*

Der ich diene und iemer dienen wil,
diu sol mîne rede vil wol verstân.
spræche ich mêre, des wurd alze vil.
ich wil ez allez an ir güete lân[7].
ir genâden der bedarf ich wol.
und wil si, ich bin vrô;
und wil si, so ist mîn herze leides vol.

2

Mich mac der tôt von ir minnen wol scheiden;
anders niemán: des hân ich gesworn.
érn ist mîn vríunt niht, der mir si wil leiden[8],
wand ích zeiner vröide si hân erkorn.
swenne ich von schúlden erarne[9] ir zorn,
sô bín ich vervlúochet vor gote als ein heiden.
si íst wol gemúot und ist víl wol geborn.
heiliger gót, wis[10] genædic uns beiden!

Dô díu wolgetâne gesach an mîm kleide
daz crûce, dô sprach diu guote, ê ich gie,
»wíe wiltu nú geleisten diu beide,
várn über mér und iedoch wesen hie?«
si sprach wie ich wolde gebârn[11] umbe sie
. . . .
. . . .
ê wás mir wê: dô geschach mír nie sô leide.

Nu mîn herzevróuwe, nu entrûre niht sêre:
dích wil ich íemer zeim liebe haben.
wir suln várn dur des rîchen gotes êre
gerne ze hélfe dem heiligen grabe.

7. anheimstellen.
8. verleiden.
9. verdiene.
10. mögest sein.
11. klagen.

swer dâ bestrûchet[12], der mac wol besnaben[13]:
dâne mac níemen gevallen ze sêre:
daz mein ich sô, daz den sêlen behage,
sô si mit schálle[14] ze himele kêren.

3

Guote liute, holt
die gâbe die got unser herre selbe gît,
der al der welte hât gewalt.
dienet sînen solt,
der den vil sældehaften dort behalten lît
mit vröiden iemer manecvalt.
lîdet eine wîle willeclîchen nôt
vür den iemermêre wernden tôt.
got hât iu beide sêle und lîp gegeben:
gebt im des lîbes tôt; daz wirt der sêle ein iemerleben.

Lâ mich, Minne, vrî.
du solt mich eine wîle sunder liebe lân.
du hâst mir gar den sin benomen.
komest du wider bî[15]
als ich die reinen gotes vart[16] volendet hân,
sô wis mir aber willekomen.
wilt ab du ûz mînem herzen scheiden niht
(daz vil lîhte unwendic[17] doch geschiht),
vüer ich dich dan mit mir in gotes lant[18],
sô sî der guoten hie er umbe halben lôn gemant.

»Owê« sprach ein wîp,
»wie vil mir doch von liebe leides ist beschert!

12. strauchelt.
13. fallen.
14. Gesang.
15. zu mir.
16. Kreuzzug.
17. unabweislich.
18. ins Heilige Land, Palästina.

waz mir diu liebe leides tuot!
vröidelôser lîp,
wie wil du dich gebâren, swenne er hinnen vert,
dur den du wære ie hôchgemuot?
wie sol ich der werlde und mîner klage geleben?
dâ bedorfte ich râtes zuo gegeben.
kund ich mich beidenthalben nu bewarn,
des wart mir nie sô nôt. ez nâhet, er wil hinnen varn.«

Wol si sælic wîp
diu mit ir wîbes güete daz gemachen kan
daz man si vüeret über sê.
ir vil guoten lîp
den sol er loben, swer ie herzeliep gewan,
wand ir hie heime tuot sô wê,
swenne si gedenket stille an sîne nôt.
»lebt mîn herzeliep, od ist er tôt«
sprichet si, »sô müeze sîn der pflegen[19]
durch den er süezer lîp sich dirre werlde hât bewegen[20].«

HARTMANN VON AUE

Lebte zwischen 1165 und 1215; urkundlich ist er nicht feststellbar. Alemannischer Herkunft, »dienstman ze Ouwe«. Gelehrte Bildung sowie lateinische und französische Sprachkenntnisse lassen auf Besuch einer Klosterschule schließen. Teilnahme am Kreuzzug Friedrich Barbarossas 1189–91 wie auch Albrecht von Johansdorf. In seinem eigenen Werk bleiben mehrfache Hinweise auf seine Person zu allgemein, um sie in die Biographie einzufügen. Seine Lyrik ist bis 1190 entstanden. Vor allem als Epiker bedeutend und von großem Einfluß.

Werke: *Das Büchlein*, ritterliche Minnelehre (1180–85); *Erec*, Artusroman (um 1185); *Gregorius*, Legendendichtung (um 1181 bis 1189); *Der arme Heinrich*, Versnovelle (um 1195); *Iwein*, Ritterepos (um 1202).

19. bewahren, behüten.
20. entsagen.

Das Thema des »Büchleins« – Streit zwischen Herz und Leib – beherrscht auch Hartmanns Lyrik. Die Absage an die Hohe Minne ist unausweichlich, wo wiederkehrende Enttäuschung die Unvereinbarkeit der Ideale mit der Wirklichkeit zeigt. In seiner Lyrik hat Hartmann das zentrale Problem der Hohen Minne erkannt, das schließlich zum Bruch in der höfischen Idealität führt (Walther–Neidhart). Im Lied Nr. 1 wird die Absage in der Forderung nach erwiderter, gegenseitiger Liebe erklärt. Hier klingt im Begriff armen wîben *zum erstenmal das Motiv der Niederen Minne an, die Walther von der Vogelweide dann als Alternative zur Hohen Minne entdeckt; in seinem Lied Wa.-Kr. 47,36 zitiert er das ›Unmutslied‹ mit dem Begriff der* überhêren *Frauen. Hartmann selbst nimmt das Motiv nach der Rückkehr vom Kreuzzug im »Armen Heinrich« (vgl. S. 262 f.) wieder auf: die arme Meierstochter und der reiche Kaufmann.*

Noch einmal, abschließend, erscheint dann das Thema des ungelohnten Dienstes (Nr. 2) und die Selbstbezichtigung des Dichters: Mich schlägt mein eigenes Schwert; Ausklang in der Absage. Das Kreuzzugslied (Nr. 3) spielt auf Lied Nr. 1 an: Kreuzzugswirklichkeit verändert die idealisierte Weltvorstellung. Der Doppelsinn des Wortes minne *wird erlebt, als amor und caritas, als Gegeneinander von Gottesminne und höfischer Minne. Daraus folgt in direkter Anrede an die Minnesänger-Zeitgenossen zum erstenmal und unüberhörbar die endgültige Absage an die Hohe Minne als einem irrealen* wân *und einer unerfüllbaren Hoffnung. Die religiöse Wendung wohl unter dem Eindruck des Todes Friedrich Barbarossas. – Wichtig hier in Vers 15 – »und lebt mîn herre, Salatîn und al sîn her« – das sogenannte »Komma-Problem«, das für die zeitliche Zuordnung des Gedichts, die Frage, an welchem Kreuzzug Hartmann teilgenommen hat, und für Hartmanns Biographie von entscheidender Wichtigkeit ist (war Saladin bereits tot?).*

1

Manger grüezet mich alsô
(der gruoz tuot mich ze mâze[1] frô),
»Hartman, gên wir schouwen
ritterlîche frouwen.«
mac er mich mit gemache lân[2]
und île er zuo den frowen gân!
bî frowen triuwe ich niht vervân[3],
wan daz ich müede vor in stân.

Ze frowen habe ich einen sin:
als sî mir sint als bin ich in;
wand ich mac baz vertrîben
die zît mit armen[4] wîben.
swar ich kum dâ ist ir vil,
dâ vinde ich die diu mich dâ wil;
diu ist ouch mînes herzen spil[5]:
waz touc mir ein ze hôhez zil?

In mîner tôrheit mir geschach
daz ich zuo zeiner frowen sprach
»frow, ich hân mîne sinne
gewant an iuwer minne.«
dô wart ich twerhes[6] an gesehen.
des wil ich, des sî iu bejehen[7],
mir wîp in solher mâze spehen[8]
diu mir des niht enlânt geschehen.

1. *kaum.*
2. *der soll mich in Ruhe lassen.*
3. *nichts erreichen.*
4. *von niedrigem Stande.*
5. *Freude.*
6. *unwillig.*
7. *sagen, versichern.*
8. *wählen.*

2

Sît ich den sumer truoc riuw unde klagen
sô ist ze fröiden mîn trôst niht sô guot,
mîn sanc ensül[9] des winters wâpen tragen:
daz selbe tuot ouch mîn vil sender muot.
wie lützel mir mîn stæte liebes tuot!
wan[10] ich vil gar an ir versûmet hân
die zît, den dienest, dar zuo langen wân[11].
ich wil ir anders ungefluochet lân[12]
wan sô, sî hât niht wol ze mir getân.

Wolt ich den hazzen der mir leide tuot,
sô möhte ich wol mîn selbes vîent sîn.
vil wandels[13] hât mîn lîp und ouch der muot:
daz ist an mînem ungelücke schîn[14].
mîn vrowe gert mîn niht: diu schulde ist mîn.
sît sinne machent sældehaften man
und unsin stæte sælde nie gewan,
ob ich mit sinnen niht gedienen kan,
dâ bin ich alterseine[15] schuldic an.

Dô ir mîn dienest niht ze herzen gie,
dô dûhte mich an ir bescheidenlich
daz sî ir werden lîbes mich erlie[16]:
dar an bedâhte sî vil rehte sich.
zürn ich, daz ist ir spot und altet mich.
grôz was mîn wandel: dô sî den entsaz[17],
dô meit sî mich, vil wol geloube ich daz,

9. *soll nicht.*
10. *denn.*
11. *beständige Hoffnung.*
12. *nicht vorwerfen.*
13. *Schwanken.*
14. *sichtbar geworden.*
15. *ganz alleine.*
16. *mir verweigerte.*
17. *davor erschrak.*

mê dur ir êre danne ûf mînen haz:
sî wænet des, ir lop stê deste baz.

Sî hâte mich nâch wâne[18] unrehte erkant,
dô sî mich ir von êrste dienen liez:
dur daz sî mich sô wandelbæren vant,
mîn wandel und ir wîsheit mich verstiez.
sî hât geleistet swaz sî mir gehiez;
swaz sî mir solde, des bin ich gewert:
er ist ein tump man, der iht anders gert:
sî lônde mir als[19] ich sî dûhte wert:
michn sleht niht anders wan mîn selbes swert.

3

Ich var mit iuwern hulden, herren unde mâge:
liut unde lant diu müezen[20] sælic sîn.
es ist unnôt daz iemen mîner verte vrâge:
ich sage wol für wâr die reise mîn.
mich vienc diu Minne und lie mich vrî ûf mîne sicherheit.
nu hât sî mir enboten bî ir liebe daz ich var.
ez ist unwendic[21]: ich muoz endelîchen dar:
wie kûme[22] ich bræche mîne triuwe und mînen eit!

Sich rüemet manger waz er dur die Minne tæte:
wâ sint diu werc? die rede hœre ich wol.
doch sæhe ich gerne dazs ir eteslîchen bæte
daz er ir diente als ich ir dienen sol.
ez ist geminnet, der sich dur die Minne ellenden muoz[23].
nû seht wies mich ûz mîner zungen[24] ziuhet über mer.

18. grundlos.
19. so wie.
20. sollen.
21. unabwendbar.
22. kaum.
23. um der Minne willen in die Fremde gehen muß.
24. aus meiner Heimat.

und lebt mîn herre, Salatîn und al sîn her
dienbræhten mich von Vranken niemer einen fuoz.

Ir minnesinger, iu muoz ofte misselingen[25]:
daz iu den schaden tuot daz ist der wân.
ich wil mich rüemen, ich mac wol von minne singen,
sît mich diu minne hât und ich sî hân.
daz ich dâ wil, seht daz wil alse gerne haben mich:
sô müezt ab ir verliesen under wîlen wânes vil:
ir ringent umbe liep daz iuwer niht enwil:
wan[26] mügt ir armen minnen solhe minne als ich?

REINMAR VON HAGENAU

Seine Biographie ist unbekannt, die eigene Dichtung gibt keine brauchbaren Selbstaussagen zur Datierung. Nur wenige Anhaltspunkte sind aus den Äußerungen von Zeitgenossen zu erschließen: Gottfried von Straßburg nennt ihn, als verstorben, im Literatur-Exkurs des *Tristan* (V. 4774 bis 4796). Um 1195 entsteht sein Lied MF 167,31, die Witwenklage über den Tod Leopolds V. Nach 1203 beklagt Walther von der Vogelweide Reinmars Tod (Nachrufe Wa.-Kr. 82,24 und 83,1). – Reinmar entstammt mutmaßlich einem elsässischen Ministerialengeschlecht aus Hagenau; lebte seit etwa 1190 am Hof der Babenberger in Wien, war dort Lehrer Walthers von der Vogelweide und später auch sein *geistiger* und poetischer Gegner (Walthers Lieder der Reinmar-Fehde). Reinmar ist 1210 gestorben.

Seine Lyrik – insgesamt 40 Gedichte, davon etwa 10 als unecht einzustufen – hat keine erkennbaren Bezüge zu Realerlebnissen oder -situationen. Als theoretisierende Ideendichtung reflektiert sie, in zwei thematischen Gruppierungen, das Wesen, die Ansprüche und Wirkungen der Hohen Minne.
Sie ist nicht auf Erfüllung angelegt, sondern auf den bestän-

25. *falsche Hoffnung.*
26. *warum könnt denn nicht.*

digen, nie zu erfüllenden Dienst an ihrer Personifizierung, der Dame, der Herrin; dieser Dienst vollzieht sich im hoffnungslosen trûren, *das zum erzieherischen Selbstzweck für Dichter und Dame stilisiert wird (Nr. 2). Schon die Andeutung eines Zeichens der Dame genügt dieser resignativen Dialektik der Freude als Selbstbestätigung (Nr. 1 – möglicherweise gedichtet zur Hochzeit Leopolds VI. mit Theodora Comnena, 1203). Die Mittelalter-Germanistik hat sich selbstgenügsam und ausgiebig mit der formalen, inhaltlichen und ideellen Klassik in Reinmars Lyrik beschäftigt, ihn darin als Gipfelpunkt mittelalterlicher Dichtung verehrt.*

Die Reaktion der Zeitgenossen und Nachfahren auf Reinmars Dichtung und gesellschaftlich-erzieherischen Anspruch zeigt ihn und seine Lyrik in einer Diskrepanz zur Haltung seiner Zeit: Walthers Lieder der Reinmar-Fehde, Wolframs Einschaltung zwischen Buch II und III im »Parzival«; Heinrich von Morungen MF 141,37. Auf sein Preislied »Ich wirbe umb allez« (Nr. 3) antwortet Walther grob mit seinem Lied 111,23: er verlangt den Realitätsbezug in der Minne. Als Replik ist dann Reinmars großer Frauen-Preis (Nr. 4) zu verstehen, den Walther anerkennt, dem er aber sein Preislied auf deutsche Art und Mentalität, insgesamt auf deutsche Männer und Frauen gegenüberstellt (vgl. S. 200–202, Nr. 3): die reale Gegenposition zur wân-*Minne und ihrer wirklichkeitsfremden Stilisierung durch Reinmar.*

1

Wol im, daz er ie wart geborn,
dem disiu zît genædeclîchen hine gât
ân aller slahte senden zorn,
und doch ein teil dar under sînes willen hât.
wie deme nâhet manic wünneclîcher tac!
wie lützel[1] er mir, sælic man, gelouben mac!

1. wenig.

wan ich nâch fröide bin verdâht[2],
und kan doch niemer werden frô.
mich hât ein liep in trûren brâht.
deist únwendic[3]: nu sî alsô.

Daz ich mîn leit sô lange klage,
des spottent die den ir gemüete hôhe stât.
waz ist in liep daz ich in sage?
waz sprichet der von fröiden, der dekeine hât?
wil ich liegen, sost mir wunders vil geschehen:
sô trüge ab ich mich âne nôt, solt ich des jehen.
wan lânt si mich erwerben daz
dar nâch ich ie mit triuwen ranc?
zem iemen danne ein lachen baz,
daz gelte ein ouge, und haber doch danc.

Ich wil von ir niht ledic sîn,
die wîle ich iemer gernden[4] muot zer werlte hân.
daz beste gelt der fröiden mîn
daz lît an ir, und aller mîner sælden wân.
swenne ich daz verliuse, sô enhân ich niht
und ruoche ouch für den selben tac waz mir geschiht.
ich muoz wol sorgen umbe ir leben:
stirbet si, sô bin ich tôt.
hât si mir anders niht gegeben,
so erkenne ich doch wol sende nôt.

Genâde ist endelîche dâ:
diu'rzeige sich als ez an mînem heile sî.
dien suoche ich niender anderswâ:
von ir gebote wil ich niemer werden frî.
daz si dâ sprechent von verlorner arebeit,
sol daz der mîner einiu sîn, daz ist mir leit.

2. *sinne.*
3. *unabwendbar.*
4. *verlangenden.*

ichn wânde niht, dô ichs began,
in gesæhe an ir noch lieben tac:
ist mir dâ misselungen an,
doch gab ichz wol als ez dâ lac.

2

Ich wânde ie, ez wære ir spot,
die ich von minnen grôzer swære hôrte jehen.
desngilte ich sêre, semmir got[5],
sît ich die wârheit an mir selben hân ersehen.
mirst komen an daz herze mîn
ein wîp, sol ich der volle ein jâr unmære[6] sîn
und sol daz.........alse lange stân
daz si mîn niht nimet war,
sô muoz mîn fröide von ir gar
vil lîhte ân allen trôst zergân.

Sô vil sô ich gesanc nie man,
der anders niht enhæte wan den blôzen wân.
daz ich nu niht mêre enkan,
desn wunder nieman: mir hât zwîvel, den ich hân,
al daz ich kunde gar benomen.
wenne sol mir iemer spilndiu fröide komen?
noch sæhe ich gerne mich in hôhem muote als ê.
michn scheide ein wîp von dirre klage
und spreche ein wort als ich ir sage,
mir ist anders iemer wê.

Ich alte ie von tage ze tage,
und bin doch hiure nihtes wîser danne vert[7].
und hete ein ander mîne klage,
dem riete ich sô daz ez der rede wære wert,

5. *so wahr mir Gott.*
6. *gleichgültig.*
7. *im vorigen Jahr.*

und gibe mir selben bœsen[8] rât.
ich weiz vil wol waz mir den schaden gemachet hât:
daz ich si niht verhelen kunde swaz mir war.
des hân ich ir geseit sô vil
daz sis niht mêre hœren wil:
nû swige ich unde nîge dar.

Sît mich mîn sprechen nu niht kan
gehelfen noch gescheiden von der swære mîn,
sô wolte ich daz ein ander man
die mine rede hete zuo den sælden sîn;
und doch niht an die selben stat
dar ich nu bitte und lange her mit triuwen bat:
darn gan ich nieman heiles, swenne ez mich vergât.
nu gedínge ich ir genâden noch.
waz si mir âne schulde doch
langer tage gemacht hât!

Und wiste ich niht daz si mich mac
vor al der welte wert gemachen, obe si wil,
ich gedíende ir niemer mêre tac:
sô hât si tugende, den ich volge unz an daz zil,
niht langer wan die wîle ich lebe.
noch bitte ich si daz si mir liebez ende gebe.
waz hilfet daz? ich weiz wol daz siez niht entuot.
nu tuo si durch den willen mîn
und lâze mich ir tôre sîn
und neme mîne rede für guot.

3

Ich wirbe umb allez daz ein man
ze wereltlîchen fröiden iemer haben sol.
daz ist ein wîp der[9] ich enkan

8. *schlechten.*
9. *von der.*

nâch[10] ir vil grôzen werdekeit gesprechen wol.
lob ich si sô man ander frowen tuot,
dazn nimet eht si von mir niht für guot.
doch swer ich des, sist an der stat
dâs[11] ûz wîplîchen tugenden nie fuoz getrat.
daz ist in mat[12].

Si ist mir liep, und dunket mich
daz ich ir vollecliche gar unmære sî.
nu waz dar umbe[13]? daz lîd ich,
und bin ir doch mit triuwen stæteclîchen bî.
waz obe ein wunder lîhte an mir geschiht,
daz si mich eteswenne gerne siht?
sâ denne lâze ich âne haz[14],
swer giht daz ime an fröiden sî gelungen baz:
der habe im daz.

Als eteswenne mir der lîp
dur sîne bœse unstæte râtet daz ich var
und mir gefriunde ein ander wîp,
só wil iedoch daz herze niender wan dar.
wol ime des deiz sô reine welen kan
und mir der süezen arebeite gan[15].
des hân ich mir ein liep erkorn
dem ich ze dienste, und wære ez al der welte zorn,
muoz sîn geborn.

Swaz jâre ich noch ze lebenne hân,
swie vil der wære, irn wurde ir niemer tac[16] genomen.
só gar bin ich ir undertân
daz ich unsanfte ûz ir genâden möhte komen.

10. entsprechend.
11. weil sie.
12. Das setzt alle anderen matt.
13. Aber was soll das?
14. So lasse ich es dann gerne geschehen.
15. vergönnte.
16. nicht ein einziger Tag.

ich fröu mich des daz ich ir dienen sol.
si gelônet mir mit lîhten dingen[17] wol:
geloube eht mir, swenn ich ir sage
die nôt diech inme herzen von ir schulden trage
dick inme tage.

Und ist daz mirs mîn sælde gan
deich abe ir redendem munde ein küssen mac versteln,
gît got deichz mit mir bringe dan,
sô wil ichz tougenlîche tragen und iemer heln[18].
und ist daz siz für grôze swære[19] hât
und vêhet[20] mich dur mîne missetât,
waz tuon ich danne, unsælic man?
dâ heb i'z ûf und legez hin wider dâ ichz dâ nan[21],
als ich wol kan.

4

Waz ich nu niuwer mære sage
desn darf mich nieman frâgen: ich enbin niht vrô.
die friunt verdriuzet mîner klage.
des man ze vil gehœret, dem ist allem sô.
nu hân ich es beidiu schaden unde spot.
waz mir doch leides unverdienet, daz erkenne got,
und âne schult geschiht!
ichn gelige herzeliebe bî,
son hât an mîner vröide nieman niht.

Die hôhgemuoten zîhent mich,
ich minne niht sô sêre als ich gebâre ein wîp.
si liegent unde unêrent sich:
si was mir ie gelîcher mâze sô der lîp.

17. mit kleinen Gesten.
18. verbergen.
19. Kränkung, Affront.
20. haßt.
21. genommen habe.

nie getrôste si dar under mir den muot.
der ungenâden muoz ich, und des si mir noch getuot,
erbeiten als ich mac.
mir ist eteswenne wol gewesen:
  gewinne ab ich nu niemer guoten tac?

Sô wol dir, wîp, wie reine ein nam!
wie sanfte er doch z'erkennen und ze nennen ist!
ez wart nie niht sô lobesam,
swâ duz an rehte güete kêrest, sô du bist.
dîn lop níemán mit rede volenden kan.
swes du mit triuwen phligest, wol im, derst ein sælic man
und mac vil gerne leben.
du gist al der werlde hôhen muot:
  wan maht och mir ein lützel fröiden geben?

Zwei dinc hân ich mir für geleit,
diu strîtent mit gedanken in dem herzen mîn:
ob ich ir hôhen werdekeit
mit mînem willen wolte lâzen minre sîn,
ode ob ich daz welle daz si grœzer sî
und si vil sælic wîp stê mîn und aller manne vrî.
diu tuont mir beidiu wê:
ich enwirde ir lasters niemer vrô;
  vergât si mich, daz klage ich iemer mê.

Ob ich nu tuon und hân getân
daz ich von rehte in ir hulden solte sîn,
und si vor aller werlde hân,
waz mac ich des, vergizzet si dar under mîn?
swer nu giht daz ich ze spotte künne klagen,
der lâze im mîne rede beide singen unde sagen
. . . . . .
unde merke wa ich ie spræche ein wort,
  ezn læge ê i'z gespræche herzen bî.

HEINRICH VON MORUNGEN

Geboren um 1155 auf Burg Morungen bei Sangerhausen (Thüringen). Ministeriale am Hof des Markgrafen Dietrich von Meißen, wo er wohl auch mit Walther von der Vogelweide zusammentraf. Seine Teilnahme am Kreuzzug 1197 ist nicht sicher; 1213 wird er in Leipzig urkundlich bezeugt als »miles emeritus«; 1217 Eintritt in das neugegründete Thomaskloster in Leipzig, dem er seinen Besitz (Rente) vermacht. Dort ist er 1222 gestorben.

Nicht nur zeitlich steht Morungen zwischen dem wenig älteren Reinmar und dem jüngeren Walther. Seine Lyrik – 33 Lieder – ist vollendete höfische Kunst, formal und inhaltlich. Er schreibt die ersten Lieder nach französischen Vorbildern in Mitteldeutschland, konzentriert sich thematisch ebenso wie Reinmar auf Minnedienst und Sang zu Ehren der Herrin: Entsagung, ungelohntes Minnen, Verzweiflung, Trauern, Klagen und Verherrlichung der Dame. Minne wird nicht so sehr als gedanklich-abstrakte Aufgabe, sondern als magische, zerstörende Macht gesehen. Schon darin zeigt sich der Unterschied zu Reinmars Gedankenlyrik; aber mehr noch in Morungens Hereinnahme der Außenwelt, der Wirklichkeit in seine Lyrik. Der Bilderreichtum seiner Sprache und die Vergleiche zum Lob der Dame leben aus den sinnlichen Wahrnehmungen von Auge und Ohr. Insbesondere die Licht-Metaphern lassen nicht nur auf klassische Bildung, sondern mehr noch auf größere Nähe zur Wirklichkeit und zu eigenem Erleben schließen. In seinem Tagelied (Nr. 1) wird mit bisher im höfischen Sang ungekannter Offenheit der Körper der Geliebten erwähnt. Das Ferne-Nähe-Motiv, im Hausen-Kreis entwickelt, erscheint auch bei Morungen (Nr. 2), doch wird es nicht zu abstrakter Gedanklichkeit stilisiert, die Geliebte nicht transzendiert, sondern in Wunsch und Hoffnung auf Erfüllung gesehen. Solche Vergegenwärtigung kann aber auch ins Religiöse gewendet werden, wo die Schau der Geliebten zur Vision gerät (Nr. 3), wo Vision als Sünde überleitet in Absturz und Tod. Aus der Reflexion über die

Minne, ihre Forderungen und Abgründe, gewinnt Morungen nicht die ethische Konsequenz des absoluten Dienens, vielmehr die dialektische Steigerung und Einsicht, daß im erfolglosen Dienen das Singen und Schweigen gleichermaßen widersinnig werden. Die Flucht in die herzeliebe, *in das subjektive Empfinden, aber hebt die Rechtfertigung des Minnesangs als absolute, zweckfreie Ideal-Poesie auf. Gegen die Sprache des Herzens ist aller Minnesang nur Papageiengeschwätz (Nr. 4). Morungen hat nicht, wie Reinmar, nach einem Ausweg aus dieser deutlich erkannten Krise des höfischen Minnesangs gesucht. Er hat sie festgestellt und der Lyrik nach ihm, vor allem Walthers von der Vogelweide, als Thema vorgegeben.*

1

Owê, –
Sol aber mir iemer mê[1]
geliuhten dur die naht
noch wîzer danne ein snê
ir lîp vil wol geslaht[2]?
Der trouc[3] diu ougen mîn.
ich wânde[4], ez solde sîn
des liehten mânen schîn.
Dô tagte ez.

»Owê, –
Sol aber er iemer mê
den morgen hie betagen[5]?
als uns diu naht engê[6],
daz wir niht durfen klagen:

1. niemals mehr.
2. schön gewachsen.
3. hat betrogen.
4. meinte, glaubte.
5. erleben, sehen.
6. wenn für uns die Nacht zu Ende geht.

›Owê, nu ist ez tac‹,
als er mit klage pflac,
dô er júngest bî mir lac.
Dô tagte ez.«

Owê, –
Si kuste âne zal
in dem slâfe mich.
dô vielen hin ze tal[7]
ir trehene nider sich.
Iedoch getrôste ich sie,
daz sî ir weinen lie
und mich al umbevie.
Dô tagte ez.

»Owê, –
Daz er sô dicke sich
bî mir ersehen hât!
als er endahte[8] mich,
sô wolt er sunder wât[9]
Mîn arme[10] schouwen blôz.
ez was ein wunder grôz,
daz in des nie verdrôz.
Dô tagte ez.«

2

Ez tuot vil wê, swer herzeclîche minnet
an sô hôher stat, dâ sîn dienst gar versmât[11].
sîn tumber wân vil lützel dar ane gewinnet,
swer sô vil geklaget, daz ze herzen niht engât.

7. *hinab*
8. *entblößte, aufdeckte.*
9. *Gewand.*
10. *meine Arme.*
11. *nichts wert ist.*

Er ist vil wîse, swer sich sô wol versinnet,
daz er díent, dâ' man sîn dienst wol enpfât,
und sich dar l â t[12], dâ man sîn genâde hât.

Ich bedárf[13] vil wol, daz ich genâde vinde,
wan ich hab ein wîp ob der sunnen mir erkorn.
dêst ein nôt, die ich niemer überwinde,
⟨*sîn*[14]⟩ gesaehe mich ane, als si tê't híe bevorn.
Si ist mir liep gewest dâ her von kinde,
wan ich wart dur sî[15] und durch anders niht geborn.
ist ir daz z o r n , daz weiz got, sô bin ich verlorn.

Wâ ist nu hin mîn liehter morgensterne?
wê, waz hilfet mich, daz mîn sunne ist ûf gegân?
si ist mír ze hôh und ouch ein teil ze verne
gegen mittem tage unde wil dâ lange stân.
Ich gelébte noch den lieben âbent gerne,
daz si sich her nider mir ze trôste wolte lân,
wand ich mich h â n gar verkapfet ûf ir wân[16].

3

Ich hôrte ûf der heide
lûte stimme und süezen sanc.
dâ von wart ich beide
vröiden rîch und an trûren kranc.
Nâch der mîn g e d á n c sê're r á n c ùnde swanc,
die vant ich ze tanze, dâ si sanc.
âne l e i d e ich dô spranc.

Ich vant sî verborgen
eine únd ir wéngel von tréhen naz,

12. dorthin wendet.
13. bedarf, brauche.
14. es sei denn.
15. denn ich bin um ihretwillen.
16. denn ich habe mich völlig in ihre Minne verloren.

dâ si an dem morgen
  mînes tôdes sich vermaz[17].
  Der vil lieben h á z tùot mir b á z dànne daz,
  dô ich vor ir kniewete, dâ si saz
  und ir s o r g e n ⟨*gar*⟩ vergaz.

Ich vant si an der zinne
  eine[18], únd ich was zuo zir gesant.
dâ mehte ichs ir minne
  wol mit vuoge hân gepfant.
  Dô wânde ich diu l á n t hâ'n ver b r á n t sâ' zehant,
  wan daz mich ir süezen minne bant
  an den s i n n e n hât erblant[19].

4

Ich bin iemer ander und niht eine
  der grôzen liebe, der ich nie wart vrî.
waeren nû die huotaere alle gemeine
  toup unde blint, swenne ich ir waere bî,
    Sô mohte ich mîn leit
      eteswenne mit sange ir wol künden.
      mohte ich mich mit rede zuo ir gevründen[20],
    sô wurde wunders vil von mir geseit.

Sî ensol niht allen liuten lachen
  alsô von herzen, same si lachet mir,
und ír ane sehen sô minneclîch niht machen.
  waz ⟨*hât*⟩ aber ieman ze schouwen daz an ir,
    Der ich leben sol
      únde án der ist mîn wunne behalten?
      jâ enwil ich niemer des eralten,
    swenne ich si sihe, mir sî von herzen wol.

17. meinen Tod erwartete.
18. alleine.
19. erblindet.
20. befreunden.

Sît si herzeliebe heizent minne,
so enwéiz ich, wie diu liebe heizen sol.
liebe won mir dicke in mînen sinnen.
liep haet ich gerne, leides enbaere ich wol.
Liebe diu gît mir
hôhen muot, dar zuo vreude unde wunne.
sô enweiz ich, waz diu leide kunne,
wan daz ich iemer trûren muoz von ir.

5

Wést ích, ob ez verswîget möhte sîn,
ich lieze iuch sehen mîne schoene vrouwen.
der enzwéi bráeche mir daz herze mîn,
der möhte sî schône drinne schouwen.
Si kam her dur diu ganzen ougen
sunder tür gegangen.
ôwê, solde ich von ir süezen minne sîn
áls mínneclîch enpfangen!

Der[21] sô lange rüeft in einen touben walt,
ez antwürt im dar ûz eteswenne.
nû ist diu klage vor ir dicke manicvalt
gegen mîner nôt, swie sis niht erkenne.
Doch klaget ir maniger mînen kumber
vil dicke mit gesange.
ôwê, jâ hât sî geslâfen allez her[22]
alder[23] geswigen alze lange.

Waer ein sitich alder ein star, die mehten sît
gelernet hân, daz si spraechen »minnen«.
ich hân ir gedienet her vil lange zît.
mac sî sich doch mîner rede versinnen?

21. wenn einer.
22. bis jetzt.
23. oder.

Nein sî, niht, got enwelle ein wunder
vil verre[24] an ir erzeigen.
jâ möht ich sît einen boum mit mîner bete
sunder wâpen[25] nider geneigen.

WALTHER VON DER VOGELWEIDE

Lieder

Weder in seiner Spruchdichtung noch in seiner Minnelyrik hat Walther die Auseinandersetzung mit der Gesellschaft und seiner eigenen Entwicklung gescheut. Die im Hausen-Kreis einsetzende Dichtung Hoher Minne hatte in der Lyrik Reinmars ihren Gipfel erreicht, auf dem der Zusammenbruch eines in Formalismus und Attitüde erstarrten Ideals vom rechten Leben in einer elitären Gesellschaft sichtbar wurde. Die Sublimierung elementarer Ansprüche in seelische Bereiche und innere Erhebung, eine Überhöhung der Minne in pädagogisch-ethische Abstraktion hatte schon bei Hartmann von Aue und Wolfram von Eschenbach zur Abkehr vom Hohen Minnesang geführt. Walther von der Vogelweide stellt sich der Auseinandersetzung mit dem Minneideal; zunächst in den Liedern der Reinmar-Fehde, dann in den Gedichten der Minneauseinandersetzung übt er Kritik, legt er die Aporien frei, die ihn dann nach einer Synthese zwischen den Forderungen der Hohen und den Bedürfnissen der Niederen Minne suchen lassen. Anders als Reinmars Lyrik der Gefährdungen abwehrenden Minneidealisierung nimmt Walthers Minnelyrik die Gegensätze von Vergeistigung und Sinnlichkeit, elitärer Gesellschaftskunst und persönlichem Erleben auf, um sie in einer neuentdeckten Wechselbeziehung zu harmonisieren.

24. sehr.
25. Werkzeug.

I. Reinmar-Fehde

In seiner ersten Wiener Zeit hatte sich Walther noch als Schüler Reinmars gezeigt. Die bald einsetzende Fehde hatte persönliche (?), vor allem aber grundsätzliche und literarische Hintergründe: die Frage nach dem Realitätsbezug des von Reinmar gepflegten Begriffs der Hohen Minne und des ungelohnten Dienens. Als Reinmar in seinem Lied MF 170,1 Walther zurechtweist, stellt dieser sich der Auseinandersetzung mit dem Lied Nr. 1, in dem er Reinmars Anspruch kritisiert, der behauptet hatte, daß sein Lob der Dame alle anderen übertreffe (s. S. 186); auch auf MF 170,1 geht Walther hier noch einmal ein.
Walthers Frauenmonolog (Nr. 2) zeigt das Grundthema der Minneproblematik und einen erneuten Angriff gegen Reinmar, indem Walther sich als vorbildlicher Minnediener darstellt. Reinmars Antwort: sein großes Preislied (s. S. 189 f.).
Wohl einige Jahre später, 1203, bei seinem zweiten Aufenthalt in Wien, nimmt Walther die Fehde wieder auf (zweite Reinmar-Fehde) und führt sie zum endgültigen Bruch mit Reinmar: Sein großer Frauenpreis (Nr. 3) stellt alle deutschen Frauen gegen die eine frouwe, *der Reinmar beständig und ausschließlich dient. In seinem Lob deutscher Art und Sitte reagiert Walther aber wohl auch auf Angriffe provenzalischer Troubadours gegen die Deutschen.*

1

in dem dône Ich wirbe umb allez daz ein man.

Ein man verbiutet[1] âne pfliht
ein spil, des nieman im wol volge geben mac.
er gihet, swenne ein wîp ersiht
sîn ouge, ir sî mat sîn ôsterlîcher tac.
wie wære uns andern liuten sô geschehen,

1. *bietet.*

solt wir im alle sînes willen jehen?
ich bin der imez versprechen[2] muoz:
bezzer wære mîner frowen senfter gruoz.
deist mates buoz[3].

»Ich bin ein wîp dâ her[4] gewesen
sô stæte an êren und ouch alsô wol gemuot:
ich trûwe ouch noch vil wol genesen,
daz mir mit stelne[5] nieman keinen schaden tuot.
swer küssen hie ze mir gewinnen wil,
der werbe ab ez mit fuoge und anderm spil.
ist daz ez im wirt sus iesâ[6],
er muoz sîn iemer sîn mîn diep, und habe imz dâ
und anderswâ.«

2

Mir tuot einer slahte wille[7]
sanfte, und ist mir doch dar under wê.
ich minne einen ritter stille:
dem enmag ich niht versagen mê
des er mich gebeten hât:
entuon ichs niht, mich dunket daz mîn niemer werde rât.

Dicke[8] dunke ich mich sô stæte
mînes willen. sô mir daz geschiht,
swie vil er mich denne bæte,
al die wîle daz enhulfe niht.
ieze hân ich den gedanc:
waz hilfet daz? der muot enwert niht eines tages lanc.

2. *entgegenhalten.*
3. *Gegenmatt.*
4. *bisher.*
5. *Diebstahl.*
6. *vorher.*
7. *gleiche Verlangen.*
8. *oft.*

Wold er mich vermîden mêre!
jâ versuochet er mich alze vil.
ouwê des fürht ich vil sêre,
daz ich müeze volgen swes er wil.
gerne het ichz nû getân,
wan deichz im muoz versagen und wîbes êre sol begân.

In getar vor tûsent sorgen,
die mich tougen in dem herzen mîn
twingent âbent unde morgen,
leider niht getuon den willen sîn.
daz ichz iemer einen tac
sol fristen, dêst ein klage diu mir ie bî dem herzen lac.

Sît daz im die besten jâhen[9]
daz er alsô schône künne leben,
sô hân ich im mir vil nâhen[10]
inme herzen eine stat gegeben,
dâ noch nieman in getrat.
si hânt daz spil verlorn, er eine tuot in allen mat[11].

3

Ir sult sprechen willekomen:
der iu mære bringet, daz bin ich.
allez daz ir habt vernomen,
daz ist gar ein wint[12]: nû frâget mich.
ich wil aber miete[13].
wirt mîn lôn iht guot,
ich gesage iu lîhte daz iu sanfte tuot.
seht waz man mir êren biete.

9. sagen.
10. tief.
11. er alleine setzt sie alle matt.
12. ein Nichts.
13. Botenlohn.

Ich wil tiuschen frowen sagen
solhiu mære daz si deste baz
al der werlte suln behagen:
âne grôze miete tuon ich daz.
waz wold ich ze lône?
si sint mir ze hêr[14]:
sô bin ich gefüege, und bite si nihtes mêr
wan daz si mich grüezen schône.

Ich hân lande vil gesehen
unde nam der besten gerne war:
übel müeze mir geschehen,
kunde ich ie mîn herze bringen dar
daz im wol gevallen
wolde fremeder site.
nû waz hulfe mich, ob ich unrehte strite?
tiuschiu zuht[15] gât vor in allen.

Von der Elbe unz an den Rîn
und her wider unz an Ungerlant
mugen wol die besten sîn,
die ich in der werlte hân erkant.
kan ich rehte schouwen[16]
guot gelâz unt lîp[17].
sem mir got, sô swüere ich wol daz hie diu wîp
bezzer sint danne ander frouwen.

Tiusche man sint wol gezogen,
rehte als engel sint diu wîp getân.
swer si schildet, derst betrogen:
ich enkan sîn anders niht verstân.
tugent und reine minne,
swer die suochen wil,

14. *erhaben.*
15. *Lebensart, Bildung.*
16. *beurteilen.*
17. *gutes Auftreten und Schönheit.*

der sol komen in unser lant: da ist wünne[18] vil:
lange müeze ich lebe dar inne!

Der ich vil gedienet hân
und iemer mêre gerne dienen wil,
diust von mir vil unerlân:
iedoch sô tuot si leides mir sô vil.
si kan mir versêren
herze und den muot.
nû vergebez ir got dazs an mir missetuot[19].
her nâch mac si sichs bekêren.

II. Minneauseinandersetzung

In die Auseinandersetzung mit Reinmar und dem höfischen Ideal Hoher Minne führt Walther eine Alternative ein: Minne als Ausdruck gegenseitiger Liebe zwischen Mann und Frau in höfischer Umwelt. Nr. 4 ist ein reines Gesprächslied, dessen echter Dialog die neue Idee der Gleichberechtigung von Mann und Frau in der Minne verdeutlicht. Das Lied Nr. 5 ist noch einmal eine Parodie auf Reinmar (vgl. S. 184–186) und seine Minnehaltung; vor allem aber eine scharfe Anklage gegen die frouwe, *die sich der Liebe des Dichters unwürdig erwiesen hat – der völlige Bruch mit dem einseitig höfischen Minneideal und Abschied von dem Versuch,* wîp *und* frouwe *in einer Person zu finden (vgl. auch Wa.-Kr. 44,35).*

4

Frowe'n lât iuch niht verdriezen
mîner rede, ob si gefüege sî.
möhte ichs wider iuch geniezen,
sô wær ich den besten gerne bî.

18. Herrlichkeit.
19. sündigt.

wizzet daz ir schœne sît:
hât ir, als ich mich verwæne,
güete bî der wolgetæne,
waz[20] danne an iu einer êren lît!

»Ich wil iu ze redenne gunnen
(sprechent swaz ir welt), obe ich niht tobe.
daz hât ir mir an gewunnen
mit dem iuwern minneclîchen lobe.
ichn weiz obe ich schœne bin,
gerne hete ich wîbes güete.
lêret mich wiech die behüete:
schœner lîp entouc niht âne sin[21].«

Frowe, daz wil ich iuch lêren,
wie ein wîp der werlte leben sol.
guote liute sult ir êren,
minneclîch an sehen und grüezen wol:
eime sult ir iuwern lîp
geben für eigen, nement den sînen.
frowe, woltent ir den mînen,
den gæb ich umb ein sô schœne wîp.

»Beide schowen unde grüezen,
swaz ich mich dar an versûmet hân,
daz wil ich vil gerne büezen.
ir hânt hovelîch an mir getân[22]:
tuont durch mînen willen mê,
sît niht wan mîn redegeselle[23].
in weiz nieman dem ich welle
nemen den lîp: ez tæte im lîhte wê.«

Frowe, lânt michz alsô wâgen:
ich bin dicke komen ûz grœzer nôt:

20. *wieviel.*
21. *Gehalt.*
22. *Ihr habt ritterlich an mir gehandelt.*
23. *bleibt mir weiterhin mein Gesprächspartner.*

unde lânts iuch niht betrâgen[24]:
stirbe ab ich, sô bin ich sanfte tôt.
»herre, ich wil noch langer leben.
lîhte ist iu der lîp unmære:
waz bedorfte ich solher swære,
solt ich mînen lîp umb iuwern geben?«

5

Lange swîgen des hât ich gedâht:
nû wil ich singen aber als ê.
dar zuo hânt mich guote liute brâht:
die mugen mir wol gebieten mê.
ich sol singen unde sagen,
und swes si gern[25], daz sol ich tuon: sô suln si mînen
kumber klagen.

Hœret wunder, wie mir ist geschehen
von mîn selbes arebeit.
mich enwil ein wîp niht an gesehen:
die brâht ich in die werdekeit[26],
daz ir muot sô hôhe stât.
jon weiz si niht, swenn ich mîn singen lâze, daz ir lop
zergât.

Hêrre, waz si flüeche lîden sol,
swenn ich nû lâze mînen sanc!
alle die nû lobent, daz weiz ich wol,
die scheltent danne ân mînen danc.
tûsent herze wurden frô
von ir genâden; dius engeltent, lât si mich verderben sô.

Dô mich dûhte daz si wære guot,
wer was ir bezzer dô dann ich?

24. *schwer werden.*
25. *wünschen.*
26. *Ruhm, Ansehen.*

dêst ein ende: swaz si mir getuot,
des mac ouch si verwænen[27] sich,
nimet si mich von dirre nôt,
ir leben hât mînes lebennes êre: stirbe ab ich, sô ist si tôt.

Sol ich in ir dienste werden alt,
die wîle junget si niht vil[28].
so ist mîn hâr vil lîhte alsô gestalt,
dazs einen jungen danne wil.
sô helfe iu got, hêr junger man,
sô rechet mich und gêt ir alten hût[29] mit sumerlaten[30] an.

III. Mädchenlieder, Lieder der Niederen Minne

So wenig wie die meisten Lieder Walthers sind auch die Lieder dieser Gruppe (insgesamt etwa 12) zeitlich einzuordnen oder gar als konsequenter Neubeginn nach Walthers Abschied von der Hohen Minne zu sehen. Inhaltlich aber bilden sie einen bewußten Gegenpol zu den höfischen Minneliedern: Elemente aus der Vagantendichtung, aus Pastorellen und Tanzliedern neben höfischen Begriffen, die hier eine neue Dimension in der Realität finden, dabei aber auch anzeigen, wie sehr diese Lieder in den Umkreis der Minneauseinandersetzung gehören. Die Mädchenlieder sind Walthers Versuch, zwischen höfischem Ideal und natürlicher Sinnlichkeit zu vermitteln. Mit ihnen hat er die Standesdichtung des Mittelalters für neue Themen und gesellschaftliche Bereiche geöffnet.

27. *erwarten.*
28. *so wird auch sie nicht gerade jünger dabei.*
29. *Haut.*
30. *jungen Zweigen.*

6

Muget ir schouwen waz dem meien
wunders[31] ist beschert?
seht an pfaffen, seht an leien,
wie daz allez vert.
grôz ist sîn gewalt:
ine weiz obe er zouber künne:
swar[32] er vert in sîner wünne[33],
dân ist niemen alt.

Uns wil schiere wol gelingen.
wir suln sîn gemeit[34],
tanzen lachen unde singen,
âne dörperheit[35].
wê wer wære unfrô?
sît die vogele alsô schône
singent in ir besten dône,
tuon wir ouch alsô!

Wol dir, meie, wie dû scheidest
allez âne haz!
wie dû walt und ouwe kleidest,
und die heide baz!
diu hât varwe mê.
»du bist kurzer, ich bin langer«,
alsô strîtents ûf dem anger,
bluomen unde klê.

Rôter munt, wie dû dich swachest[36]!
lâ dîn lachen sîn.

31. an Herrlichkeiten.
32. wohin auch.
33. Pracht.
34. fröhlich.
35. bäurische Grobheit.
36. entstellst.

scham dich daz dû mich an lachest
nâch dem schaden mîn.
ist daz wol getân?
owê sô verlorner stunde,
sol von minneclîchem munde
solch unminne ergân!

Daz mich, frowe, an fröiden[37] irret,
daz ist iuwer lîp.
an iu einer ez mir wirret,
ungenædic wîp.
wâ nemt ir den muot?
ir sît doch genâden rîche:
tuot ir mir ungnædeclîche,
sô sît ir niht guot.

Scheidet, frowe, mich von sorgen,
liebet mir die zît:
oder ich muoz an fröiden borgen[38].
daz ir sælic sît!
muget ir umbe sehen?
sich fröit al diu welt gemeine:
möhte mir von iu ein kleine
fröidelîn geschehen!

7

Uns hât der winter geschât über al:
heide unde walt sint beide nû val,
dâ manic stimme vil suoze inne hal.
sæhe ich die megde an der strâze den bal
werfen! sô kæme uns der vógele schal.

Möhte ich verslâfen des winters zît!
wache ich die wîle, sô hân ich sîn nît[39],

37. *Frohsein.*
38. *anderswo Glück suchen.*
39. *so hasse ich ihn.*

daz sîn gewalt ist sô breit und sô wît.
weizgot er lât ouch dem meien den strît:
sô lise[40] ich bluomen dâ rîfe nû lît.

IV. Lieder der »Ebenen« Minne

Wohl später als die Mädchenlieder sind die Lieder dieser Gruppe entstanden. Sie sind der erneute Versuch, höfische Minne und Niedere Minne in Einklang zu bringen, der einen die Erstarrung, der anderen das Nur-Sinnliche zu nehmen. Im Lied Nr. 9 zeigt die Koppelung friundin unde frouwe *mit* friunt und geselle, *daß Minne auch hier als Äußerung gleichberechtigter Partner gesehen wird. Der Begriff der* mâze *gewinnt neue Bedeutung: als Mittler zwischen den Gegenpositionen von Hoher und Niederer Minne, zwischen Hof und bukolischer Landschaft.*

8

Aller werdekeit ein füegerinne[41],
daz sît ir zewâre, frowe Mâze.
er sælic man, der iuwer lêre hât!
der endarf sich iuwer niender inne
weder ze hove schamen noch an der strâze.
dur daz[42] sô suoche ich, frouwe, iuwern rât,
daz ir mich ebene[43] werben lêret.
wirbe ich nidere, wirbe ich hôhe, ich bin versêret[44].
ich was vil nâch ze nidere tôt,
nû bin ich aber ze hôhe siech:
unmâze enlât mich âne nôt.

40. *pflück.*
41. *Schöpferin aller inneren Werte.*
42. *deshalb.*
43. *im rechten Maß.*
44. *immer komm ich zu Schaden.*

Nideriu minne heizet diu sô swachet
daz der lîp nâch kranker liebe ringet:
diu minne tuot unlobelîche wê.
hôhiu minne reizet unde machet
daz der muot[45] nâch hôher wirde ûf swinget:
diu winket mir nû, daz ich mit ir gê.
mich wundert[46] wes diu mâze beitet[47].
kumet diu herzeliebe, ich bin iedoch verleitet:
mîn ougen hânt ein wîp ersehen,
swie minneclich ir rede sî,
  mir mac wol schade[48] von ir geschehen.

9

Die verzagten aller guoten dinge
wænent daz ich mit in sî verzaget:
ich hân trôst daz mir noch fröide bringe
der ich mînen kumber hân geklaget.
obe mir liep von der geschiht,
sô enruoche ich wes ein bœser giht.

Nît den wil ich iemer gerne lîden.
frowe, dâ solt dû mir helfen zuo,
daz si mich von schulden[49] müezen nîden,
sô mîn liep[50] in herzeleide tuo.
schaffe daz ich frô gestê:
so ist mir wol, und ist in iemer wê.

Friundîn unde frowen in einer wæte[51]
wolte ich an dir einer gerne sehen,

45. *Sinn.*
46. *ich möchte wissen.*
47. *wartet.*
48. *Unheil.*
49. *mit Grund.*
50. *Glück.*
51. *Geliebte und Herrin in einer Gestalt (einem Gewand).*

ob ez mir sô rehte sanfte tæte
alse mir mîn herze hât verjehen.
friundinne ist ein süezez wort[52].
doch sô tiuret[53] frowe unz an daz ort.

Frowe, ich wil mit hôhen liuten schallen[54],
werdent diu zwei wort mit willen mir[55].
sô lâz ouch dir zwei von mir gevallen,
dazs ein keiser kûme[56] gæbe dir.
friunt und geselle[57] diu sint dîn:
sô sî friundîn unde frowe mîn.

V. Letzte Lieder

Walthers Alterslieder nähern sich in Ton und Thematik den Mahnsprüchen: Klage über eine neue Zeit, Unmut über Verfall von Sitte und Ordnung; erzieherische Mahnung an die Jungen. Skepsis aber auch gegenüber dem Vergangenen und weise Abkehr von dieser Welt mit dem Blick auf die Gesetze der Ewigkeit. Das Lied Nr. 10 ist Walthers Elegie, gleichsam eine Summe dieser Altersthemen; es ist zugleich Aufruf zur Teilnahme am Kreuzzug des gebannten Friedrich II. (1228/29).

10

Owê war[58] sint verswunden alliu mîniu jâr!
ist mir mîn leben getroumet, oder ist ez wâr?

52. *beglückender Name.*
53. *ehrt.*
54. *mit heller Stimme singen.*
55. *schenkst du mir die beiden Worte.*
56. *kaum.*
57. *Geliebter und Geselle.*
58. *wohin.*

daz ich ie wânde ez wære, was daz allez iht[59]?
dar nâch hân ich geslâfen und enweiz es niht.
nû bin ich erwachet, und ist mir unbekant
daz mir hie vor was kündic als mîn ander hant.
liut unde lant, dar inn ich von kinde bin erzogen,
die sint mir worden frömde reht als ez sî gelogen.
die mîne gespilen wâren, die sint træge unt alt.
bereitet ist daz velt, verhouwen ist der walt:
wan daz daz wazzer fliuzet als ez wîlent flôz,
für wâr mîn ungelücke wânde ich wurde grôz.
mich grüezet maneger trâge[60], der mich bekande ê wol.
diu welt ist allenthalben ungenâden[61] vol.
als ich gedenke an manegen wünneclîchen tac,
die mir sint enpfallen als in daz mer ein slac,
iemer mêre ouwê.

Owê wie jæmerlîche junge liute tuont,
den ê vil hovelîchen ir gemüete stuont!
die kunnen niuwan[62] sorgen: ouwê wie tuont si sô?
swar ich zer werlte kêre, dâ ist nieman frô:
tanzen, lachen, singen zergât mit sorgen gar:
nie kein kristenman gesach sô jæmerlîche schar.
nû merkent wie den frouwen ir gebende[63] stât:
die stolzen ritter tragent an dörpellîche wât.
uns sint unsenfte brieve her von Rôme komen,
uns ist erloubet trûren und fröide gar benomen.
daz müet mich inneclîchen (wir lebten ie vil wol),
daz ich nû für mîn lachen weinen kiesen sol.
die vogel in der wilde betrüebet unser klage:
waz wunders ist ob ich dâ von an fröiden gar verzage?
wê waz spriche ich tumber man durch mînen bœsen zorn?

59. etwas.
60. lässig.
61. Undankes.
62. nur noch, nichts als.
63. Kopfputz.

swer dirre wünne[64] volget, hât jene dort verlorn,
iemer mêr ouwê.

Owê wie uns mit süezen dingen ist vergeben[65]!
ich sihe die gallen mitten in dem honege sweben:
diu Welt ist ûzen schœne, wîz grüen unde rôt,
und innân swarzer varwe, vinster sam[66] der tôt.
swen si nû habe verleitet, der schouwe sînen trôst:
er wirt mit swacher buoze grôzer sünde erlôst.
dar an gedenkent, ritter: ez ist iuwer dinc.
ir tragent die liehten helme und manegen herten rinc,
dar zuo die vesten schilte und diu gewîhten swert.
wolte got, wan wære ich der sigenünfte wert[67]!
sô wolte ich nôtic armman verdienen rîchen solt.
joch meine ich niht die huoben[68] noch der hêrren golt:
ich wolte sælden[69] krône êweclîchen tragen:
die mohte ein soldenære mit sîme sper bejagen.
möht ich die lieben reise[70] gevaren über sê,
sô wolte ich denne singen wol, und niemer mêr ouwê,
niemer mêr ouwê.

WOLFRAM VON ESCHENBACH

Zwischen 1170 und 1175 im heutigen Wolframseschenbach bei Ansbach in Mittelfranken geboren, war Wolfram ritterlicher Abstammung, jedoch ohne eigenen Besitz. Wie Walther von der Vogelweide hat er als fahrender Dichter seinen Unterhalt verdient, vor allem im Main-Odenwald-Gebiet. Zu seinen Gönnern gehörten der Graf von Wertheim am Main und die Herren von Dürne auf Burg Wildenberg (bei Amorbach im

64. *dieser Lust.*
65. *vergiftet.*
66. *wie.*
67. *dieses Triumphes würdig.*
68. *Güter.*
69. *Seligkeit.*
70. *die ersehnte Kriegsfahrt.*

Odenwald; heute noch als Ruine vorhanden); auf Burg Wildenberg sind Teile des *Parzival* entstanden. – Zwischen 1203 und 1204 und auch später noch hielt sich Wolfram am Hof des Landgrafen Hermann von Thüringen auf: ein Zusammentreffen dort mit Walther von der Vogelweide ist nicht auszuschließen. Wolfram lebte längere Zeit in der Steiermark, bis er als Ministeriale des Grafen Beppo von Wertheim in Eschenbach seßhaft wurde. Verheiratet, Kinder. Nach 1220 ist er in Eschenbach gestorben; sein Grab war dort bis ins 16. Jahrhundert erhalten. Weitere konkrete biographische Angaben gibt es nicht, obgleich seine Epik zahlreiche Anspielungen und Hinweise auf seine Person enthält.
Besonders als Epiker hat Wolfram in seiner Zeit, aber auch bis weit ins späte Mittelalter hinein gewirkt. Neben seinen drei Epen *Parzival* (1200–10), *Willehalm* (begonnen nach 1210, Fragment) und *Titurel* (Fragment aus der Spätzeit) sind 8 frühe Minnelieder überliefert.

Von diesen 8 Liedern Wolframs sind drei dem Typus des höfischen Minneliedes in Thematik und Form zuzurechnen, wenn auch deutlich hörbar mit kritischem Unterton gegenüber der Dame und dem Frauendienst. Im Exkurs zum 2. Buch des »Parzival« formuliert Wolfram seine Absage an höfische Ideendichtung, an Minnesang und Frauenpreis. Frauenminne ist für ihn einzig durch schildes ambet, *durch ritterliches Leben und Handeln zu erringen. Hier greift er deutlich in den Streit zwischen Walther und Reinmar ein. – Es ist nicht ohne Konsequenz, daß Wolfram im Tagelied (fünf seiner acht Lieder) seine lyrische Möglichkeit sieht. Das fest vorgegebene Handlungs- und Personenschema – Ritter und Frau werden nach gemeinsamer Nacht im Morgengrauen vom Wächter zur Trennung gemahnt, Dialog-Klage über den Abschied – wird von ihm akzentuiert und gerade in der Einführung der selbständigen Wächterrede erweitert. Wie Walther in den Liedern der Niederen und der Ebenen Minne die Polarität der höfischen Minne zwischen Spiritualisierung und Sinnlichkeit auszugleichen versuchte, so hat Wolfram weder in seinen Epen noch in den Liedern die physische Erfüllung von Liebe geleugnet; sie ist Bestandteil seiner Minneauffassung, die im Tagelied den adäquaten Ausdruck und den epischen Rahmen vorfand.*
Die Lyrik des höfischen Minnesangs hatte im Tagelied ein

gesellschaftlich sanktioniertes Ventil geschaffen; hier konnte in festgeprägter Form die Sinnlichkeit in der Minne ihren akzeptierten Ausdruck finden. Der Typus Tagelied wurde aus der provenzalischen Alba entwickelt, wahrscheinlich unter Rückgriff auf volkstümliche Liedelemente. Als erstes deutsches Beispiel ist Dietmars Tagelied (vgl. S. 151) anzusehen; Heinrich von Morungens Tagelied (vgl. S. 192 f.) entwickelt die Struktur und die Bildsprache zu epischer Form; auch Reinmar kannte die Tagelied-Situation (MF 154,32), er hat sie jedoch in seine Minnevorstellung umgeformt, überhöht und stilisiert. Wolfram aber entwickelt die Tagelied-Situation bis zu ihrer Aufhebung in die Realität hinein: An die Stelle der heimlichen Minne und der Geliebten tritt die stetige Liebe der eigenen Frau. – Als Gattung tritt das Tagelied bei Wolframs Zeitgenossen (Otto von Botenlauben, Hiltbolt von Schwangau) auf und wird besonders im späten Mittelalter zu einer verbreiteten, beliebten Form, die bis ins Volkslied hinein fortgewirkt hat.

1

I

Den morgenblic bî wahtærs sange erkôs
ein vrouwe dâ si tougen
an ir werden vriundes arme lac.

dâ von si der vröiden[1] vil verlôs.
des muosen liehtiu ougen
aver nazzen. si sprach: »ôwê tac!

wilde und zam daz vröit sich dîn
und siht dich gerne – wan ich eine. wie sol ez mir ergên!
nu enmac niht langer hie bî mir bestên[2]
mîn vriunt: den jaget von mir dîn schîn.«

1. des Glücks.
2. bleiben.

II

Der tac mit kraft al durch diu venster dranc.
vil slôze[3] sie besluzzen.
daz half niht: des wart in sorge kunt.

diu vriundîn den vriunt vast an sich twanc.
ir ougen diu beguzzen
ir beider wangel. sus sprach zim ir munt:

»zwei herze und einen lîp hân wir.
gar ungescheiden[4] unser triuwe mit einander vert.
der grôzen liebe[5] der bin ich gar verhert
wan sô du kumest und ich zuo dir.«

III

Der trûric man nam urloup balde alsus:
ir liehten vel[6] diu slehten
kômen nâher. sus der tac erschein.

weindiu ougen – süezer vrouwen kus!
sus kunden sie dô vlehten
ir munde, ir brüste, ir arm, ir blankiu bein.

swelch schiltær[7] entwurfe daz,
gesellecîche als sie lâgen – des wære ouch dem genuoc[8].
ir beider liebe doch vil sorgen truoc,
sie pflâgen minne ân allen haz.

3. Riegel.
4. untrennbar.
5. des großen Glücks.
6. Leiber.
7. (Wappen)Maler.
8. zuviel, zu schwer.

2

I

Der helnden[9] minne ir klage
du sunge ie gên dem tage,

daz sûre nâch dem süezen.
swer minne und wîplîch grüezen
alsô empfienc,

daz sie sich muosen scheiden, –
swaz du dô riete in beiden,
dô ûf gienc

der morgensterne: wahtære swîc,
dâ von niht langer sinc!

II

Swer pfliget[10] oder ie gepflac,
daz er bî liebe lac

den merkern unverborgen:
der darf[11] niht durch den morgen
dannen streben.

er mac des tages erbeiten[12].
man darf in niht ûz leiten
ûf sîn leben:

ein offeniu süeziu wirtes wîp[13]
kan solhe minne geben.

9. *heimlichen.*
10. *die Gewohnheit hat, tut.*
11. *muß nicht.*
12. *abwarten.*
13. *Ehefrau.*

NEIDHART VON REUENTAL

Bayrischer Ritter (?), zwischen 1180 und 1190 geboren, unter Herzog Otto II. Lehnsträger. Teilnahme am Kreuzzug Friedrichs II. 1228/29. Um 1230 muß er, nach einem Zerwürfnis mit dem Lehnsherrn, Bayern verlassen und findet in Österreich bei Friedrich dem Streitbaren eine Zuflucht. Von ihm erhält er ein Lehen bei Melk, später in Lengenbach bei Tulln. Um 1240 wird Neidhart gestorben sein.

Es fällt schwer, Neidhart als Minnesänger zu bezeichnen, auch wenn er in seiner Lyrik Formeln, Sprache und Formen des höfischen Sangs benutzt. In seinen Sommer- und Winterliedern aber zerstört Neidhart die Scheinwelt höfisch-artifizieller Kunst, indem er, gegen alle höfische Tradition, das bäuerlich-grobschlächtige zum Gegenstand seiner Dichtung erhebt. Dabei ist es der Kontrast zwischen höfischer Formelsprache und bäuerlichem Inhalt, der seiner Lyrik Reiz und Schärfe des Spotts gegen die traditionelle Hofmannskunst gibt, ein Kontrast, an dem er beweist, wie wenig Form und Inhalt der höfischen Kunst noch miteinander übereinstimmen. Nicht Naturlyrik in den Eingangsstrophen, nicht Verklärung des einfachen Lebens oder der ländlichen Idylle, sondern – besonders in den Winterliedern – Hinweis darauf, daß neue elementare Kräfte die Wirklichkeit bestimmen, daß die adlige Standespoesie Kraft und Wirkung verloren hat. Darin liegt eine Nähe zu Walthers Liedern der Niederen Minne.

Seine Sommerlieder, seit 1210, sind Tanzlieder für den Bauerntanz unter der Linde oder auf dem Anger, zumeist Dialoge zwischen Mutter und tanzwütiger Tochter. Die zum Teil breiten Natureingänge fehlen kaum, sie setzen jeweils den Stimmungsakzent: freudig-zustimmend bei den Sommerliedern, klagend-mißmutig in den Winterliedern; gerade sie zeigen jedoch den starken höfischen Einschlag in Neidharts Lyrik deutlich, besonders in den Winterliedern. Dieses Gegeneinander von höfisch und bäurisch ist bewußtes Kontrastmittel, das in Verbindung mit derben Späßen und Zo-

ten Neidhart bei Hofe Erfolg und seiner Dichtung die große Verbreitung bis ins 16. Jahrhundert sicherte.
In seinen späten Liedern klingen sehr persönliche, resignierende und religiöse Töne an (Kreuzlieder). Insbesondere im Alterslied (Nr. 4) sind Zeit- und Weltklage deutlich hörbar, verbirgt sich hinter den frechen Schlußstrophen bittere Resignation.
Neidharts Lieder öffnen der mittelalterlichen Dichtung neue Themen und befreien sie aus der Sterilität des nur Artifiziellen. Wie in seinen Strophen bleiben auch künftig die höfischen Formelemente erhalten, allerdings als zunehmend weniger verstandene Formeln, mit denen eigenes Unvermögen der Dichter des späten Mittelalters häufig verdeckt wird.

1

»Fröut iuch, junge und alte!
der meie mit gewalte
den winder hât verdrungen,
die bluomen sint entsprungen.
wie schôn diu nahtegal
ûf dem rîse ir süeze wîse singet, wünneclîchen schal!

Walt nu schône loubet[1].
mîn muoter niht geloubet,
der joch[2] mit einem seile«,
sô sprach ein maget geile[3],
»mir bunde einen fuoz,
mit den kinden[4] zuo der linden ûf den anger ich doch muoz.«

1. begrünt sich.
2. selbst wenn.
3. fröhlich.
4. Mädchen.

Daz gehôrte ir muoter:
»jâ swinge ich dir daz fuoter
mit stecken umbe[5] den rugge,
vil kleine grasemugge.
wâ wilt dû hüpfen hin
ab dem neste? sitze und beste[6] mir den ermel wider in!«

»Muoter, mit dem stecken
sol man die runzen recken[7]
den alten als eim sumber[8].
noch hiuwer sît ir tumber,
dan ir von sprunge vart.
ir sît tôt vil kleiner nôt, ist iu der ermel abe gezart.«

Ûf spranc sî vil snelle.
»der tievel ûz dir belle[9]!
ich wil mich dîn verzîhen[10];
dû wilt vil übel gedîhen.«
»muoter, ich lebe iedoch,
swie[11] iu troume; bî dem soume durch den ermel gât daz loch.«

2

Ez gruonet wol diu heide,
mit grüenem loube stât der walt:
der winder kalt
twanc si sêre beide.
diu zît hât sich verwandelôt.
mîn sendiu nôt
mant mich an die guoten, von der ich unsanfte scheide.

5. auf den.
6. näh.
7. soll man die Runzeln glätten.
8. den Alten wie einer Trommel.
9. Der Teufel soll in dich fahren!
10. mit dir will ich nichts mehr zu tun haben.
11. während.

Gegen der wandelunge
wol singent elliu vogelîn
den vriunden mîn,
den ich gerne sunge,
des sî mir alle sagten danc.
ûf mînen sanc
ahtent hie die Walhen[12] niht: sô wol dir, diutschiu zunge!

Wie gerne ich nu sande
der lieben einen boten dar,
(nu nemt des war[13]!)
der daz dorf erkande,
dâ ich die seneden inne lie:
jâ meine ich die,
von der ich den muot mit staeter liebe nie gewande.

Bote, nu var bereite[14]
ze lieben vriunden über sê!
mir tuot vil wê
sendiu arebeite[15].
dû solt in allen von uns sagen,
in kurzen tagen
saehens uns mit vröuden dort, wan[16] durch des wâges breite.

Sage der meisterinne[17]
den willeclîchen dienest mîn!
si sol diu sîn,
diech von herzen minne
vür alle vrouwen hinne vür.
ê ichs verkür[18];
ê wold ich verkiesen[19], deich der nimmer teil gewinne.

12. *Welschen.*
13. *das könnt ihr glauben.*
14. *geschwind.*
15. *Sehnsuchtsqualen.*
16. *wenn nicht.*
17. *Herrin.*
18. *von ihr ablasse.*
19. *lieber wollte ich entsagen.*

Vriunden unde mâgen[20]
sage, daz ich mich wol gehabe!
vil lieber knabe,
ob si dich des vrâgen,
wiez umbe uns pilgerîne stê,
sô sage, wie wê
uns die Walhen haben getân! des muoz uns hie betrâgen[21].

Wirp ez endelîchen[22],
mit triuwen lâ dir wesen gâch[23]!
ich kum dar nâch
schiere sicherlîchen,
so ich aller baldist immer mac.
den lieben tac
lâze uns got geleben, daz wir hin heim ze lande strîchen[24]!

Ob sich der bote nu sûme,
sô wil ich selbe bote sîn
zen vriunden mîn:
wir leben alle kûme,
daz her ist mêr dan halbez mort.
hey, waere ich dort!
bî der wolgetânen laege ich gerne an mînem rûme.

Solt ich mit ir nu alten,
ich het noch eteslîchen dôn[25]
ûf minne lôn
her mit mir behalten,
des tûsent herze wurden geil[26].
gewinne ich heil
gegen der wolgetânen, mîn gewerft[27] sol heiles walten.

20. *Verwandten.*
21. *ärgern.*
22. *Tu es rasch.*
23. *Eile.*
24. *ziehen.*
25. *Lied.*
26. *fröhlich.*
27. *Tun und Treiben.*

Si reien oder tanzen,
si tuon vil manegen wîten schrit,
ich allez mit.
ê wir heime geswanzen[28],
ich sage iz bî den triuwen mîn,
wir solden sîn
zOesterrîche: vor dem snite sô setzet man die phlanzen.

Er dünket mich ein narre,
swer disen ougest[29] hie bestât.
ez waer mîn rât,
lieze er siech geharre[30]
und vüer hin wider über sê:
daz tuot niht wê;
nindert[31] waere baz ein man dan heime in sîner pharre.

3

Nu ist der kleinen vogelîne singen
und der liehten bluomen schîn vil gar zergân.
wolde ein wîp mir liebez ende bringen,
mir waer, als ichs immer bêde solde hân,
diu mich ir genâden ie verzêch von kindes beine;
doch bit ich die guoten, dazs ir triuwe an mir erscheine,
mînes herzen küneginne ich meine.

Niemen sol an vrouwen sich vergâhen.
des wart ich wol inne: mirst diu mîne gram.
der getrat ich leider alsô nâhen,
daz[32] ich ûz ir hende ein glesîn grüffel nam
(daz wart ir gekoufet: in der krâme stuont ez veile):

28. herumstolzieren.
29. August.
30. Warterei.
31. nirgendwo.
32. als.

daz wart mir verwizzen sît nâch grôzem mîme unheile,
dô si reit mit kinden ûf dem seile[33].

Wan daz guote liute mir gewâgen[34],
jâ waer ich gehoenet umbe ir rôtez glas.
sî begunde mich in zorne vrâgen:
»sagt mir, liupper herre, dûhte ich iuch sô blas[35],
daz ir mir mîn grüffel nâmet unverdienter dinge?
jâne wil ich nimmer iuwern treieros gesingen
noch nâch iu den reien niht enspringen.«

»Vrouwe, zallen dingen hoeret mâze:
zürnet sô, daz iu der zorn iht missezem[36]!
mîne stîge gênt an iuwer strâze:
schaffet, daz man mir ein phant dar umbe iht nem!«
»wâ gesâhet ir ie wîp die man alsô gephenden?
jâ getrûwe ichz sust nàch mînem willen wol volenden.«
nâch dem grüffelîne muose ich senden.

Ich gesach nie jungez wîp sô lôse[37],
diu ir lîp den mannen kunde baz versagen
unde ir werkes immer iht verbôse[38].
hei, sold ich daz heu mit ir hin hinder tragen,
als wir hie bevor in unser gämelîche[39] tâten!
vaste wir ez mit den vüezen zuo dem zûne trâten
mangen âbent vruo und sunder spâten[40].

Si ist an allen dingen wol ze prîsen
noch ist in dem kreize[41] niemen alsô wert.

33. *als sie mit Mädchen auf dem Seile schaukelte.*
34. *geholfen.*
35. *gering.*
36. *entstellt.*
37. *keck.*
38. *verstand.*
39. *Übermut.*
40. *Verzug.*
41. *Umkreis.*

ir gebende[42] ist niwan glanze rîsen:
wol genaetiu hüetel truoc si dannoch vert[43].
wirt si mir, ich hân mîn leit mit vröuden überwunden.
ich waen, alle, die der sint, ein bezzer kint niht vunden,
wan[44] daz ir diu vüezel sint zeschrunden.

Ich bin von der guoten ungescheiden[45]
mînes lîbes und der ganzen triuwen mîn.
wol gelinge uns mit ein ander beiden!
sî sol mîn gewaltic[46] zeinem vriedel[47] sîn.
maneger sagt den wîben von dem guote grôzen griule[48]:
kumt si mir ze Riuwental, si vindet dürre miule[49];
dâ ist rede ein wint, ein slac ein biule.

4

Sumers und des winders beider vîentschaft
kan ze disen zîten niemen underståan[50].
winder der ist aber hiwer mit sînen vriunden komen:
er ist hie mit einer ungevüegen kraft;
erne hât dem walde loubes niht verlân
und der heide ir bluomen unde ir liehten schîn benomen.
sîn unsenftikeit
ist ze schaden uns bereit.
sît in iuwer huote! er hât uns allen widerseit[51].

Alsô hân ich mîner vrouwen widersagt:
sî endarf mîn niht ze dienestmanne jehen;

42. *Gebinde, Kopfschmuck.*
43. *im vorigen Jahr.*
44. *nur.*
45. *verbunden.*
46. *verfügen über.*
47. *Geliebten.*
48. *Greuel.*
49. *Maultiere.*
50. *ausgleichen, schlichten.*
51. *Fehde angesagt.*

ich gediene ir williclîchen nimmer einen tac,
sît si guoten vriunt in vîndes stricke jagt.
ich wil mir ein lange wernde vrône[52] spehen,
diu mich hin ze gotes hulde wol gebringen mac.
die verliust si mir[53]:
deste wirs[54] getrouwe ich ir.
sî sol wizzen, daz ich ir ze vrouwen wol enbir.

Ist daz niht ein wandel[55] an der vrouwen mîn?
swer ir dienet, dem ist kranker lôn beschert.
sî verleitet manegen, daz er in dem drûhe[56] lît;
des muoz leider liebes lônes âne sîn,
der ouch in ir dienste hin ze helle vert.
er ist saelic, swer sich von ir verret bî der zît,
daz er ze mittem tage
sînen phenninc hie bejage,
den er um die vesperzît verdienet mit im trage.

Swaz ich nû gesinge, daz sint klageliet:
dâ envreut sich lützel leider iemen von.
ê dô sang ich, daz den guoten liuten wol gezam.
sît daz mich daz alter von der jugende schiet,
muoz ich dulden, des ich ê was ungewon.
niemen sich verzîhe[57], im geschehe vil lîhte alsam!
wirt er als ich grâ,
sô ist missebieten dâ[58].
sô der wolf inz alter kumt, sô rîtet in diu krâ.

Ê dô kômen uns sô vreuden rîchiu jâr,
dô die hôchgemuoten wâren lobesam:

52. *Dienst umsehen.*
53. *um die bringt sie mich.*
54. *weniger.*
55. *Makel.*
56. *Fangnetz.*
57. *niemand streitet ab.*
58. *so geht man auch mit ihm unglimpflich um.*

nu ist in allen landen niht wan trûren unde klagen,
sît der ungevüege dörper Engelmâr
der vil lieben Vriderûne ir spiegel nam.
dô begunde trûren vreude ûz al den landen jagen,
daz si gar verswant.
mit der vreude wart versant
zuht und êre; disiu driu sît leider niemen vant.

Der mir hie bevor in mînen anger wuot[59]
und dar inne rôsen zeinem kranze brach
unde in hôher wîse sîniu wineliedel[60] sanc,
der beswârte nie sô sêre mir den muot
als ein dinc, daz ich von Willekinde sach.
do'r den krumben reien an ir wîzen hende spranc,
dô swanc er den vuoz,
des mîn vreude swinden muoz.
er und Gätzeman gewinnet nimmer mînen gruoz.

Er spranc winsterthalben[61] an ir wîzen hant:
houbet unde hals gie im vil vaste entwer,
dem gelîche, als der des lîbes niht gewalten mac.
dô wart mir der oede krage[62] alrest bekant.
wê, wer brâhte in ie von Atzenbrucke her?
dâ hât er gesungen vor vil manegen vîretac[63]:
des tuot er wol schîn[64].
er wil alsô tiuwer sîn
als der durch daz röckel trat der lieben vrouwen mîn.

Minne, wer gap dir sô rehte süezen namen,
daz er dir dâ bî niht guoter witze[65] gap?

59. *stürmte.*
60. *Liebeslieder.*
61. *links.*
62. *Widerling.*
63. *Feiertagen.*
64. *Das gibt er deutlich zu erkennen.*
65. *Verstand.*

Minne, hôhe sinne solten dîn geleite sîn.
ich muoz mich ze manegen stunden vür dich schamen:
dû verliusest dicke dînen riutelstap.
daz dû swachen vriunden gîst dîn haerîn vingerlîn[66],
dêst dîn êre kranc.
daz dû, vrouwe, habest undanc!
in dîn haerîn vingerlîn ein kneht den vinger dranc.

Daz siz niht dem ritter an den vinger stiez,
dô iz in der niuwe und in der wirde was!
dannoch hete siz dem knehte wol vür vol gegeben.
ich weiz rehte niht, war umbe sî daz liez.
lîhte was der kneht ir ougen spiegelglas.
Minne ist sô gewaltic, dâ si hin beginnet streben,
Minne ist sô gemuot,
der mit werke ir willen tuot,
daz si dâ hin minnet, dâ ir êre ist unbehuot.

3. Epik

Weltliche Dichtung in der Zeit vor 1150/70 hatte sich nur zögernd aus der kirchlichen Lehrprosa emanzipiert (vgl. Kap. I, 2). Es waren geistliche Verfasser, die sich allmählich der weltlichen Stoffe annahmen, wie sie in Frankreich etwa (»Chanson de Roland«) oder im irisch-keltischen Sprachraum vorhanden waren. Die Welt wird auch im kirchlichen Umkreis darstellungswürdig in dem Maße, in dem die Kirche sich ihrem machtpolitischen Höhepunkt nähert und die imperialen Ansprüche weltlicher Herrscher für die Kreuzzüge sich zunutze macht.
»Kaiserchronik« (vgl. Kap. I, 2) und »Alexanderlied« zeigten bereits deutliche Anklänge an das zentrale Problem der

66. *härenes Ringlein.*

höfischen Dichtung: Gott und der Welt gefallen, das neue Weltgefühl legitimieren durch eine religiös-transzendierende Interpretation der Wirklichkeit. In der »Kaiserchronik« und im »Annolied« (bereits um 1085) erscheint die deutliche Hinwendung zu einem imperialen Bewußtsein, zur translatio imperii, der Übertragung des römischen Weltreichanspruchs auf die deutsche Geschichte. Vorhöfisch bleibt diese Dichtung, solange nicht höfisch-ritterliche Selbstdarstellung, sondern geistliche Bewertung des gleichnishaft begriffenen Weltgeschehens den Maßstab setzt.

Parallel zur Emanzipation der Epik von der kirchlichen »Gebrauchsliteratur« entwickelt sich die sogenannte »Spielmannsdichtung«. In ihr wird Historie zum Unterhaltungsgegenstand, werden Sagenmotive, Märchen und Schwank zu bunten Erzählstoffen komponiert (»König Rother« und »Herzog Ernst«). Sicherlich war auch hier gelehrte Bildung am Werk, aber ihr fehlt nun die exegetische Absicht, und sie ist noch frei von den Vorstellungen einer ritterlichen Standesmetaphysik.

Mit Veldekes »Eneit« und Eilharts »Tristrant«, also ab 1170, setzt höfische Dichtung ein, die sich nun statt auf geistliche Normen auf französische und anglo-irische Stoffe stützt. Der ritterliche Versroman taucht also keineswegs so unvermittelt-vorbildlos auf wie die Minnelyrik, aber um 1170 hat er sich aus dem geistlichen Epos vollends emanzipiert – um sich dem französischen Vorbild in sklavischer Nachahmung der Inhalte und Formen zu unterwerfen. Was in der Epik der nordfranzösischen Chansons de geste und vor allem bei Chrestien de Troyes (Schaffenszeit um 1160 bis 1190) sich fand, das blieb für die kaum vierzig Jahre der mittelhochdeutsch-höfischen Klassik auch in ihrer höchsten Vollendung unbefragtes Vorbild. Hartmann von Aue verfaßt mit seinem »Erec« (1180/85) den ersten deutschsprachigen Artus-Roman; nur in der Ausdeutung übertrifft er sein französisches Vorbild und seinen Stoff. Die Märchenwelt der höfisch-ritterlichen Artus-Fiktion wird durch die von Hartmann und

Wolfram eingeführte Identität zwischen Held und Erzähler in eine psychologisch-moralische Wirklichkeit verwandelt, in eine vorbildhafte Ritteridealität, die mit der Wirklichkeit kaum noch Verbindung hat. Hierin ist die Epik mehr noch gesellschaftlich sanktionierte Fiktion als die ritterliche Lyrik. Doch diese Utopie einer ritterlich-höfischen Exklusivwelt ist die Voraussetzung für die Heranbildung einer neuen Menschlichkeit, in der die Versöhnung von Gott und Welt für den einzelnen und die höfische Artus-Gesellschaft möglich wird. Dieser »Eskapismus« fand in Hartmann von Aue seinen Vollender; schon Wolfram von Eschenbach erkennt die Aporien dieser Weltflucht und greift, zum Beispiel im »Willehalm«, auf vor- und frühhöfische Stoffe zurück, allerdings aus anderen Absichten als die späteren Epiker.

PRIESTER WERNHER

Der Dichter selbst datiert sein episches Preislied *Driu liet von der maget* auf das Jahr 1172; es ist auf Anregung oder im Auftrag eines Propstes Mangold von Sibinache im Kloster St. Ulrich zu Augsburg entstanden. Die Mundart verweist den Dichter nach Bayern.

Driu liet von der maget

Die Marienlyrik des 12. Jahrhunderts (vgl. Kap. I, 2 »Marienlied von Melk« und »Mariensequenz von Muri«) fand in der Marienepik am Ausgang des Jahrhunderts eine Entsprechung. Wernhers Marienleben steht am Beginn dieser einsetzenden Marienepik; seine Dichtung steht im Übergang von der cluniazensischen zu einer neuen, diesseitig bestimmten Frömmigkeit. Die Geschichte Marias wird heilsgeschichtlich-gleichnishaft aufgefaßt, sie ist Teil der Heilsgeschichte Gottes. – Wernher stützt sich auf ein Pseudoevangelium Mat-

thäus aus dem 5. Jahrhundert; er zeigt darin eine Ausweitung, Auflockerung der religiösen Vorstellungswelt seiner Zeit an. Obgleich er wiederholt die Diesseitigkeit des neuen Rittertums verurteilt, spiegelt seine Dichtung in einzelnen Passagen eine in religiöser Dichtung vorher kaum gekannte Daseinsfreude: biblisches Leben erscheint in Ausdruck, Form und Gewand der Zeit, das deutlich ritterliche Züge trägt.

Marias Geburt und Tempelgang

Nâch den vierzic wochen
diu chamere wart entlochen,
dâ diu rîcheit inne was
der alliu diu werlt genas.
der wâz[1] vil guoter salben
begunde dô allenthalben
ûz breiten sîne suoze
den sundâren ze buoze,
zeiner gewissen urstende[2]
nâch des lîbes ende.
der vater vil guoter
unt ir vil edeliu muoter
die newolten die edelen himelrôsen
mit namen niht verbôsen[3]:
si hiezen sie Marîen.
wan als daz honic die bîen
ûz dem trôre[4] mugen vinden,
als chan diu chuniginne
den heiltriefenden fladen
nâch disem lîbe fur tragen
den hungergen sêlen.

1. *Duft.*
2. *Auferstehung.*
3. *herabsetzen.*
4. *Tautropfen.*

an ir ist lobes mêre,
danne dehein stimme
fur muge bringen.

Dô daz reine chindelîn,
daz êwige magedîn,
in dise werlt wart geborn,
dô wart erleschet der zorn
der gotes unwirde[5]
unt fleischlîcher girde.
dô wart der mennische
geladet ze gotes tische,
ze der lebendigen spîse;
die engel in dem paradîse
die enphiengen dô den mennisch zir genôz.
honic unde milch flôz,
nôtturftiger segen,
heilfuoriger regen[6],
pigmente unde mirre.
daz schâf, daz ê fuor irre,
daz vant dô crippen unde stal,
dô got lûhte uberal.
uns chom der wîntrûbe;
diu stimme der turteltûben
wart gehôret vil gereite[7]
uber al die christenheite.

Der tac, daz si geborn wart,
der ist sô liep unt sô zart
allen den liuten,
die sich mit der brûte
hin ze himele wellent swingen,
under ir vanen dingen[8].

5. Geringschätzung.
6. dringend benötigter Segen, heilbringender Regen.
7. bereit.
8. Dienst nehmen.

junge unde alte
die muozen die dult[9] behalten
mit vîre unt mit gesange.
si wirt vil wol enphangen,
si schol uns willechomen sîn.
ja liuhtet uns daz magedîn
als diu lilie ûz den dornen.
si weget[10] ouch uns dâ vor zorne,
sô ez uns an die nôt gât.
den sundâren si dâ bî stât
vil rehte muoterlîche.
si wil uns niht entwîchen,
unz si uns bringet an die stat,
der ie gerte unde bat
allez unser gemuote.
sô grôz sint ir guote;
si hertent[11] wol die lenge.
unser froude nam anegenge[12],
dô si in der molde[13]
mit uns bûwen wolde.
swâ man sant Marîen nennet,
sô frouwet sich unt mendet[14]
beidiu sêle unde lîp.
ir name uns wîsunge gît
ze unserm heimôde[15]
ûz irdischer brôde[16].
bezzer name wart nie.
daz si ze leben ie gevie[17],

9. *Fest.*
10. *beschützt.*
11. *dauern aus.*
12. *nahm ihren Anfang.*
13. *Staube.*
14. *freut sich.*
15. *Heimat.*
16. *Hinfälligkeit.*
17. *anfing.*

des loben wir den heilant,
der dâ herberge vant
in dem sunnenschîne.
si enwart ouch nie ze wîbe,
si ist maget unbewollen[18],
si gît uns froude unde trôst envollen.

Dannen uber driu jâr,
daz si die tohter gebar,
ir opher si ûf huoben[19],
mit dem kinde si ez truogen
gen dem tempel frône[20].
Marîa gie sô schône,
sô wol ûfgerihte
den liuten zuo gesihte,
daz si nie umbe gesach.
ze der muoter si niht sprach,
noch sich darzuo nicht gemuozte,
daz si den vater gruozte,
unt sie nie des gezam[21],
daz si wîp oder man
ane wolde schouwen.
si gie vor al den frouwen
vil gereite zuo der reste[22].
aller kinde beste
daz suohte manige venige[23].
des wunderte die menige,
daz si chint was ame lîbe
unt doch al den wîben
ein guot bilde vor truoc
unt aller zuhte genuoc.

18. *unbefleckt.*
19. *erhoben sie.*
20. *heilig.*
21. *geziemte.*
22. *geradewegs zu der Ruhestatt.*
23. *das Sich-Niederwerfen zum Gebet.*

den mageden, die dâ wâren
unt in dem tempel lâgen
alle zît unt alle friste
in gotes dieniste,
den enphulhen si daz chint,
dem alle die dienende sint,
die daz êwige leben
iemer wellent sehen:
do beleip si gerne under in.
diu muoter unde Joachim
die îlten dannen chêren.
diu maget wuohs mit êren
âne aller slahte laster
unt nam sich fur[24] vil vaste,
[daz ir alle holt wâren
die si an gesâhen,]
daz sie vor liebe[25] weinten,
die got von herzen meinten.

Dô sprach di frouwe Anne:
»got schiubet ûf lange
sîne gnâde, swenner wil,
unt gibet ir ze mâle vil,
daz si niemen ergrunden
noch furbaz mac gechunden,
gezellen noch gemezzen:
wer scholte im des vergezzen?
die mîne vîande[26]
bestênt an den schanden.
die mir ubele sprâchen,
sine wessen, waz si râchen.
dô ich unberhaft[27] was

24. *zeichnete sich aus.*
25. *vor Freude.*
26. *Feinde.*
27. *unfruchtbar.*

unt darnâch schiere genas
der lieben tohter mîn,
dâ wart wol in allen schîn[28],
daz daz gotes zeichen
her ze mir wolte reichen.
nu muoz in allez daz loben,
daz von im ist bechomen.
leien unde phaffen,
unt swaz er hât erschaffen,
daz bechenne[29] in allez an mir!
die wilden vogele unde tier,
die vische unt al daz wunder,
daz in des meres grunde
beidiu fliuzet oder swebet[30],
swaz chreset[31] oder lebet
ûf dem ertpodeme
oder in den luften obene,
daz muoz mir bescheinen[32],
wie ich in loben unde meinen.«

HEINRICH VON VELDEKE

Eneit

Mittelbar nur ist die »Aeneis« des Vergil Vorlage für Veldekes Epos; er stützt sich stofflich und kompositorisch vor allem auf den anonymen französischen »Roman d'Enéas« aus der Zeit um 1160. Dessen Aufbereitung des antiken Stoffes bot einen leichteren Zugang für die Zeitgenossen und

28. *wurde offenbar.*
29. *erkenne.*
30. *schwimmt oder treibt.*
31. *kriecht.*
32. *zeigen.*

insbesondere eine zeitnahe Ausschmückung des Handlungsablaufes. Die im antiken Stoff dominierende Rolle der Götter wird umgedeutet in zwei kontrastierende Minnehandlungen, die den Kern des gesamten Epos darstellen: die Dido-Liebe steht als leidenschaftliche, ungezügelte, zerstörerische, zu schnell gewährte Liebe gegen die ideale, von zuht *und* mâze *bestimmte Lavinia-Minne neuer, höfisch-ritterlicher Ordnung. Nur diese kann zur höfischen* froude *führen. Ritterliches Leben muß diese* froude *im Kampf und Minnedienst erobern. Das Aufbauschema der (französischen) »Aeneis« bleibt für die gesamte mittelalterlich-höfische Epik bestimmend: auf raschen Erwerb und Besitz der ersten Minne (Dido-Handlung) folgt die Katastrophe, in der das Unrechte, ›Freudlose‹ allzu rascher Erfüllung sichtbar wird; erst ein neues, dienendes Bemühen führt dann zu bleibendem Besitz (»Parzival«, »Erec«).*

Das Erlebnis der Minne

Doe der kamp gelovet was,
des Turnus end Ênêas
beide kûme erbeiden[1]
end sich dar toe bereiden
met manlîken sinnen,
doe gienc die koninginne
eins âvondes spâde
in here kemenâde.
her dochter sî vor sich nam,
ein joncfrouwe lussam.
einre reden sî begonde,
die sî vel wale konde,
met mekelen[2] sinne.
doe sprac die koninginne:

1. erwarten.
2. großem.

»skône Lâvîne,
lieve dochter mîne,
nu mach et lîchte sô komen,
dat dir dîn vader hât benomen
mekel goet end mekel êre.
Turnus der helet hêre,
der dînre minnen starke gert,
er es dîn rechte wale[3] wert,
dat es mir wale kont.
end wârestu noch dûsont stont
alsô skône end alsô goet,
sô mochtestu dînen moet
gerne an hen kêren.
ich gan dir wal alre êren.
ich wele, dat du hen minnes
ende bekennes[4],
dat er ein edel vorste es.
dar ombe warne ich[5] dich des
omb den helet lussam.
end wes Ênêase gram,
den ongetrouwen Troiân,
de hen te dôde wele erslân,
de dir es van herten holt.
dar toe hâstu rechte skult[6],
dat du hem ongenâdich sîs
ende hem neheine wîs
niemer êre gedoes,
want du et lâten moest
end hen van rechte haten salt,
want he dich met gewalt
wânet gewinnen.
he engert dînre minnen

3. *wohl.*
4. *erkennst.*
5. *mache ich aufmerksam.*
6. *allen Anlaß.*

niwet dorch dîn goet,
wan dat[7] he't dar ombe doet,
of he dich mach erwerven,
dat he wele gerven[8]
an dînes vader rîke.
end of du sâllîke[9]
ende wale welles doen,
dochter, sô minne Turnum.«
»wâ mede sal ich hen minnen?«
»met den herten end met den sinnen.«
»sal ich hem dan mîn herte geven?«
»jâ du!« »wie solde ich dan geleven?«
»du ensalt et hem sô geven niet.«
»wat of et niemer geskiet?«
»ende wat, of et doet?«
»wie mochte ich mînen moet
an einen man gekêren?«
»die minne sal dich't lêren.«
»dorch got, wat es minne?«
»sî es van anegenge
geweldich over die werelt al
end iemer mêre wesen sal,
went an den soendach[10],
dat her nieman enmach
neheine wîs wederstân,
want sî es sô gedân,
dat mans enhôret noch ensiet.«
»frouwe, der erkenne ich niet.«
»du salt sî wale kennen noch.«
»wan moget ir des erbeiden[11] doch?«
»ich erbeide es gerne, of ich mach.

7. *weil.*
8. *erben.*
9. *heilvoll, zum Heil.*
10. *(Jüngsten) Gerichtstag.*
11. *warten.*

lîchte geleve ich noch den dach,
dat du ongebeden minnes.
swanne du's beginnes,
dir wert vel lieve[12] dar toe.«
»ich enweit, frouwe, weder et doe.«
»du macht es wesen gewes.«
»so segget mir dan, wat minne es.«
»ich enmach dirs niet geskrîven.«
»sô solt ir't lâten blîven.«

Doe sprac die koninginne:
»so gedân es die minne,
dat et rechte nieman
den andern gewîsen kan,
deme sîn herte sô stêt,
dat sî dar in niet engêt,
de sô steinlîke levet.
de her aver rechte ontsevet[13]
ende toe her kêret,
vel sî hen des gelêret,
des hem ê was onkont.
sî maket en skiere ongesont,
et sî man ofte wîf.
si bedroevet hem hert ende lîf
end die sinne garwe
end salwet[14] hem die varwe
met vele grôter gewalt.
sî maket hen vel decke kalt
ende dar nâ skiere heit,
dat he sîns selves rât enweit.
solîch sint here wâpen.
si benemet hem dat slâpen
end eten ende drinken.

12. Freude.
13. inne wird.
14. macht trübe.

sî lêret hen gedenken
vele misselîke[15].
nieman es sô rîke,
de sich her moge erweren
noch sîn herte van her generen,
noch enkan noch enmach.
nu es des vele menich dach,
dat ich nie sô vele dar ave gesprac.«
»es dan minne ongemac?«
»nein sî, wann iedoch nâ bî.
ich wâne, dat sî starker sî,
dan die socht oft dat fiever.
ich wâne, dir wâre beide liever,
want man bekêret nâ den sweit.
die minne doet kalt ende heit,
mê dan der vierdage rede[16].
swe sô bestricket wert dâ mede,
he moet sich alles des genieden[17].«
»sô moete sî mir got verbieden.«
»nein, sî es vele goet.«
»wat meint dan, dat sî sô wê doet?«
»her ongemac es soete.«
»got geve, dat sî mich lange moete
verren ende vermîden.
wi mocht ich die nôt alle erlîden?«

Die moeder aver weder sprac:
»niet envorchte 't ongemac.
merke, wie ich dir't beskeide:
mekel lief komet van leide,
rouwe[18] komet van ongemake.
dat es ein trôstlîch sake.

15. mannigfach.
16. Fieber.
17. erleiden.
18. Ruhe.

gemac komet van arbeide
decke te langer stâdicheide.
van rouwen komet wonne
end froude meneger konne[19].
trûren maket hôgen moet,
die angest maket stade goet.
dat es al der Minnen teiken:
liecht varwe komet van bleiken.
die vorchte gevet goeden trôst,
met den dolene wert man erlôst.
dat darven maket 't herte rîke.
te desen ovelen iegelîken
hât die minne solîke boete[20].«
»si es aver van êrst vel onsoete,
ê die sachtheit[21] kome.«
»du erkennes sî niet te fromen.
sî soenet selve den toren.«
»die quâle es ê grôt dâ bevoren.«
»sî doet et decke onder stonden,
dat sî heilet wale die wonden
âne salven end âne dranc.«
»die arbeit es ê vele lanc.«
»dat stêt an den gelucke.
sô man gequelet ein lanc stucke
end met arbeiden gelevet
end man ongemac ontsevet[22]
van minnen, alse ich ê dâ sprac,
end danne froude end gemac
met den heile dar nâ komet,
wie harte et dan den herten fromet
end trôstet danne den moet,
wand et hem bat doet

19. Art.
20. Heilung.
21. Sanftheit, Annehmlichkeit.
22. schmeckt.

ende sachter drîtich warf[23],
danne de es niet bedarf.
des saltu mir van rechte gien[24].
du hâst decke wale gesien,
wi der hêre Âmor gemâlet stêt
in den templô, dâ man în gêt,
engegen der doren binnen:
de beteikent die minne,
di geweldich es over alle lant.
ein busse[25] hât er an der hant,
in der ander twêne gêre:
dâ mede skûtt[26] er sêre,
als ich dir seggen wolde.
der eine es van golde,
des pleget er[27] t'allen stonden.
swe sô eine wonde
dâ mede gewinnet,
vel stâdelîke er minnet
end levet met arbeide.
neheinre onstâdicheide
endarf man hen tîen[28].
der ander gêre es blîen[29].
van deme doen ich dir kont:
swe dâ mede werdet wont
an sîn herte enbinnen,
de es der rechten minnen
iemer ongehôrsam.
he hatet ende es vele gram,
swat sô van minnen geskiet;
des engelustet hen niet.

23. *dreißigmal.*
24. *zugeben.*
25. *Büchse.*
26. *schießt.*
27. *verwendet er.*
28. *zeihen.*
29. *aus Blei.*

solîch es dat geslechte.
wiltu nu weten rechte,
wat die busse bedûde,
– et enweten alle lûde –
merk et in allenthalven[30]:
si beteikent die salven,
di di Minne iemer hât gereit.
sî sachtet al die arbeit
end maket et allet goet,
swen die minne wont doet,
dat sî hen geheilet.
sî gevet ende deilet
dat lief nâ den leide.
dat saltu merken beide,
dat des van minnen vele geskiet.
du enbist ouch sô domp niet,
sô du dar toe gebâres.
end of du joch jonger wâres
tweire jâre, dan du sîs,
du mochtes des wal sîn gewis:
du enlêrs et niemer te froe.
du hâs ouch lîf genoech dar toe
gewassen ende skône,
dat ich dir's iemer lône
met minnen end met goede.«

Herzog Ernst (Auszüge)

Der anonyme Verfasser dieses vorhöfischen Epos wird ein gebildeter Geistlicher gewesen sein: er besaß Kenntnis historischer Daten und orientalischen Erzählguts sowie älterer Bildungsliteratur *(Althochdeutscher Isidor)*. Entstehungszeit, soweit aus den verschiedenen Fassungen zu schließen, um 1180.

30. ganz genau.

Dem Epos liegen zwei Ereignisse aus der deutschen Geschichte zugrunde: der gescheiterte Aufstand Herzog Ernsts II. von Schwaben gegen Konrad II. (1027) und die Auflehnung des Herzogs Liudolf von Schwaben gegen den eigenen Vater, Otto den Großen (953). Die deutlichen Bezüge auf bairische Geschichte und Reichsgeschichte zeigen Nähe zu welfischer Machtpolitik und zeitgenössischer Auseinandersetzung zwischen Barbarossa und Heinrich dem Löwen. Die Versöhnungsszene am Schluß des Gedichts ist eine Verherrlichung der politisch-ständischen Ordnung und des Reichsgedankens, der von Kaiser und Stammesfürsten gleichermaßen realisiert wird. »Reich« bedeutet hier nicht mehr transzendentale Ordnung oder theokratisches Weltgebäude, sondern reale Gegenwart, für die in der Versöhnungsgeste aus Gnade und Vernunft eine Überwindung konkreter gegenwartspolitischer Auseinandersetzungen gesucht wird.

Ernst, Sohn der Herzogin Adelheid von Bayern, wird von seinem Oheim Heinrich bei seinem Stiefvater – Kaiser Otto – verleumdet. Der Kaiser läßt durch Heinrich Bayern, das Land Ernsts, verwüsten. Ernst erschlägt auf einem Hoftag in Speyer und in Gegenwart des Kaisers den Verleumder; er wird geächtet. Fünf Jahre lang leistet er den Truppen des Kaisers Widerstand, insbesondere im belagerten Regensburg. Statt einer Flucht beschließt er dann den Kreuzzug ins Heilige Land (soweit nachfolgend Text 1). Die anschließende Beschreibung der Reiseabenteuer ist weitgehend orientalischen Quellen entnommen: die Wunderburg Grippia mit den Kranichmenschen, Magnetberg, Greifenabenteuer; mittelalterlichen Enzyklopädien entnommen sind Beschreibungen von Zyklopen, Pygmäen und die zahlreichen ethnographisch-geographischen Details. Aus zeitgenössischen Kreuzzugsberichten stammen die hier den Kreuzzug beschließenden Kämpfe mit den Heiden. – Als Pilger verkleidet kehrt Ernst an den Hof Ottos zurück, erlangt unerkannt und mit Beistand seiner Mutter Verzeihung und die Wiedereinsetzung in seine Rechte und Besitzungen (Text 2).

Als Geschichtsdichtung war das Epos ein »Unterhaltungstext« des frühen staufischen Rittertums; im Sachbericht, in der Darstellung idealen Seins, Denkens und Handelns, fand das Rittertum hier eine frühe und umfassende Wiedergabe seines sich ausbildenden politisch-gesellschaftlichen Bewußtseins.

1

Der keiser hâte einn hof[1] geleit
ze Spîre. do im daz was geseit,
dô dâhter »benamen[2], ich muoz dar,
swie ich halt dar umbe gevar.
ich muoz komen über Rîn
zuo den vîenden mîn
die mir daz leit habent getân.«
do erwelte er zwêne sîne man
der ellen[3] er bekande,
mit den er dâ hin rande[4].
dô sie kâmen über Rîn,
dô sagete er den gesellen sîn
beide willen unde muot[5].
dô dûhte sie der rât guot
den er erfunden hâte.
ez was harte spâte,
do er ûf den hof geriten kam.
den grâven Wetzel er zuo im nam
und bat den andern sînen degen
der ros mit guoter huote phlegen
und des mit flîze nemen war
daz er wære bereit und gar,

1. *Hoftag.*
2. *wirklich, wahrhaftig.*
3. *Tapferkeit.*
4. *ritt.*
5. *Entschluß und Plan.*

ob ir wille ergienge,
ê daz man sie gevienge,
daz sie dan riten âne danc[6].
der herzoge balde hin spranc
in zorne für des rîches[7] tür.
dâ stuonden kameræere vür
und heten ez übele bewart.
die tür fundens ungespart,
der herzoge und sîn man.
ob sie gewünschet solden hân,
ez hete sich niht gefüeget baz.
der künic mit sînem neven saz
heimlîch an eime râte.
in die kemenâte
kâmen dise recken wert.
vil balde zucten sie diu swert
und zestôrten dar inne
daz gespræche mit unminne.
der künic entran vil kûme.
er spranc von sînem rûme
vil snelle über eine banc.
in dûht diu wîle gar ze lanc.
in ein kappellen er entran.
der phalzgrâve sîn man
wart des râtes vil unfrô.
der herzoge sluoc im dô
einen alsô swinden slac
daz er vil smæhelîche lac.
daz houbet verre von im spranc.
er sprach »der keiser habe undanc
daz er ie gevolgte dir.
nâch im stuont mîns herzen gir,
der mir sus enpharn[8] is:

6. *unverzüglich.*
7. *Kaisers.*
8. *entkommen.*

er hæte von mir gewis
enphangen den grimmen tôt.
er hât gedienet wol die nôt
daz er ie gevolgte dir.
waz maht du vâlant an mir?
daz dir got gebe leit!
ich begienc nie kein archeit[9]
an dir noch an keinem man.
des solde ich wol genozzen[10] hân
wider dich und wider daz rîche.
nu ligestu hie jæmerlîche
mit bluote berunnen.
daz hâstu dran gewunnen.
du tæte mirz ân alle nôt.
ez geliget vil maniger tôt
durch dînen ungetriuwen rât.
der aller dinge gewalt hât,
der ruoche dîner sêle phlegen.«
zuo den rossen gienc der degen.
dannoch was dâ nieman bî.
ûf sâzen sie dô alle drî
und riten dan mit gewalt,
sô daz mit den recken balt
nieman streit noch envaht.
dô half in diu vinster naht
daz sie wol kâmen über Rîn.
sît tet der herzoge schîn
wer[11] mit ellenthafter hant,
ê daz er gerûmte sîn lant.

In der bürge[12] über al
huop sich vil grôzer schal,

9. Böses.
10. verdient.
11. Widerstand, Gegenwehr.
12. Pfalz.

dô man diu mære bevant
daz Ernest der wîgant[13]
den phalzgrâven hæte erslagen.
beide weinen unde klagen
wart dô harte vernomen.
daz er alsô hin was komen,
daz dûhte jene ein wunder grôz.
der ludem allenthalben dôz.
dar zuo ûf allen wegen
die tiwerlîchen degen
ersuochten daz gevilde
mit speren und mit schilde,
verren unde wîten,
daz sie ir niht errîten
mohten noch enkunden.
dô sie ir niht gevunden,
in die stat sie wider riten:
mit vil jâmerlîchen siten[14]
si begunden harte sêre klagen
daz sie niht mêre mohten jagen.
swie vil dô jâmers wart vernomen,
dise wârn an ir gewarheit komen.

Dô sich der herzoge sus gerach
und der künic daz gesach
daz sîn neve tôt was
und der herzoge genas
und mit gewalt enwec reit,
daz was im ein herzeleit.
»im sol immer widersaget[15] sîn
durch dich[16], vil werde helt mîn.
er hât mir daz herze guot
betrüebet mit unmuot.

13. Held.
14. Art und Weise.
15. Kampf angesagt sein.
16. um deinetwillen.

du riuwest mich sêre!
ich enwil ouch nimmer mêre
in mîme herzen werden frô,
ich enreche dich alsô
daz man immer dâ von sagen mac.
gelebe ich morgen den tac,
mir entwîchen alle die ich hân,
mîne mâge[17] und mîne man
und ander die friunde mîn,
ich sol vil schiere bî im sîn
dâ heime in sînem lande.
daz leit und disiu schande
müeze gote geklaget sîn.
nu man ich al die friunde mîn
daz siez in lâzen wesen leit
daz er ie her ze hove reit
ûf sô grôze unêre[18].
daz sol mich riuwen immer mêre
die wîl ich den lîp hân,
daz er ie getorste begân
diz laster an dem mâge mîn.
er sol des gewis sîn,
ez gestêt im niht vergebene.
bî niemannes lebene
geschach ez keinem künige ê.
mir tuot daz laster immer wê
daz mir bî allen mînen man
sô frevelich hie ist getân.«

Sus was der keiser unfrô.
den lîchamen hiez er dô
schône ûf eine bâre legen.
die naht hiez er obe dem degen
wachen, als wir noch site haben.

17. Verwandten.
18. Schandtat.

des morgens wart er begraben
mit vil grôzen êren.
dar nâch hiez er die hêren
alle hin ze hove laden.
dô klagete er den grôzen schaden
beide armen unde rîchen,
daz in sô lasterlîchen
Ernest der herzoge
hæte gesuochet dâ ze hove
und der grâve Wetzel sîn man,
daz sie im hæten getân
sô grôz laster unde schaden,
des er sich nimmer kunde entladen[19]
die wîle und er mohte leben:
er kunde im nimmer mêr vergeben
die schulde umb sînes neven tôt.
noch wære diz ein grœzer nôt,
sie heten im nâch den lîp benomen:
wær er niht in ein kappellen komen,
sô hæte er den lîp verlorn.
»helde, lât iu wesen zorn
daz er iuch und daz rîche
sô rehte lasterlîche
bediu alle hât geschant.«
dô verteilten si im zehant,
dô sie in muosen vêhen[20],
beide eigen unde lêhen,
dar zuo gar sîn erbe.
»swie man in verderbe,
des habet ir, herre, michel reht«,
sprach dâ vil manic kneht.
»er hât verdienet wol die nôt.«
der keiser über in gebôt
sîn âhte und über die sîne.

19. befreien.
20. befehden.

ê daz man in von Rîne
von dem hove scheiden sach,
ein hervart der fürste sprach
in des herzogen lant.
diu wart geboten zehant
den die ze werke tohten[21]
und schilt getragen mohten,
er wære junc oder alt.
vil manigen helt balt
gwan er ze tiutschem lande,
der guoten wîgande
drîzic tûsent unde mêr.
ouch fuoren dô die fürsten hêr
mit vil guoten knehten
die wol getorsten vehten
und ze flîze[22] wâren gar.
dô hiez er wîsen die schar
mit sînem vanen an der hant
ze Beiern in des fürsten lant
durch des herzogen haz.
Regensburc er besaz
und lac dâ vor mit gewalt.
des vil manic helt balt
den tôt muost dô kiesen
und sînen lîp verliesen.

2

Dô diu rede was ergân,
diu frowe zehant dar gewan
die fürsten alle gelîche
und sagete in tougenlîche
von ir sune diu mære,
daz er komen wære

21. die waffenfähig waren.
22. im Kampfeifer.

ûf ir aller gnâde dar:
daz sie ir bete næmen war
und daz durch got tæten
und den keiser umbe in bæten
daz er im lieze sîne hulde
und ime vergæbe sîne schulde,
daz si inz bevolhen[23] liezen sîn.
do gelobten sie der künigîn
daz sie sich durch den werden degen
wolden alles des verwegen
gewaldes[24] des sie möhten hân.
er müese im die hulde lân
oder verzîhn vil übellîch.
daz lobtens alle gelîch.
des was diu küniginne frô.
der keiser garte[25] sich dô
in sîn küniclîch gewant.
die fürsten kâmen alzehant
in daz münster frône.
der keiser under krône
bî der küniginnen stuont,
als sie ze hôchgezîte[26] tuont.
ein bischof vor in messe sanc.
von liuten vil grôz gedranc
in dem wîten münster was.
do man daz êwangeljum gelas,
der bischof trat ûf den lector[27]
und sagt der kristenheite vor
die süezen gotes lêre.
dise ensûmten sich niht mêre:
sie kâmen wullen und barfuoz.

23. *anbefohlen.*
24. *Einfluß.*
25. *kleidete.*
26. *Fest.*
27. *Lesepult.*

sie vielen dem künige an sînen fuoz:
sîner gnâden sie in bâten.
die fürsten dar zuo trâten
und manten in sunderlîchen
daz er durch got den rîchen
und durch sîne marter hêre
und durch des heiligen tages êre
in sîn hulde lieze hân.
»swaz er mir nu hât getân,
hæte er mir genomen mîn leben,
daz sî im durch got vergeben.
ich wil michs gên im begeben.«
niht erkande er den degen:
er rihte in ûf zuo der stunt
und kuste in an sînen munt.
des gnâdet[28] er im tugentlîch.
do erkande in der fürste rîch,
do er im under ougen sach.
ez gerou in deiz geschach.
als er in erblihte,
der keiser nider nihte:
er wolde im niht sprechen zuo.
die fürsten riefen alle duo
»herre her keiser rîche,
daz ir sô offenlîche
vor dem rîche habt getân,
daz sult ir billîch stæte lân:
ir liezetz durch uns und durch got.
ir welt iu selbe grôzen spot
machen swenne ir alsô tuot.«
»nu ez iuch herren dunket guot
und ir sîn gnâde wellet hân,
sô wil ich mînen zorn lân
und wil im immer wesen holt.«

28. dankt(e).

er gap im silber unde golt
und ergazte[29] in frümeclîche[30].
die fürsten gemeinlîche
verzigen ir schaden ûf in dô
und wâren sîner künfte frô.

Dô man die messe dâ gesanc,
umbe in wart vil grôz gedranc
von allen den hêren.
die enphiengen in mit êren
und bâten in willekomen sîn.
sîn muoter diu künigîn
was des sunes von herzen frô.
der keiser in frâgte dô
wa sîn wunderlîch gesinde wære.
dô sagte im der fürste mære
»[ez ist] ze Beiern in dem lande.«
der keiser boten sande
die tac und naht gâhten
unz sie ez allez brâhten
ze hove vür den keiser rîch.
ez dûhte vil wunderlîch
alle diez gesâhen.
mit gelîchem munt sie jâhen
si gesæhen nie niht solhes mêre.
dô bat im der keiser hêre
ein teil sîner wunder geben.
dô begunde er widerstreben,
wan er tet ez ungerne.
doch liez er im den Einsterne[31]
und dem diu ôren wârn sô lanc
und der selbe vil wol sanc
und einz der kleinen liutelîn.

29. entschädigte.
30. reichlich, gut.
31. Einäugigen.

mit den andern muose er selbe sîn,
und den grôzen Gîgant
brâht er ze Beiern in daz lant:
des wolde er nieman lâzen phlegen.
der keiser behielt dô den degen
bî im wol bî zwelf tagen,
daz er im allez muose sagen
diu manicvalden wunder[32]
und wa er gewan diu kunder[33],
daz er niht dar an vergaz,
daz er nie an daz gerihte saz
noch ûz sîner kemenâten kam,
unz er diu wunder von im vernam.
dô liez ers niht belîben,
der keiser hiez dô schrîben
war umbe und wie er in vertreip
und wie lange er in dem lande bleip
und wier hin fuor und wider kam.
swer disiu mære von im vernam,
der muose weinen alzehant.
dô liez er allez sîn lant
wider dem fürsten hêren.
sît gesaz mit grôzen êren
bî sînem erbe der ziere degen.
er begunde hêrlîche phlegen
sîner manne und sîner lande,
gelîche einem wîgande,
daz er gap unde lêch[34].
der keiser in niht verzêch
unze er was rîche als ê:
es wart niht min, es wurde mê.
er hâte in liep unz an den tôt:
alsô übrwant er sîne nôt.

32. Abenteuer.
33. seltsamen Lebewesen.
34. Lehen.

EILHART VON OBERG

Tristrant und Isolde

Das Dorf Oberg bei Braunschweig war der Sitz des Ministerialengeschlechts, aus dem Eilhart stammt; er hat in der 2. Hälfte des 12. Jahrhunderts gelebt.

Das Epos ist wohl kaum in der welfisch-bayrischen Umgebung Heinrichs des Löwen entstanden, mutmaßlich aber am Niederrhein, in der Nähe Veldekes. Um 1170/80 dichtete Eilhart seinen »Tristrant und Isolde«, in Haltung, Stil und Form eines der wichtigsten frühhöfischen Epen vor Veldekes »Eneit«. Das Original seines Textes ist in drei Handschriftenfragmenten (etwa 1000 Verse) aus dem späten 12. und frühen 13. Jahrhundert überliefert; für die Fortsetzer von Gottfrieds »Tristan« (Ulrich von Türheim und Heinrich von Freiberg) diente Eilharts Epos als Vorlage bis ins späte Mittelalter (Hans Sachs, 1553). Vorlage war für Eilhart die »Tristan«-Dichtung des Franzosen Bérol, die er mit zahlreichen Episodenreihungen ausweitet.
Für seinen Oheim Marke von Kornwall wirbt Tristrant um die Hand Isoldes von Irland. Durch den Zauber eines Liebestranks entsteht eine als unheilvoll und böse empfundene Leidenschaft zu Isolde. Die heimliche Verbindung muß in zahllosen Abenteuern und Gefahren mit List gegen König Marke und den Hof gehütet werden. Dann geht Tristrant mit Isolde-Weißhand eine Ehe ein, findet aber darin kein Glück. Im Tod sind schließlich Tristrant und die »blonde« Isolde miteinander vereint.
Nicht die ideell-psychologische Vertiefung des Stoffes, wie bei Gottfried von Straßburg, sondern die Reihung von Episoden und Details, die Aufbereitung von in der Zeit gängigen Vorstellungen und Denkweisen zeichnet Eilharts Epos aus. Das wird besonders deutlich in der Auffassung von Minne, die als magische, zwanghafte Kraft erfahren wird. Der

Zaubertrank ist nur insofern Rechtfertigung für Tristrants unsinniges Verhalten, als er geradezu zwanghaft und lebensbedrohend mit seinen magischen Kräften auf die Liebenden direkt einwirkt, sie willenlos und marionettenhaft aneinander ausliefert. (Vgl. S. 302–309 die Parallelstelle bei Gottfried.)

Der Minnetrank

Tristrant dô schîre begunde
gân zu sîner vrauwin.
he wolde hôren unde schauwin,
ab sie noch varin torste[1].
do begunde in sêre dorsten
und hîz sich ein trinken gebin.
dô was der schenke achtir wegin[2].
dô sprach ein hobisch juncfrauwelîn:
»ich wêne, hêre, hie steit wîn.«
her hîz on[3] im reichin.
daz was ein bôse zeichin!
den trang sie ime brâchte.
vil wênig her gedâchte,
daz her im bôse wêre;
her trang in sundir swêre:
dô dûchte im der wîn gût.
sîner frauwin her in ouch bôt.
alsô schîre sie in trang,
dô dûchte sie beide sundir wang
sie verlorin alle ire sinne:
sie musten ein ander minne.
do en wuste irer kein nît,
daz he dem andern was sô lîp
wordin in sô korzin stundin,

1. *wollte.*
2. *weggegangen.*
3. *ihn.*

eir[4] sie ez dar nâ bevundin.
Si wordin beide tougin
zu hand undir den ougin
beide bleich unde rôt.
ir ieglîch wênde den tôt
von dem andern gewinnen:
sô grôz was die minne
undir in âne iren dang[5];
daz hâte gemachit der trang.
die vrawe sich schemen begunde,
dô sie in sô korzin stundin
liebte Tristranden.
ouch was he sêre bevangin
in gar grôzem leide.
des gewunnen sie beide
harde grôze swêre,
mêr wen[6] sie gewone wêrin:
sie wordin heiz unde kalt,
ir angesicht[7] was manchvalt
und daz gischen[8], daz sie tâten.
grôze sorge sie hâten
iegelîchez von der scholt[9],
daz ez dem andern was holt,
unde sie enwisten,
von welchen listen
daz daz ander sô qual
und ez niene vorhal.
sus wârin sie schîre vorgangin.
do en mochte vor getwange[10]
Tristrant dâr nicht belîben mêr.

4. *noch bevor.*
5. *gegen ihren Willen.*
6. *als.*
7. *Anschauen.*
8. *Seufzen.*
9. *deswegen.*
10. *Bedrängnis.*

sie hâtin beide herzesêr.
nedir sie sich legetin;
zu nîman sie redeten.
wâ von sie beide quâlen,
sêre sie daz hâlen[11].
Dô ledin sie grôz ungemach
beide tag und ouch die nacht,
Tristrant und die vrauwe sîn.
»owê, lîber trechtîn«,
sprach dô die juncfrauwe,
»waz ich grôze rûwe
inwendig in mîme herzen hân
umme den leiden lîben man!
ach, wie torste ich sprechin sô?
jâ bin ich inniglîchen vrô,
ab he mir lîp wil wesin.
âne in mag ich nicht genesin:
he nimet mir ezzin unde trang,
ich werde schîre alsô crang,
daz ich vorlîsen mûz den lîp.
waz sal ich armez sundig wîp?
ich vorchte, daz he nicht rûche mîn[12]:
wie mag ich im denne holt sîn?
holt? war umme spreche ich daz?
wie mochte ich im sîn gehaz
adir ummirmêre gram werdin?
zwischin himil unde erdin
en mag nichein bezzir lebin.
he ist ein vil kûner degin;
daz hât he dicke schîn getân.
he tar wol eine bestân[13],
swaz ein helt tûn sol.
ich erkenne sîne togent wol:

11. verbargen.
12. mich beachtet.
13. er vermag wohl allein zu leisten.

he ist bedirwe unde gût,
schône unde wol gemût,
wârhaft unde wol gezogin,
sîner sinne unbetrogin[14],
he wirbet gerne umme êre.
waz sal he denne tûn mêre?
he ist der sterkeste man,
den î vrauwin lîp gewan,
reiner togende vullenkomen:
wen[15] ich daz dicke habe vornomen,
des ist im mîn herze holt.
he ist lûter vor andir volc,
alse daz golt ist vor daz blî.
ab he mir icht lîp sî?
jâ, dorch sîne vromigkeit[16]
ist he mir lîp âne leit.

Hêre got, wie ist mir sô geschên,
sô dicke und[17] ich in habe gesên,
daz her mich dunket sô gût?
ôwê, herze unde mût,
wan[18] wolt ir von im kêren?«
›wer sol uns daz nû lêren?‹
»ich rede ez ungerne.«
›wir en turren ez nicht lernen.‹
»war umme?« ›uns hât die minne
gelêret solche sinne,
daz wir an in gedenken:
nu en turre wir sie nicht krenken
mit deheiner slachte sinne.‹
»jâ hât mich die minne

14. sehr klug.
15. da.
16. Vortrefflichkeit.
17. wie.
18. warum nicht (vgl. Anm. 15).

alsus harte bestân.
des en hâte ich nî keinen wân[19],
daz sie tête alsô rechte wê.
wes entgelde ich arme wedir sê,
daz sie mir sô wê tût?
von ir mir liep unde gût
dicke vil gesaget is:
jâ was ich arme des gewis,
daz sie sanfte und sûze wêre.
nu is sie mir leidir wordin swêre
unde als ein ezzich sûr.
ôwê, frauwe Amûr,
wan wirst dû mir sûze,
daz ich dich loben mûze?
Cupîdô«, sprach sie, »der minne got,
habe ich ergin dîn gebot
mit ichte î missehaldin[20]
und habe ich arme Îsalde
icht wedir dich getân,
daz ich vormedin solde hân,
daz hâstû an mir wol gerochin.
mîn herze ist mir zubrochin
vil nâ von dîner schulde:
du en gibest[21] mir dîn hulde,
sô en mag ich nicht genesin.
wiltû mir ungenêdig wesin,
sô mêret sich mîn unheil.
Minne, nû senfte mir ein teil,
daz ich dich moge irlîden!
dû bist nicht allen wîben
als ungenêdig als mir.
waz habe ich î getân dir?

19. *Ahnung.*
20. *mit irgend etwas je schlecht eingehalten.*
21. *wenn du mir nicht schenkst.*

HARTMANN VON AUE

Der arme Heinrich (Auszug)

Die Epik der ritterlich-höfischen Blütezeit war Nachbildung der französischen Artus-Epik, insbesondere der Epik Chrestiens de Troyes, die für die gesamte Zeit Autorität und Vorbild blieb. Hartmann von Aue ist darin keine Ausnahme; sein »Erec« wird das erste deutsche Artus-Epos und noch der »Iwein« orientiert sich an Chrestien. Zwischen diesen beiden Werken jedoch hat Hartmann im »Gregorius« und besonders im »Armen Heinrich« dem vorgegebenen Handlungs- und Haltungsschema durch die Problematisierung der Gott-Welt-Frage neue Dimensionen eröffnet: Die Artus-Epik wird zur Problemdichtung, zur »gegenhöfischen« Epik.

Heinrich von Aue (!) lebt in Reichtum und Sicherheit. Als er vom Aussatz befallen wird, zieht er sich aus der Welt auf den Hof eines Pächters zurück. Nach Auskunft der Ärzte kann nur das Herzblut einer freiwillig sich opfernden reinen Jungfrau ihn heilen. Die Tochter des Pächters ist zu diesem Opfer bereit. Ihre Gründe offenbart sie in einem großen Monolog den Eltern: Weltentsagung, um das ewige Heil im Himmel zu erwerben, Jenseitslust und maßloser Drang zur Selbstaufgabe. So zeigt das Mädchen die Gegenposition zur Schuld Heinrichs: er lebte fragenlos in einer diesseitsbestimmten Welt, aber ihm fehlte gotes hulde. *Sie macht sich in ihrem Erwählungsfanatismus der superbia schuldig. Heinrich nimmt schließlich das Opfer an, beide reisen zu einem Arzt nach Salerno (Text). Als das Mädchen auf dem Operationstisch liegt, erkennt Heinrich seine Situation und seine Bereitschaft zum eigenen Tod. Er verhindert das Opfer des Mädchens, kehrt mit ihr zurück, heiratet sie und lebt nun in* gotes hulde *und im wahren Glück. Gott belohnt die Einsicht des Ritters und des Mädchens auch materiell, nachdem beide aus eigener Einsicht die Bewährung im Diesseits als wahre Aufgabe rechten Lebens erkannt haben. Darin liegt die deutliche Abkehr von der unreflektierten Diesseitsbejahung, wie sie in der höfischen Artus-Epik gefeiert wurde. »Denn anders als im ›Erec‹, im ›Iwein‹ und im ›Gregorius‹ versagt hier nicht einer in der höfischen Welt, sondern in ihm versagt die höfische Welt« (Wapnewski: »Hartmann von Aue«, S. 97).*

Sus vuor engegen Salerne
vrœlich unde gerne
diu maget mit ir herren.
waz möhte ir nû gewerren
wan daz der wec sô verre was
daz sî sô lange genas?
und dô er sî vol brâhte
hin als er gedâhte
und dâ er sînen meister vant,
dô wart ime dâ zehant
vil vrœlîchen gesaget,
er hæte brâht eine maget
die er in gewinnen hiez.
dar zuo er in si sehen liez.
daz dûhte in ungelouplich.
er sprach: »kint, hâstû dich
disses willen selbe bedâht
oder bistû ûf die rede brâht
von bete oder dînes herren drô?«
diu maget antwurte im alsô.
daz sî die selben ræte
von ir selber herzen tæte.

Des nam in michel wunder
und vuorte sî besunder
und beswuor sî vil verre,
ob ir iht ir herre
die rede hæte ûz erdrôt.

er sprach: »kint, dir ist nôt
daz dû dich bedenkest baz,
und sage dir rehte umbe waz:
ob dû den tôt lîden muost
unde daz niht gerne tuost,
sô ist dîn junger lîp tôt
unde vrumet uns niht ein brôt.
nu enhil mich dînes willen niht!
ich sage dir wie dir geschiht:
ich ziuhe dich ûz, sô stâstû blôz,
und wirt dîn schame harte grôz
die dû von schulden danne hâst,
sô dû nacket vor mir stâst.
ich binde dir bein und arme.
ob dich dîn lîp erbarme,
so bedenke disen smerzen:
ich snîde dich zem herzen
und brichez lebende ûz dir.
vröuwelîn, nû sage mir,
wie dîn muot dar umbe stê.
ezn geschach nie kinde alsô wê
als dir muoz von mir geschehen.
daz ich ez tuon sol unde sehen,
dâ hân ich michel angest zuo.
sich wie ez dînem lîbe tuo:
geriuwet ez dich eins hâres breit,
sô hân ich mîn arbeit
unde dû den lîp verlorn.«
vil tiure wart sî aber besworn,
sine erkande sich vil stæte,
daz sî sichs abe tæte.

Diu maget lachende sprach,
(wan sî sich des wol versach,
ir hülfe des tages der tôt
ûz werltlîcher nôt):

»got lône iu, lieber herre,
daz ir mir alsô verre
hât die wârheit gesaget.
entriuwen ich bin ein teil verzaget:
mir ist ein zwîvel geschehen.
ich wil iu rehte bejehen,
wie der zwîfel ist getân
den ich nû gewunnen hân.
ich vürhte daz unser arbeit
gar von iuwer zageheit
under wegen belîbe.
iuwer rede gezæme einem wîbe,
ir sît eines hasen genôz.
iuwer angest ist ze grôz
dar umbe daz ich ersterben sol.
deiswâr ir handelt ez niht wol
mit iuwer grôzen meisterschaft.
ich bin ein wîp und hân die kraft:
geturret ir mich snîden,
ich tar ez wol erlîden.
die ängestlîche arbeit
die ir mir vor hât geseit,
die hân ich âne iuch wol vernomen.
zewâre ich enwære her niht komen,
wan daz ich mich weste
des muotes alsô veste
daz ich ez wol mac dulden.
mir ist bî iuwern hulden
diu brœde varwe gar benomen
und ein muot alsô vester komen
daz ich als ängestlîchen stân,
als ich ze tanze sül gân.
wan dehein nôt sô grôz ist
diu sich in eines tages vrist
an mînem lîbe geenden mac,
mich endunke daz der eine tac

genuoc tiure sî gegeben
umbe daz êwige leben
daz dâ niemer zegât.
iu enmac, als mîn muot stât,
an mir niht gewerren.
getrûwet ir mînem herren
sînen gesunt wider geben
und mir daz êwige leben,
durch got daz tuot enzît!
lât sehen welch meister ir sît!
mich reizet vaste dar zuo.
ich weiz wol durch wen ichz tuo.
in des namen ez geschehen sol,
der erkennet dienest harte wol
und lât sîn ungelônet niht.
ich weiz wol daz er selbe giht,
swer grôzen dienest leiste,
des lôn sî ouch der meiste.
dâ von sol ich disen tôt
hân vür eine süeze nôt
nâch sus gewissem lône.
lieze ich die himelkrône,
sô hæte ich álwæren sin:
wan ich doch lîhtes künnes bin.«

Nu vernam er daz sî wære
genuoc unwandelbære
und vuorte sî wider dan
hin zuo dem siechen man
und sprach zuo ir herren:
»uns enmac niht gewerren,
iuwer maget ensî vollen guot.
nû habet vrœlîchen muot:
ich mache iuch schiere gesunt.«
hin vuorte er sî anderstunt
in sîn heimlich gemach,

dâ ez ir herre niht ensach,
und beslôz im vor die tür
und warf einen rigel vür:
er enwolte in niht sehen lân
wie ir ende solte ergân.
in einer kemenâten
die er vil wol berâten
mit guoter arzenîe vant
hiez er die maget dâ zehant
abe ziehen diu kleit.
des was sî vrô und gemeit:
si zarte diu kleider in der nât.
schiere stuont sî âne wât
und wart nacket unde blôz:
sî enschamte sich niht eins hâres grôz.

Dô si der meister ane sach,
in sînem herzen er des jach
daz schœner crêâtiure
al der werlte wære tiure.
sô gar erbarmete sî in
daz im daz herze und der sin
vil nâch was dar an verzaget.
nû ersach diu guote maget
einen hôhen tisch dâ stân:
dâ hiez er sî ûf gân.
dar ûf er sî vil vaste bant
und begunde nemen in die hant
ein scharphez mezzer daz dâ lac,
des er ze solhen dingen phlac.
ez was lanc unde breit,
wan daz ez sô wol niht ensneit
als im wære liep gewesen.
dô sî niht solte genesen,
dô erbarmete in ir nôt
und wolte ir sanfte tuon den tôt.

Nû lac dâ bî im ein
harte guot wetzestein.
da begunde erz ane strîchen
harte müezeclîchen,
dâ bî wetzen. daz erhôrte,
der ir vreude stôrte,
der arme Heinrich hin vür
dâ er stuont vor der tür,
und erbarmete in vil sêre
daz er si niemer mêre
lebende solte gesehen.
nu begunde er suochen unde spehen,
unze daz er durch die want
ein loch gânde vant,
und ersach sî durch die schrunden
nacket und gebunden.
ir lîp der was vil minneclich.
nû sach er sî an unde sich
und gewan einen niuwen muot:
in dûhte dô daz niht guot
des er ê gedâht hâte
und verkêrte vil drâte
sîn altez gemüete
in eine niuwe güete.

Nû er sî alsô schœne sach,
wider sich selben er dô sprach:
»dû hâst einen tumben gedanc
daz dû sunder sînen danc
gerst ze lebenne einen tac
wider den nieman niht enmac.
du enweist ouch rehte waz dû tuost,
sît dû benamen ersterben muost,
daz dû diz lasterlîche leben
daz dir got hât gegeben
niht vil williclîchen treist

und ouch dar zuo niht enweist
ob dich des kindes tôt ernert.
swaz dir got hât beschert,
daz lâ allez geschehen!
ich enwil des kindes tôt niht sehen.«

Des bewac er sich zehant
und begunde bôzen an die want:
er hiez sich lâzen dar in.
der meister sprach: »ich enbin
nû niht müezic dar zuo
daz ich iu iht ûf tuo.«
»nein, meister, gesprechet mich.«
»herre, jâ enmac ich.
beitet unz daz diz ergê.«
»nein, meister, sprechet mich ê.«
»nû saget mirz her durch die want.«
»ja enist ez niht alsô gewant.«
zehant liez er in dar in.
dô gienc der arme Heinrich hin
dâ er die maget gebunden sach.
zuo dem meister er dô sprach:
»diz kint ist alsô wünneclich:
zewâre jâ enmac ich
sînen tôt niht gesehen.
gotes wille müeze an mir geschehen!
wir suln sî wider ûf lân.
als ich mit iu gedinget hân,
daz selbe guot wil ich iu geben.
ir sult die maget lâzen leben.«
daz hôrte vil gerne
der meister von Salerne
und volgete im zehant.
die maget er wider ûf bant.

Dô diu maget rehte ersach
daz ir ze sterbenne niht geschach,

dâ was ir muot beswæret mite.
sî brach ir zuht und ir site.
sî hete leides genuoc:
zuo den brüsten sî sich sluoc.
sî zarte unde roufte sich.
ir gebærde wart sô jæmerlich
daz sî nieman hæte gesehen,
im enwære ze weinenne geschehen.
vil bitterlîchen sî schrê:
»wê mir vil armen und ouwê!
wie sol ez mir nû ergân,
muoz ich alsus verlorn hân
die rîchen himelkrône?
diu wære mir ze lône
gegeben umbe dise nôt.
nû bin ich alrêst tôt.
ouwê, gewaltiger Krist,
waz êren uns benomen ist,
mînem herren unde mir!
nû enbirt er und ich enbir
der êren der uns was gedâht.
ob diz wære volbrâht,
sô wære im der lîp genesen,
und müese ich iemer sælic wesen.«

Sus bat si genuoc umbe den tôt.
do enwart ir nie dar nâch sô nôt,
sî enverlüre gar ir bete.
dô nieman durch sî niht entete,
dô huop sî ein schelten.
sî sprach: »ich muoz engelten
mînes herren zageheit.
mir hânt die liute misseseit:
daz hân ich selbe wol ersehen.
ich hôrte ie die liute jehen,
ir wæret biderbe unde guot

und hætet vesten mannes muot:
sô helfe mir got, sî hânt gelogen.
diu werlt was ie an iu betrogen:
ir wâret alle iuwer tage
und sît noch ein werltzage.
des nim ich wol dâ bî war:
daz ich doch lîden getar,
daz enturret ir niht dulden.
herre, von welhen schulden
erschrâket ir dô man mich bant?
ez was doch ein dickiu want
enzwischen iu unde mir.
herre mîn, geturret ir
einen vremeden tôt niht vertragen?
ich wil iu geheizen unde sagen
daz iu nieman niht entuot,
und ist iu nütze unde guot.
ob irz durch iuwer triuwe lât,
daz ist ein vil swacher rât
des iu got niht lônen wil,
wan der triuwen ist ze vil.«

Swie vil sî vlüeche unde bete
und ouch scheltens getete,
daz enmohte ir niht vrum wesen:
sî muose iedoch genesen.
swaz dô scheltens ergienc,
der arme Heinrich ez emphienc
tugentlîchen unde wol,
als ein vrumer ritter sol
dem schœner zühte niht gebrast.
dô der gnâdelôse gast
sîne maget wider kleite
und den arzât bereite
als er gedinget hâte,
dô vuor er alsô drâte

wider heim ze lande.
swie wol er dô erkande
daz er dâ heime vunde
mit gemeinem munde
niuwan laster unde spot,
daz liez er allez an got.

Nibelungenlied (39. Aventiure)

Seit Generationen forschen Philologen und Literaturwissenschaftler nach den Fundamenten, auf denen dieses anonyme Heldenepos aus ritterlich-höfischer Zeit steht. Sicher ist, daß ältere germanische Heldenlieder, Sagenstoffe und Geschichtsereignisse aus der Zeit der Völkerwanderung um 400 in verschiedener Schichtung sich nachweisen lassen. Von den 32 erhaltenen Handschriften sind 10 vollständig; und sie verweisen auf verschiedene Entstehungsstufen und Bearbeiter zwischen 1150 und 1200.
So wenig wie auf die Probleme der vielschichtigen Stoffgeschichte ist auch auf die Frage bisher eine Antwort gefunden worden, warum gerade zur Blütezeit der höfischen Artus-Epik ein alter germanischer Stoff neu gestaltet und in höfischer Manier aktualisiert wurde. In diesem keineswegs als gelungen zu bezeichnenden Adaptionsversuch, in der nur mühsam geleisteten Stilisierung elementarer Motiv- und Handlungsketten zeigt sich, wie wenig höfisch-ideale Selbststilisierung Realitäten verschleiern konnte. Hier ist kaum eine Spur von seelischer Selbstbespiegelung, von Minne- und Standesreflexion, von charakterlich-moralischer Selbstverwirklichung zu finden, wie sie für die große Problem-Epik der Zeit charakteristisch waren. Statt dessen findet sich eine bestenfalls frühhöfische Vorstellungswelt; eine höhepunktlose Reihung von Szenen und Handlungen, in denen Helden schneller mit dem Schwert als mit dem Wort sich äußern, in

denen Frauen schneller mit List und Rache zur Hand sind als mit huldvoller Gewährung in höfischer Zucht. Ritterliche Idealität und geschichtliche Realität der Zeit um 1200 werden im »Nibelungenlied« schlaglichtartig erhellt, der Abgrund zwischen Ideal und Wirklichkeit wird deutlicher als in jeder anderen epischen Dichtung der Zeit.
Das Textbeispiel bringt die 39. Aventiure mit ihrer radikal unhöfischen Problemlösung: Kriemhilds Rache und Tod.

39. Âventiure
Wie her Dietrich mit Gunther und mit Hagene streit

Dô suochtẹ der herre Dietrich selbe sîn gewant.
im half, daz er sich wâfent, meister Hildebrant.
dô klagetẹ alsô sêre der kréftége man,
daz daz hûs erdiezen[1] von sîner stímmé began.

Dô gewan er widere rehten heldes muot.
in grimme wart gewâfent dô der helt guot.
einen schilt vil vesten nam er an die hant.
si giengen balde dannen, er unde meister Hildebrant.

Dô sprach von Tronege Hagene: »ich sihe dort her gân
den herren Dietrîchen, der wil uns bestân[2]
nâch sînem starken leide, daz im ist hie geschehen.
man sol daz hiute kiesen, wem man des besten müge jehen.

Jane[3] dúnket sich von Berne der herre Dietrîch
nie sô starc des lîbes und ouch sô gremelîch,
und wil erz an uns rechen, daz im ist getân«,
alsô redete Hagene, »ich tar in eine wol bestân.«

1. *erbeben.*
2. *gegen uns kämpfen.*
3. *wahrhaftig.*

Dise rede hôrte Dietrich und Hildebrant.
er kom dâ er die recken beide stênde vant
ûzen vor dem hûse, geleinet an den sal[4].
sînen schilt den guoten den sazte Dietrîch zetal[5].

In leitlîchen sorgen sprach dô Dietrîch:
»wie habt ir sô geworben, Gunther, künec rîch,
wíder mich éllénden[6]? waz het ich iu getân?
alles mînes trôstes des bin ich éiné bestân.

Iuch endûhte niht der volle an der grôzen nôt,
dô ir uns Rüedegêren den helt sluoget tôt.
nu habet ir mir erbunnen aller mîner man.
jane hét ích iu helden solher leide niht getân.

Gedenket an iuch selben unde an iuwer leit,
tôt der iuwern friunde und ouch diu arbeit,
ob ez iu guoten recken beswæret iht den muot.
owê wie rehtę unsanfte mir tôt der Rüedegêres tuot!

Ez geschách ze dirre werlde nie leider manne mêr.
ir gedâhtet übele an mîn und iuwer sêr[7].
swaz ich freuden hête, diu lît von iu erslagen.
jane kán ich nimmer mêre die mîne mâgé verklagen.«

»Jane sîn wir niht sô schuldec«, sprach dô Hagene.
»ez giengen zuo disem hûse iuwer degene,
gewâfent wol ze vlîze, mit einer schar sô breit.
mich dunket daz diu mære iu niht rehte sîn geseit.«

»Waz sol ich gelouben mêre? mir seitez Hildebrant.
dô mîne recken gerten von Amelunge lant
daz ir in Rüedegêren gæbet ûz dem sal,
dô bütet ir niwan spotten den küenen helden her zetal.«

4. gegen die Wand des Saales gelehnt.
5. zu Boden.
6. Verbannten.
7. Leid.

Dô sprach der künec von Rîne: »si jâhen[8] wolden tragen
Rüedegêren hinnen, den hiez ich in versagen
Etzeln ze leide, und niht den dînen man,
únz dâz dô Wolfhart dar umbe schéltén began.«

Dô sprach der helt von Berne: »ez muosę et alsô sîn.
Gunther, künec edele, durch die zühte dîn
ergetze mich der leide, die mir vón dir sínt geschehen,
und süenę ez, ritter küene, daz ich des künne dir gejehen.

Ergip dich mir ze gîsel, du und ouch dîn man!
sô wil ich behüeten, so ịch áller beste kan,
daz dir hie zen[9] Hiunen niemen níht entuot.
dune sólt an mir niht vinden niwan triuwę unde guot.«

»Daz enwélle[10] got von himele«, sprach dô Hagene,
»daz sich dir ergæben zwêne degene,
die noch sô werlîche gewâfent gegen dir stânt
und noch sô ledeclîche[11] vor ir vîánden gânt.«

»Ir ensúlt ez niht versprechen«, sô redete Dietrich,
»Gunther unde Hagene. ir habt beide mich
sô sêré beswæret, daz herzę und ouch den muot,
welt ir mich ergetzen, daz irz vil billîchen tuot.

Ich gibę iu mîne triuwe und sicherlîche hant,
daz ich mit iu rîte heim in iuwer lant.
ich leitę iuch nâch den êren oder ich gelige tôt,
und wil durch iuch vergezzen der mînen grœzlîchen nôt.«

»Nune múotet sîn niht mêre«, sprach aber Hagene.
»von uns enzimt daz mære niht wol ze sagene,
daz sich iu ergæben zwênę álsô küene man.
nu siht man bî iu niemen wan eine Hildebranden stân.«

8. *sie sagten, daß sie.*
9. *bei den.*
10. *möge verhüten.*
11. *frei.*

Dô sprach meister Hildebrant: »got weiz, her Hagene,
der iu den fride biutet mit iu ze tragene,
ez kumt noch an die stunde daz ir in möhtet nemen.
die suone mînes herren[12] möht ir iu lâzén gezemen.«

»Jâ næmẹ ich ê die suone«, sprach aber Hagene,
»ê ich sô lasterlîche ûz einem gademe[13]
flühe, meister Hildebrant, als ir hie habt getân.
ich wânde daz ir kundet baz gein vîánden stân.«

Des antwurte Hildebrant: »zwiu verwîzet ir mir daz?
nu wer wás der ûf einem schilde vor dem Wáskensteine saz,
dô im von Spânje Walther sô vil der friunde sluoc?
ouch habt ir noch ze zeigen an iu sélbén genuoc.«

Dô sprach der herre Dietrich: »daz enzímt niht helde lîp,
dáz sí suln schelten sam diu alten wîp.
ich verbiutẹ iu, Hildebrant, daz ir iht sprechet mêr.
mich ellenden recken twingent grœzlîchiu sêr[14].

Lât hœrén«, sprach Díetrich, »recke Hagene,
waz ir beide sprâchet, snelle degene,
dô ir mich gewâfent zuo iu sâhet gân?
ir jâhet daz ir eine mit strîte woldet mich bestân.«

»Jane lóugent[15] iu des niemen«, sprach Hagene der degen,
»ine wéllez hie versuochen mit den starken slegen,
ez ensî daz mir zebreste daz Nibelunges swert.
mir ịst zórn daz unser beider hie ze gîsel ist gegert.«

Dô Dietrîch gehôrte den grimmen Hagenen muot,
den schilt vil balde zuhte der snelle degen guot.
wie balde gein im Hagene von der stiege spranc!
Níbelunges swért daz guote vil lûtẹ ûf Dietrîche erklanc.

12. die Sühne, die euch mein Herr vorschlägt.
13. Saal.
14. Sorge.
15. abstreitet.

Dô wesse wol her Dietrich daz der küene man
vil grimmes muotes wære. schermen im began
der hérré von Berne vor angestlîchen[16] slegen.
wol erkandę er Hagenen, den vil zíerlîchen[17] degen.

Ouch vorhtę er Balmungen, ein wâfen starc genuoc.
underwîlen Dietrich mit listen wider sluoc,
únz dáz er Hagenen mit strîte doch betwanc.
er sluoc im eine wunden, diu was tíef únde lanc.

Dô dâhtę der herre Dietrich: »du bist in nôt erwigen[18].
ich hâns lützel êre, soltu tôt vor mir geligen.
ich wil ez sus versuochen, ob ich ertwingen kan
dich mir zę einem gîsel.« daz wart mit sórgén getân.

Den schilt liez er vallen. sîn sterke diu was grôz.
Hagenen von Tronege mit armen er beslôz.
des wart dô betwungen von im der küene man.
Gúnthér der edele dar umbe trûrén began.

Hagenen bant dô Dietrich und fuortę in, dâ er vant
die edeln küneginne, und gap ir bî der hant
den kǘenésten recken der ie swert getruoc.
nâch ir vil starkem leide dô wart si vrœlîch genuoc.

Vor liebe[19] neic dem degene daz Etzelen wîp:
»immer sî dir sælec[20] dîn herzę und ouch dîn lîp.
du hâst mich wol ergetzet aller mîner nôt.
daz sol ich immer dienen, mich ensûmés der tôt.«

Dô sprach der herre Dietrich: »ir sult in lân genesen,
edeliu küneginne. und mac daz noch gewesen,
wie wol er iuch ergetzet daz er iu hât getân!
er ensól des niht engelten, daz ir in seht gebunden stân.«

16. gefährlichen.
17. herrlichen.
18. erschöpft.
19. Freude.
20. voll Glück.

Dô hiez si Hagenen füeren an sîn ungemach,
dâ er lac beslozzen unt dâ in niemen sach.
Gúnther der kűnec edele rüefen dô began:
»war kom[21] der helt von Berne? der hât mir léidé getân.«

Dô gie im hin engegene der herre Dietrîch.
daz Guntheres ellen daz was vil lobelîch.
done béit[22] ouch er niht mêre, er lief her für den sal.
von ir beider swerten huop sich ein grœzlîcher schal.

Swie vil der herre Dietrich lange was gelobt,
Gunther was sô sêre erzürnet und ertobt,
wandę er nâch starkem leide sîn herzevîent was.
man sagt ez noch ze wunder, daz dô her Díetrích genas[23].

Ir ellen[24] und ir sterke beide wâren grôz.
palas unde türne von den slegen dôz[25],
dô si mit swerten hiuwen ûf die helme guot.
ez het der künec Gunther einen hêrlîchen muot.

Sît[26] twanc in der von Berne, sam Hagenen ê geschach.
daz bluot man durch die ringe dem helde vliezen sach
von einem scharpfen swerte, daz truoc Dietrich.
dô het gewert her Gunther nâch müede[27] lobelîche sich.

Der herre wart gebunden von Dietrîches hant,
swie künege niene solden lîden solhiu bant.
er dâhtę ob[28] er si lieze, den künec und sînen man,
alle die si funden, die müesen tôt von in bestân.

21. *wo ist . . . geblieben.*
22. *wartet.*
23. *am Leben blieb.*
24. *Tapferkeit.*
25. *hallten wider.*
26. *gleich darauf.*
27. *trotz seiner Erschöpfung.*
28. *wenn.*

Dietrîch von Berne der nam in bî der hant.
dô fuortę er in gebunden da er Kríemhílde vant.
dô was mit sînem leide ir sorgen vil erwant.
si sprach: »wíllekomen Gunther ûzer Búrgónden lant!«

Er sprach: »ich soltę iu nîgen, vil liebiu swester mîn,
ob iuwer grüezen möhte genædeclîcher sîn.
ich weiz iuch, küneginne, sô zórnéc gemuot,
daz ir mir unde Hagenen vil swachez grűezén getuot.«

Dô sprach der helt von Berne: »vil edeles küneges wîp,
ez enwárt nie gîsel mêre sô guoter ritter lîp,
als ich iu frouwe hêre, an in gegeben hân.
nu sult ír die éllénden mîn vil wol geniezen lân[29].«

Si jach si tætę ez gerne. dô gie her Dietrîch
mit wéinénden ougen von den hélden lobelîch.
sît rach sich grimmeclîchen daz Étzélen wîp[30].
den ûz erwelten degenen nam si béidén den lîp.

Si lie si ligen sunder durch ir ungemach,
daz ir sît dewedere den andern nie gesach,
unz si ir bruoder houbet hin für Hagenen truoc.
der Kriemhilde râche wart an in béidén genuoc.

Dô gie diu küneginne dâ si Hagenen sach.
wie rehte fîentlîche[31] si zuo dem helde sprach:
»welt ir mir geben widere daz ir mir habt genomen,
sô muget ir noch wol lebende héim zen Búrgónden komen.«

Dô sprach der grimme Hagene: »diu redę ist gar verlorn,
vil edeliu küneginne. jâ hân ich des gesworn,
daz ich den hort iht zeige die wîle daz si leben,
deheiner[32] mîner herren, sô sól ich in níeméne geben.«

29. *schonen.*
30. *Kurz darauf rächte sich furchtbar Etzels Gemahlin.*
31. *mit welchem Haß.*
32. *auch nur einer.*

»Ich bringez an ein ende«, sô sprach daz edel wîp.
dô hiez si ir bruoder némen dén lîp.
man sluoc im ab daz houbet. bî dem hâre si ez truoc
für den helt von Tronege. dô wart im léidé genuoc.

Alsô der ungemuote sînes hérren houbet sach,
wider Kriemhilde dô der recke sprach:
»du hâst ez nâch dînem willen zę einem ende brâht,
und ist ouch rehtę ergangen als ich mir hêté gedâht.

Nu ist von Burgonden der edel künec tôt,
Gîselher der junge, und ouch her Gêrnôt.
den schaz den weiz nu niemen wan got unde mîn:
der sol dich, vâlandinne[33], immer wol verholn[34] sîn!«

Si sprach: »sô habt ir übele geltes mich gewert.
sô wil ich doch behalten daz Sîfrides swert.
daz truoc mîn holder vriedel[35], dô ich in jungest sach,
an dem mir herzeleide von iuwern schúldén geschach.«

Si zôch ez von der scheiden, daz kundę er niht erwern.
dô dâhte sie den recken des lîbes wol behern.
si huop ez mit ir handen, daz houpt si im ab sluoc.
daz sach der künec Etzel. dô was im léidé genuoc.

»Wâfen[36]«, sprach der fürste, »wie ist nu tôt gelegen
von eines wîbes handen der aller beste degen,
der ie kom ze sturme[37] oder ie schilt getruoc!
swie vîent ich im wære, ez ist mir léidé genuoc.«

Dô sprach der alte Hildebrand: »ja geníuzet si es niht,
daz si in slahen torste, swaz halt mir geschiht.
swie er mich selben bræhte in angestlîche nôt,
iedoch sô wil ich rechen des küenen Tronegæres tôt.«

33. Teufelin.
34. verborgen.
35. Mann.
36. weh.
37. Schlacht.

Hildebrant mit zorne zuo Kriemhilde spranc,
er sluoc der küneginne einen swæren swertes swanc.
jâ tet ir diu sorge von Hildebrande wê.
waz mohte si gehelfen daz si sô grœzlîchen schrê?

Dô was gelegen aller dâ der veigen lîp.
ze stücken was gehouwen dô daz edele wîp.
Dietrich und Etzel weinen dô began,
si klagten inneclîche beide mâgẹ únde man[38].

Diu vil michel êre was dâ gelegen tôt.
die liute heten alle jâmer unde nôt.
mit leide was verendet des küneges hôchgezît,
als ie diu liebe leide zẹ aller júngéste gît.

Ine kán iu niht bescheiden[39], waz sider dâ geschach,
wan[40] ritter unde frouwen weinen man dâ sach,
dar zuo die edeln knehte, ir lieben friunde tôt.
hie hât daz mærẹ ein ende: daz ist der Nibelunge nôt.

WOLFRAM VON ESCHENBACH

Parzival (IX. Buch)

Dieses um 1210 entstandene »klassische« Epos der höfischen Dichtung stand schon bei den Zeitgenossen Wolframs hoch im Ansehen: 75 Handschriften sind überliefert, es hat bis ins 19. Jahrhundert immer neue Nachdichtungen und Bearbeitungen erfahren. – Wolfram stützt sich, wie alle hochhöfischen Standes-Epiker seiner Zeit, auf Chrestien de Troyes, auf dessen unvollendeten »Perceval«-Roman. Aber seine Vorlage gestaltet er in wesentlichen Teilen frei aus, so sehr,

38. Verwandte und Gefolgsleute.
39. sagen, Auskunft geben.
40. nur, daß.

daß er einen fiktiven Gewährsmann »Kyot« erfinden muß, um sich gegen Kritik an unerlaubtem Erfindungsreichtum und »Subjektivismus« zu schützen; besonders wohl gegen Gottfrieds Vorwurf, er, Wolfram, sei ein »vindære wilder mære« (»Tristan«, Literaturstelle).
Parzival, der Sohn Gahmurets und Herzeloydes, zieht im Zustand der tumbheit *aus, um den Gral zu suchen. Allzu wörtliche Befolgung höfischer Lehren führt ihn ins Unheil: durch einen Kuß stürzt er Jeschute ins Unglück; er tötet seinen Verwandten Ither, und er läßt es schließlich auf der Gralsburg aus falsch verstandenem Anstand an Caritas fehlen, als er sich nicht nach dem Grund der Trauer erkundigt, die dort herrscht: Amfortas, der Gralskönig und Hüter des Grals, an einer Wunde leidend, kann nicht leben und nicht sterben, weil der Gral ihm wie jedem anderen Gralsritter ewiges Leben gibt. Parzival wird verjagt. Auch aus der Artus-Runde wird er durch den Fluch der Gralsbotin vertrieben. Voll des unritterlichen* zwîfels *an Gott und Welt, zieht er weiter, den Gral will er aus eigener Kraft finden.*
Zum folgenden Text: Es ist schließlich Parzivals Oheim, der Einsiedler Trevrizent, der dem ratlosen Ritter den wahren Weg zeigt: durch Reue, Gnade und Bewährung nur ist der Gral zu gewinnen.
Im Kampf unterliegt Parzival noch seinem heidnischen Halbbruder Feirefiz, eine Reihe büßender Abenteuer schließt sich an; doch dann ist der Weg frei: er findet den Artushof wieder und wird zum Gralskönig berufen. Er findet zu seiner Frau Condwiramurs und zu einem Leben in sælde.
Wolframs »Parzival« ist der früheste voll ausgeführte »Bildungs«- und Entwicklungsroman, der bisher nur in Ansätzen (vgl. »Alexanderlied«) vorhanden war. Gralsrittertum ist höchste Vollendung des ritterlichen Ideals; es ist nicht vorgegeben, es muß in Bewährung und Tugend schrittweise gewonnen werden. Wer Höchstes erreichen will, der muß mehr und Schwereres erleiden als der durchschnittliche Artus-Ritter (Gawan-Handlung im »Parzival«). Wie in Hart-

manns Epik ist hier die Kritik am unbefragten Standesrittertum unüberhörbar; gleichwohl galt der »Parzival« als die Vorbilddichtung höfischen Lebens: in einem idealen, realitätsfernen Raum ist die Realität des ritterlichen Menschen, ist die Versöhnung zwischen Gott und Welt, die Lösung der zentralen Frage des Mittelalters, möglich. Im »Willehalm« sucht Wolfram dann nach einem Weg, diese Frage in der realen Wirklichkeit zu lösen.

Trevrizent

den zügel gein den ôren vür
er dem orse legete,
mit den sporn erz vaste regete.
gein Fontâne la Salvâsche[1] ez gienc,
dâ Orilus den eit emphienc.
der kiusche Trevrizent dâ saz,
der manegen mântac übel gaz:
als tet er gar die wochen.
er hete gar versprochen
môraz[2], wîn und ouch daz brôt.
sîn kiusche im dannoch mêr gebôt,
der spîse hete er deheinen muot,
vische noch vleisch, swaz trüege bluot.
sus stuont sîn heileclîchez leben.
got hete im den muot gegeben:
der herre sich bereite gar
gein der himeleschen schar.
mit vaste er grôzen kummer leit,
sîn kiusche gein dem tiuvel streit.
an dem ervert nû Parzivâl
diu verholnen[3] mære um den grâl.

1. *Heil.*
2. *Maulbeerwein.*
3. *heimliche.*

swer mich dâ von ê vrâcte
und drumme mit mir bâcte[4],
ob ichs im niht sagete,
unprîs der dran bejagete.
mich bat ez heln Kîôt,
wande im diu âventiure gebôt
daz es immer man gedæhte,
êz diu âventiure bræhte
mit worten an der mære gruoz,
daz man dâ von doch sprechen muoz.
Kîôt der meister wol bekant
ze Dôlêt verworfen ligen vant
in heidenscher schrifte
dirre âventiur gestifte.
der karakter â bê cê
muoste er hân gelernet ê
âne den list von nigrômanzî[5].
ez half daz im der touf was bî:
anders wære diz mære noch unvernomen.
dehein heidensch list möhte uns gevromen
ze künden um des grâles art,
wie man sîner tougen innen wart.

ein heiden Flegetanîs
bejagete an künste[6] hôhen prîs.
der selbe fîsîôn[7]
was geborn von Salomôn,
ûz israhêlscher sippe erzilt
von alter her, unz unser schilt
der touf wart vürz helleviur.
der schreip von sgrâles âventiur[8],

4. *stritte.*
5. *Zauberei.*
6. *Weisheit, Wissen.*
7. *Traumgesicht.*
8. *Geschichte.*

er was ein heiden vaterhalp,
Flegetanîs, der an ein kalp
bette als ob ez wære sîn got.
wie mac der tiuvel solhen spot
gevüegen an sô wîser diet[9],
daz si niht scheidet oder schiet
dâ von der treget die hœsten hant
und dem elliu wunder sint bekant?
Flegetanîs der heiden
kunde uns wol bescheiden
ieslîches sternen hinganc
und sîner künfte widerwanc[10],
wie lange ieslîcher umme gêt,
ê er wider an sîn zil gestêt.
mit der sternen ummereise vart
ist gepruovt[11] aller menneschlîcher art[12]:
Flegetanîs der heiden sach,
dâ von er blûclîche[13] sprach,
in dem gestirne mit sînen ougen
verholnbæriu tougen.
er jach, ez hieze ein dinc der grâl:
des namen las er sunder twâl[14]
in dem gestirne, wie der hiez.
»ein schar[15] in ûf der erden liez:
diu vuor ûf über die sterne hôch.
ob die ir unschult wider zôch?
sît muoz sîn phlegen[16] getouftiu vruht
mit alsô kiuschlîcher zuht[17].

9. Volk.
10. Wiederkehr.
11. verbunden.
12. Geschick.
13. mit Zögern.
14. Zögern.
15. Schar von Engeln.
16. sich annehmen.
17. frommer Gebärde.

diu menneschеit ist immer wert,
der zuo dem grâle wirt gegert[18].«
sus schreip dâ von Flegetanîs.

Kîôt der meister wîs
diz mære begunde suochen
in latîneschen buochen,
wâ gewesen wære
ein volc dâ zuo gebære
daz ez des grâles phlæge
und der kiusche sich bewæge.
er las der lande krônikâ
ze Britâne und anderswâ,
ze Vrancrîche und in Îrlant.
zAnschouwe er diu mære vant:
er las von Mazadân,
mit wârheite sunder wân
um allez sîn geslehte
stuont dâ geschriben rehte
und anderhalp[19] wie Titurel
und des sun Frimutel
den grâl bræhte ûf Anfortas,
des swester Herzeloide was,
bî der Gahmuret ein kint
gewan. des disiu mære sint,
der rîtet nû ûf die niuwen slâ[20],
die gein im kom der ritter grâ.

er erkande ein stat, swie læge der snê
dâ liehte bluomen stuonden ê
(daz was vor eins gebirges want),
aldâ sîn manlîchiu hant
vroun Jeschûten die hulde[21] erwarp

18. berufen wird.
19. anderwärts.
20. Spur.
21. Vergebung.

und dâ Orilus zorn verdarp[22].
diu slâ in dâ niht halden liez:
Fontâne la Salvâsche hiez
ein wesen[23], dar sîn reise gienc.
er vant den wirt, der in emphienc.
der einsidel zim sprach:
»ouwê, herre, daz iu geschach
in dirre heileclîchen zît.
hât iuch angestlîcher strît
in diz harnas getriben
oder sît ir âne strît beliben?
sô stüende iu baz ein ander wât,
lieze iuch hôchverte rât.
nû ruocht erbeizen[24], herre,
(ich wæne iu daz iht werre)
und erwarmt bî einem viure.
hât iuch âventiure
ûz gesant durch minnen solt?
sît ir rehter minne holt,
sô minnet als nû diu minne gêt[25],
als dises tages minne stêt:
dient her nâch um wîbe gruoz.
ruocht erbeizen, ob ichs biten muoz.«

Parzivâl der wîgant[26]
erbeizte nider al zehant,
mit grôzer zuht er vor im stuont.
er tet im von den liuten kunt,
die in dar wîsten,
wie die sîn râten prîsten.
dô sprach er: »herre, nû gebet mir rât:
ich bin ein man der sünde hât.«

22. *zugrunde ging.*
23. *Siedlung.*
24. *Nun mögt ihr vom Pferd steigen.*
25. *so liebt, wie es der Liebe dieses Tages zusteht.*
26. *Held.*

dô disiu rede was getân,
dô sprach aber der guote man:
»ich bin râtes iuwer wer[27].
nû saget mir wer iuch wîste her.«
»herre, ûf dem walde mir widergienc
ein grâ man, der mich wol emphienc:
als tet sîn massenîe.
der selbe valsches vrîe
hât mich zuo ziu her gesant:
ich reit sîn slâ, unz[28] ich iuch vant.«
der wirt sprach: »daz was Kahenîs.
derst werdeclîcher vuore wîs[29].
der vürste ist ein Punturteis,
der rîche künec von Kâreis
sîn swester hât ze wîbe.
nie kiuscher vruht von lîbe
wart geborn dan sîn selbes kint,
diu iu dâ widergangen sint.
der vürste ist von küneges art[30].
alle jâr ist zuo mir her sîn vart.«

Parzivâl zem wirte sprach:
»dô ich iuch vor mir stênde sach,
vorht ir iu iht, dô ich zuo ziu reit?
was iu mîn komen dô iht leit?«
dô sprach er: »herre, geloubet mirz,
mich hât der ber und ouch der hirz
erschrecket dicker dan der man.
ein wârheit ich iu sagen kan,
ich envürhte niht swaz mennesch ist.
ich hân ouch menneschlîchen list[31]:

27. *Ich verbürge mich für Rat.*
28. *Weg, bis.*
29. *Der ist ehrenvoller Lebensweise würdig.*
30. *Abstammung.*
31. *Ich hab auch Erfahrung im Umgang mit Menschen.*

hetet irz niht vür einen ruom[32],
sô trüege ich vluht noch magetuom.
mîn herze emphienc noch nie den kranc[33]
daz ich von wer[34] getæte wanc
bî mîner werlîchen[35] zît.
ich was ein ritter, als ir sît,
der ouch nâch hôher minne ranc.
etswenne[36] ich sündebæren gedanc
gein der kiusche parrierte[37].
mîn leben ich dar ûf zierte,
daz mir genâde tæte ein wîp.
des hât vergezzen nû mîn lîp.
gebet mir den zoum in mîne hant:
dort under jenes velses want
sol iuwer ors durch ruowen stên.
bî einer wîle sul wir beide gên
und brechen im grazzach[38] und varm.
anders vuoters bin ich arm:
wir sulnz doch harte wol ernern.«
Parzivâl sich wolde wern,
daz er szoumes emphienge niht.
»iuwer zuht iu des niht giht,
daz ir strîtet wider deheinen wirt,
ob unvuoge iuwer zuht verbirt«
alsus sprach der guote man.
dem wirte wart der zoum verlân.
der zôch daz ors under jenen stein,
dâ selten sunne hin erschein:

32. *Prahlerei.*
33. *Schwächung.*
34. *Kampf.*
35. *weltlichen.*
36. *oft.*
37. *eingemischt.*
38. *Fichtensprossen.*

daz was ein wilder marstal.
dâ durch gienc eins brunnen val[39].

Parzivâl stuont ûf dem snê.
ez tæte einem kranken manne wê,
ob er harnas trüege
dâ der vrost sus an in slüege.
der wirt in vuorte in eine gruft,
dar selten kom des windes luft:
dâ lâgen glüendege koln.
die mohte der gast vil gerne doln[40].
eine kerzen zunde swirtes hant:
dô entwâpende sich der wîgant.
under im lac ramschoup[41] und varm.
al sîne lide[42] im wurden warm,
sô daz sîn vel liehten schîn
gap. er mohte wol waltmüede[43] sîn,
wande er hete der strâzen wênec geriten,
âne dach die naht des tages erbiten[44]:
als hete er manege ander.
getriuwen wirt dâ vander.
dâ lac ein roc, den lêch im an
der wirt und vuorte in mit im dan
zeiner andern gruft: dâ inne was
sîniu buoch dar an der kiusche las.
nâch stages site ein alterstein
dâ stuont al blôz, dar ûf erschein
ein kefse[45] (diu wart schiere erkant),
dar ûfe Parzivâles hant
swuor einen ungevelschten eit,

39. Quelle.
40. ertragen.
41. Strohschütte.
42. Glieder.
43. ermüdet von der Waldreise.
44. erwartet.
45. Reliquienschrein.

dâ von vroun Jeschûten leit
ze liebe wart verkêret
und ir vreude gemêret.

Parzivâl zem wirte sîn
sprach: »herre, dirre kefsen schîn
erkenne ich, wande ich drûfe swuor
zeinen zîten dô ich hie vür si vuor.
ein gemâlet sper dâ bî ich vant:
herre, daz nam alhie mîn hant,
dâ mite ich prîs bejagete.
als man mir sider sagete
(ich verdâhte mich an mîn selbes wîp
sô daz von witzen kom mîn lîp),
zwuo rîche tjoste[46] dâ mite ich reit:
unwizzende ich die beide streit.
dannoch hete ich êre:
nû hân ich sorgen mêre
dan ir an manne ie wart gesehen.
durch iuwer zuht sult ir des jehen,
wie lanc ist von der zîte her,
herre, daz ich hie nam daz sper?«
dô sprach aber der guote man:
»des vergaz mîn vriunt Taurian
hie: er kom mirs sît in klage.
vünfthalp jâr und drî tage
ist daz irz im nâmet hie.
welt irz hœren, ich prüeve[47] iu wie.«
an dem salter[48] las er im über al
diu jâr und gar der wochen zal,
die dâ zwischen wâren hin.

»alrêst ich innen worden bin
wie lange ich var wîselôs[49]

46. Speerkampf.
47. schildere.
48. Kalender.
49. ohne Führung.

und daz vreuden helfe mich verkôs[50]«
sprach Parzivâl. »mirst vreude ein troum:
ich trage der riuwe[51] swæren soum.
herre, ich tuon iu mêr noch kunt:
swâ kirchen oder münster stuont,
dâ man gotes êre sprach,
dehein ouge mich dâ nie gesach
sît den selben zîten.
ich ensuochte niht wan strîten.
ouch trage ich hazzes vil gein gote,
wande er ist mîner sorgen tote:
die hât er alze hôhe erhaben.
mîn vreude ist lebendec begraben.
kunde gotes kraft mit helfe sîn,
waz ankers wære diu vreude mîn?
diu sinket durch der riuwe grunt.
ist mîn manlîch herze wunt
(oder mac ez dâ von wesen ganz,
daz diu riuwe ir scharphen kranz
mir setzet ûf werdekeit[52],
die schiltes ammet mir erstreit
gein werlîchen handen?),
des gihe ich dem ze schanden,
der aller helfe hât gewalt,
ist sîn helfe helfe balt,
daz er mir denne hilfet niht,
sô vil man im der helfe giht.«

der wirt ersiufzete und sach an in.
dô sprach er: »herre, habet ir sin,
sô sult ir gote getrûwen wol:
er hilft iu, wande er helfen sol.
got müeze uns helfen beiden.

50. verschmähte.
51. Buße, Reue.
52. hohes Ansehen.

herre, ir sult mich bescheiden
(ruochet alrêst sitzen),
saget mir mit kiuschen witzen,
wie der zorn sich ane gevienc,
dâ von got iuwern haz emphienc.
durch iuwer zühte gedult
vernemt von mir sîn unschult,
ê daz ir mir von im iht klaget.
sîn helfe ist immer unverzaget.
doch[53] ich ein leie wære,
der wâren buoche mære
kunde ich lesen unde schrîben,
wie der mensche sol belîben
mit dienste gein des helfe grôz,
den der stæten helfe nie verdrôz
vür der sêle senken.
sît getriuwe âne allez wenken,
sît got selbe ein triuwe ist:
dem was unmære ie valscher list.
wir suln in des geniezen lân:
er hât vil durch uns getân,
sît sîn edel hôher art
durch uns ze menschen bilde wart.
got heizt und ist ein wârheit.
dem was ie valschiu vuore[54] leit,
daz sult ir gar bedenken.
er enkan an niemen wenken:
[...]«

Parzivâl sprach zim dô:
»herre, ich bin des immer vrô,
daz ir mich von dem bescheiden[55] hât,
der nihtes ungelônet lât,

53. obgleich.
54. Weg.
55. gesagt.

der missewende noch der tugent.
ich hân mit sorgen mîne jugent
alsus brâht an disen tac,
daz ich durch triuwe[56] kummers phlac.«
der wirt sprach aber wider zim:
»nimts iuch niht hæle[57], gerne ich vernim
waz ir kummers und sünden hât.
ob ir mich diu prüeven lât,
dar zuo gibe ich iu lîhte rât,
des ir selbe niht enhât.«
dô sprach aber Parzivâl:
»mîn hœstiu nôt ist um den grâl,
dâ nâch um mîn selbes wîp:
ûf erde nie schœner lîp
gesouc an deheiner muoter brust.
nâch den beiden sent sich mîn gelust.«
der wirt sprach: »herre, ir sprechet wol.
ir sît in rehter kummers dol,
sît ir nâch iuwer selbes wîbe
sorgen phlihte gebet dem lîbe.
werdet ir ervunden an rehter ê,
iu mac zer helle werden wê,
diu nôt sol schiere ein ende hân
und werdet von banden aldâ verlân
mit der gotes helfe al sunder twâl[58].
ir jeht, ir sent iuch um den grâl:
ir tummer man, daz muoz ich klagen.
jâ enmac den grâl niemen bejagen,
wan[59] der ze himele ist sô bekant
daz er zem grâle sî benant.
des muoz ich von dem grâle jehen:
ich weiz ez und hânz vür wâr gesehen.«

56. *Ergebenheit.*
57. *verborgen.*
58. *Kummer.*
59. *es sei denn, daß.*

Parzivâl sprach: »wârt ir dâ?«
der wirt sprach gein im: »herre, jâ.«
Parzivâl versweic in gar
daz ouch er was komen dar:
er vrâcte in von der künde,
wiez um den grâl dâ stüende.

der wirt sprach: »mir ist wol bekant,
ez wont manec werlîchiu[60] hant
ze Munsalvæsche bî dem grâl.
durch âventiur die alle mâl
rîtent manege reise.
die selben templeise[61],
swâ si kummer oder prîs bejagent,
vür ir sünde si daz tragent.
dâ wont ein werlîchiu schar.
ich wil iu künden um ir nar[62]:
si lebent von einem steine,
des geslehte[63] ist vil reine.
hât ir des niht erkennet,
der wirt iu hie genennet:
er heizet lapsit exillîs.
von des steines kraft der fênîs[64]
verbrinnet, daz er zaschen wirt:
diu asche im aber leben birt.
sus rêrt der fênîs mûze sîn[65]
und gît dar nâch vil liehten schîn,
daz er schœne wirt als ê.
ouch wart nie menschen sô wê,
swelhes tages ez den stein gesiht,

60. *weltlich gesinnte.*
61. *Gralsritter, Tempelherr.*
62. *Rettung.*
63. *Abstammung.*
64. *Phönix.*
65. *So läßt er seinen Federwechsel fallen.*

die wochen mac ez sterben niht,
diu aller schierst dar nâch gestêt.
sîn varwe im nimmer ouch zegêt:
man muoz im solher varwe jehen,
dâ mite ez hât den stein gesehen,
ez sî maget oder man,
als dô sîn bestiu zît huop an,
sæhe ez den stein zwei hundert jâr.
im enwürde denne grâ sîn hâr,
solhe kraft dem menschen gît der stein,
daz im vleisch unde bein
jugent emphæhet als sunder twâl.
der stein ist ouch genant der grâl.
dar ûf kumt hiute ein botschaft,
dar an doch liget[66] sîn hœste kraft:
ez ist hiute der karvrîtac,
daz man vür wâr dâ warten mac,
ein tûbe[67] von himele swinget,
ûf den stein diu bringet
eine kleine wîze oblât,
ûf dem steine si die lât.
diu tûbe ist durchliuhtec blanc,
ze himele tuot si widerwanc.
immer alle karvrîtage
brinct si ûf den stein, als ich iu sage,
dâ von der stein emphæhet
swaz guotes ûf erden dræhet[68]
von trinken und von spîse,
als den wunsch von pardîse:
ich meine, swaz diu erde mac gebern.
der stein si vürbaz mêr sol wern
swaz wildes under dem lufte lebet,
ez vliege oder loufe und daz swebet.

66. *von der kommt.*
67. *Taube.*
68. *haucht, duftet.*

der ritterlîchen bruoderschaft,
die phrüende[69] in gît des grâles kraft.

die aber zem grâle sint benant,
hœrt wie die werdent bekant.
zende an des steines drum
von karakten[70] ein epitafium
saget sînen[71] namen und sînen art,
swer dar tuon sol die sælden vart,
ez sî von megeden oder von knaben.
die schrift darf niemen danne schaben:
sô man den namen gelesen hât,
vor ir ougen si zegât.
si kômen alle dar vür kint,
die nû dâ grôze liute sint.
wol die muoter, diu daz kint gebar,
daz sol ze dienste hœren dar!
der arme und der rîche
vreunt sich al gelîche,
ob man ir kint eischet[72] dar,
daz siz suln senden an die schar:
man holt si in manegen landen.
vor sündebæren schanden
sint si immer mêr behuot
und wirt ir lôn ze himele guot:
swenne in erstirbet hie daz leben,
sô wirt in dort der wunsch gegeben.
die newederhalp[73] gestuonden,
dô strîten begunden
Lûcifer und Trînitas,
swaz der selben engel was,

69. Nahrung.
70. Buchstaben.
71. dessen.
72. fordert.
73. auf keiner von beiden Seiten.

die edeln und die werden
muosten ûf die erden
zuo dem selben steine.
der stein ist immer reine.
ich enweiz ob got ûf si verkôs
oder ob er si vürbaz verlôs:
was daz sîn reht, er nam si wider.
des steines phliget immer sider[74]
die got dar zuo benande
und in sînen engel sande.
herre, sus stêt ez um den grâl.«

dô sprach aber Parzivâl:
»mac ritterschaft des lîbes prîs
und doch der sêle pardîs[75]
bejagen mit schilte und ouch mit sper,
sô was ie ritterschaft mîn ger.
ich streit ie swâ ich strîten vant,
sô daz mîn werlîchiu hant
sich næherte dem prîse.
ist got an strîte wîse[76],
der sol mich dar benennen,
daz si mich dâ bekennen:
mîn hant dâ strîtes niht verbirt.«
dô sprach aber sîn kiuscher wirt:
»ir müestet aldâ vor hôchvart
mit senftem willen sîn bewart.
iuch verleitet lîhte iuwer jugent
daz ir der kiusche bræchet tugent.
hôchvart ie seic unde viel«
sprach der wirt: ieweder ouge im wiel,
dô er an diz mære dâhte,
daz er dâ mit rede volbrâhte.

74. pflegen stets zu hüten, bewachen.
75. der Seele Seligkeit.
76. wenn Gott sich auf ritterlichen Kampf versteht.

GOTTFRIED VON STRASSBURG

Neben Hartmann von Aue und Wolfram von Eschenbach ist Gottfried der dritte große Epiker der mittelalterlichen Literatur. Über sein Leben ist kaum etwas bekannt – die wenigen Daten sind durch Rückschlüsse nur mittelbar gewonnen. Gelebt hat Gottfried von der Mitte des 12. Jahrhunderts bis Anfang des 13. Jahrhunderts. Er war Stadtbürger in Straßburg, umfassend gebildet; als Gelehrter wurde er »Meister« genannt. Verbindungen zur adligen Gesellschaft, wohl auch zum bischöflichen Hof sind anzunehmen. Gottfried repräsentiert zum erstenmal den neuen Typus des selbstbewußten, sich nun auch kulturell emanzipierenden Stadtbürgers, der neben Ritterstand und Stadtadel in der Gesellschaftshierarchie seinen Platz fordert.
Den *Tristan* schrieb er zunächst anonym; seine Urheberschaft wurde durch Erwähnungen bei anderen Autoren erschlossen. Das Werk muß zwischen 1200 und 1210 entstanden sein und blieb mit seinen 19 552 Versen Fragment. Als echt können Gottfried nur noch zwei *Sprüche* in der Heidelberger Handschrift zugeschrieben werden, die aber den Einfluß Walthers von der Vogelweide zeigen.

Tristan und Isold

Literaturgeschichten des Mittelalters feiern Gottfrieds Versepos – mit 19 552 Versen Fragment geblieben – neben Wolframs »Parzival« als Höhepunkt der »klassisch«-mittelalterlichen Epik. In der Behandlung und Deutung seiner Vorlagen (vor allem Thomas von Britanje, um 1170), in der Psychologisierung des Stoffes, seiner Einstellung zum Minnebegriff und zu seinem Publikum, nicht zuletzt aber in der Bilder- und Wortwahl zeigt Gottfried deutlich, daß er andere, neue Dimensionen des Menschseins erkannt hat. Nicht das adlig-höfische Standespublikum und sein elitäres Weltbild ist sein Thema, sondern die Bewährung, die Existenzmöglichkeiten der edelen herzen *in einer realen Gesellschaft mit ihren Pflichten aus Ehre und Treue. Minne wird zum erstenmal nicht als einseitiges Werben des Mannes begriffen, sie ist für Gottfried nur in der gegenseitigen Erfüllung noch möglich und vor allem realistisch.*

Der erste Teil des Epos erzählt die Jugendgeschichte Tristans: Er empfängt im Kampf mit dem Riesen Morolt eine Wunde, die nur durch die Zauberkunst Isoldes, Königin von Irland und Morolts Schwester, zu heilen ist. Als Spielmann Tantris verkleidet, findet er Zugang bei der Königin, die ihn heilt. Er wird zum Lehrer ihrer Tochter, der jungen Isolde. Beide werden aus ihrer Liebe getrennt, als Tristan an den Hof seines Oheims, König Marke, zurückkehrt.

Als Brautwerber für König Marke kehrt Tristan abermals verkleidet nach Irland zurück; er gewinnt nach siegreichem Drachenkampf die junge Isolde für seinen Oheim. Auf der Rückreise trinkt er ahnungslos und versehentlich mit Isolde von einem Minnetrank, der beide sofort in die gegenseitige Leidenschaft treibt (Textauszug).

Die Ehe zwischen Marke und Isolde wird geschlossen; in der Hochzeitsnacht aber wird dem König Isoldes Zofe Brangäne in das Ehebett gelegt – der Beginn einer langen Reihe von Listen und Abenteuern, in denen Tristan und Isolde ihre Liebe retten, bis sie entdeckt und vom Hof Markes vertrieben werden. Es folgt eine Zeit des Zusammenlebens im Wald und in der Minnegrotte, schließlich die Rückkehr an den Hof, Aussöhnung mit Marke und endgültige Verbannung des wortbrüchig-rückfälligen Tristan.

Im dritten, Fragment gebliebenen Teil der Erzählung heiratet Tristan Isolde Weißhand – der Versuch zu einer Übertragung seiner Liebe auf einen anderen Menschen. – Die Weiterführung der Handlung haben Gottfrieds Fortsetzer versucht, sie ist aber vor allem aus dem »Tristrant« des Eilhart von Oberge und aus Thomas' Epos bekannt: Auch in seiner Ehe kommt Tristan von der wahren Isolde nicht frei; die Kette der heimlichen Begegnungen und Abenteuer setzt sich fort. Eine tödliche Wunde Tristans schließlich kann nur Isolde heilen. Er schickt nach ihr seine Boten aus; als das Schiff zurückkehrt, überlistet Isolde Weißhand den Kranken mit der Nachricht, die andere Isolde sei nicht auf dem Schiff. Tristan stirbt; Isolde findet den toten Geliebten, sie stirbt an

Tristans und Morolts Zweikampf. Aus einer Handschrift des »Tristan« Gottfrieds von Straßburg

seiner Seite. Marke kommt zu spät, um beiden vergeben zu können.

Anders als nach den Normen höfischer Zucht ist nicht Minne, sondern konkrete, geistige und physische Liebe in ihrer naturhaften Gewalt das Schicksal der beiden Hauptpersonen. Diese apersonale Gewalt der Liebe wird im Zaubertrank nur noch symbolisiert; anders als bei Eilhart (vgl. die Behandlung dieses Themas bei Eilhart von Oberge; Text auf S. 256–261) ist sie nicht mehr magisch-unbegreifliche Ursache, sondern nur letztes Zeichen einer zwanghaft aufeinander zuführenden Entwicklung. Die Liebenden sind schuldig-unschuldig, befreit von den Zwängen einer von Gesellschaft und Moral fixierten allgemeinen Norm, solange sie in der autonomen Welt der edelen herzen *leben. – Wolfram hatte noch die Lösung des zentralen Gott-Welt-Problems im Ausgleich gesucht; für Gottfried aber stellt sich die Frage, wie ein Leben der* edelen herzen *in dieser Welt überhaupt möglich sein kann.*

Der Minnetrank

Hie mite strichen die kiele hin.
si beide hæten under in
guoten wint und guote var.
nu was diu vrouwine schar,
Isot und ir gesinde,
in wazzer unde in winde
des ungevertes[1] ungewon.
unlanges kamen si da von
in ungewonliche not.
Tristan ir meister do gebot,
daz man ze lande schielte
und eine ruowe hielte[2].

1. Reisebeschwerden.
2. Rastpause einlegte.

nu man gelante in eine habe,
nu gie daz volc almeistic abe
durch banekie[3] uz an daz lant;
nu gienc ouch Tristan zehant
begrüezen unde beschouwen
die liehten sine vrouwen;
und alse er zuo zir nider gesaz
und redeten diz unde daz
von ir beider dingen,
er bat im trinken bringen.
Nun was da nieman inne
ane die küniginne
wan cleiniu juncvrouwelin.
der einez sprach: »seht, hie stat win
in disem vezzeline[4].«
nein, ezn was niht mit wine,
doch ez ime gelich wære:
ez was diu wernde swære,
diu endelose herzenot,
von der si beide lagen tot.
nu was aber ir daz unrekant:
si stuont uf und gie hin zehant,
da daz tranc und daz glas
verborgen unde behalten was.
Tristande ir meister bot si daz:
er bot Isote vürbaz.
si tranc ungerne und über lanc
und gap do Tristande unde er tranc
und wanden beide, ez wære win.
iemitten gienc ouch Brangæne in
unde erkande daz glas
und sach wol, waz der rede was:
si erschrac so sere unde erkam,
daz ez ir alle ir craft benam

3. *zur Erholung.*
4. *Schränkchen.*

und wart reht alse ein tote var.
mit totem herzen gie si dar;
si nam daz leide veige vaz[5],
si truoc ez dannen und warf daz
in den tobenden wilden se:
»owe mir armen!« sprachs »owe,
daz ich zer werlde ie wart geborn!
ich arme, wie han ich verlorn
min ere und mine triuwe!
daz ez got iemer riuwe,
daz ich an dise reise ie kam,
daz mich der tot do niht ennam,
do ich an dise veige vart
mit Isot ie bescheiden wart!
ouwe Tristan unde Isot,
diz tranc ist iuwer beider tot!«

Nu daz diu maget unde der man,
Isot unde Tristan,
den tranc getrunken beide, sa
was ouch der werlde unmuoze da,
Minne, aller herzen lagærin,
und sleich zir beider herzen in.
e sis ie wurden gewar,
do stiez sir sigevanen dar
und zoch si beide in ir gewalt:
si wurden ein und einvalt,
die zwei und zwivalt waren e;
si zwei enwaren do nieme
widerwertic under in:
Isote haz[6] der was do hin.
diu süenærinne Minne
diu hæte ir beider sinne
von hazze gereinet,

5. *leidvoll unselige Gefäß.*
6. *feindselige Gesinnung.*

mit liebe also vereinet,
daz ietweder dem anderm was
durchluter alse ein spiegelglas.
si hæten beide ein herze:
ir swære was sin smerze,
sin smerze was ir swære;
si waren beide einbære
an liebe unde an leide
und halen sich doch beide,
und tet daz zwivel unde scham:
si schamte sich, er tet alsam;
si zwivelt an im, er an ir.
swie blint ir beider herzen gir
an einem willen wære,
in was doch beiden swære
der urhap unde der begin:
daz hal ir willen under in.
Tristan do er der minne enpfant,
er gedahte sa zehant
der triuwen unde der eren
und wolte dannen keren:
»nein« dahter allez wider sich
»la stan, Tristan, versinne dich,
niemer genim es keine war.«
so wolte et ie daz herze dar;
wider sinem willen crieget er,
er gerte wider siner ger:
er wolte dar und wolte dan.
der gevangene man
versuohtez in dem stricke
ofte unde dicke
und was des lange stæte.
der getriuwe der hæte
zwei nahe gendiu ungemach:
swenne er ir under ougen sach,
und ime diu süeze Minne

sin herze und sine sinne
mit ir begunde seren,
so gedahter ie der Eren,
diu nam in danne dar van.
hie mite so kertin aber an
Minne, sin erbevogetin:
der muose er aber gevolgec sin.
in muoten harte sere
sin triuwe und sin ere;
so muotin aber diu Minne me,
diu tet im wirs danne we:
si tet im me ze leide
dan Triuwe und Ere beide.
sin herze sach si lachend an,
und nam sin ouge der van.
als er ir aber niht ensach,
daz was sin meistez ungemach.
dicke besatzter sinen muot,
als der gevangene tuot,
wie er ir möhte entwenken,
und begunde ofte denken:
»kere dar oder her,
verwandele dise ger,
minne und meine anderswa!«
so was ie dirre stric da.
er nam sin herze und sinen sin
und suohte anderunge in in,
son was ie niht dar inne
wan Isot unde minne.

Alsam geschach Isote:
diu versuohtez ouch genote,
ir was diz leben ouch ande.
do si den lim erkande
der gespenstegen minne
und sach wol, daz ir sinne

dar in versenket waren,
si begunde stades varen,
si wolte uz unde dan:
so clebet ir ie der lim an;
der zoch si wider unde nider.
diu schœne strebete allez wider
und stuont an iegelichem trite.
si volgete ungerne mite;
si versuohtez manegen enden:
mit vüezen und mit henden
nam si vil manege kere
und versancte ie mere
ir hende unde ir vüeze
in die blinden süeze
des mannes unde der minne.
ir gelimeten sinne
dien kunden niender hin gewegen
noch gebrucken noch gestegen
halben vuoz noch halben trite,
Minne diun wære ie da mite.
Isot, swar si gedahte,
swaz gedanke si vür brahte,
son was ie diz noch daz dar an
wan minne unde Tristan:
und was daz allez tougen.
ir herze unde ir ougen
diu missehullen under in[7]:
diu scham diu jagete ir ougen hin,
diu minne zoch ir herze dar.
diu widerwertige schar
maget unde man, minne unde scham,
diu was an ir sere[8] irresam:
diu maget diu wolte den man
und warf ir ougen der van;

7. *die lagen im Streit miteinander.*
8. *Qual.*

diu scham diu wolte minnen
und brahtes nieman innen.
waz truoc daz vür? scham unde maget,
als al diu werlt gemeine saget,
diu sint ein also hæle[9] dinc,
so kurze wernde ein ursprinc:
sin habent sich niht lange wider.
Isot diu leite ir criec der nider
und tet, als ez ir was gewant:
diu sigelose ergap zehant
ir lip unde ir sinne
dem manne unde der minne.
si blicte underwilen dar
und nam sin tougenliche war:
ir claren ougen unde ir sin
diu gehullen do wol under in.
ir herze unde ir ougen
diu schacheten vil tougen
und lieplichen an den man.
der man der sach si wider an
suoze und inneclichen.
er begunde ouch entwichen
dos in diu minne niht erlie.
man unde maget si gaben ie
ze iegelichen stunden,
so si mit vuogen kunden,
ein ander ougenweide.
die gelieben duhten beide
ein ander schœner vil dan e.
deist liebe reht, deist minnen e:
ez ist hiure und was ouch vert
und ist, die wile minne wert,
under gelieben allen,
dazs ein ander baz gevallen,

9. *flüchtig.*

so liebe an in wahsende wirt,
die bluomen unde den wuocher birt
lieplicher dinge,
dan an dem urspringe.
diu wuocherhafte minne
diu schœnet nach beginne:
daz ist der same, den si hat,
von dem si niemer zegat.

Si dunket schœner sit dan e.
da von so turet minnen e.
diuhte minne sit als e,
so zegienge schiere minnen e.

HEINRICH VON DEM TÜRLÎN

Der Aventiure Crône

Heinrich von dem Türlîn, ein Bürger von St. Veit in Kärnten, schreibt um 1215/30 einen Artus-Roman – kaum zwanzig Jahre nach Wolframs »Parzival« scheinen Welten zwischen der Auffassung und Behandlung des gleichen Stoffes zu liegen. Aus der Vermengung von antiken Stoffen und Artus-Dichtung entsteht nun ein romantisches Abenteuer- und Unterhaltungsbuch. Durch Häufung von Stoffmassen, Abenteuern und wundersamen Begegnungen soll Wolframs »Parzival« noch übertroffen werden.
Gawein rettet Ginover, die Gemahlin des Königs Artus, vor den Ansprüchen eines Nebenbuhlers. Nach langen, ausgewalzten Abenteuern wird er von »Frau Sælde« empfangen, um mit Grüßen und Unsterblichkeitsversicherungen für König Artus entlassen zu werden. Als Gawein [!] schließlich den Gral findet, stellt er – anders als Parzival – sofort und direkt die erlösende Frage. So endet der Roman

schließlich auch in einer Art Parodie auf das große Vorbild.
Unübersehbar sind hier bereits Elemente späthöfischer Epik versammelt: die Vorliebe für das Burleske, für Erotik, Abenteuer und reihende Erzähltechnik.

Gawein im Haus der Frau Sælde

Als nu Gâwein den sal ersach
Und der glast gein sînen ougen brach,
Er wânde, ez brinne daz lant,
Wan ime vor den ougen swant
Daz lieht von dem glaste,
Und gerou in vil vaste[1],
Daz er ie was komen dar,
Unz er des dâ wart gewar,
Daz ez was ein rîcher sal.
Bî dem sê reit er ze tal
Einen wec, der was gemein[2].
Dô der sal gein ime schein,
Do began er sêre gâhen;
Schier kam er ime sô nâhen,
Daz er die porten begreif[3]:
Dâ liez er die stegereif
Und spranc vom orse vür daz tor:
Sîn ors bant er dâ vor
Vil geringe[4] mit dem zoum
An einen schœnen boum,
Der was edel cederîn;
Daz sper und den schilt sîn
Er zuo dem boume stacte;

1. *und es gereute ihn sehr.*
2. *offen, allgemein benutzt.*
3. *erreichte.*
4. *nur flüchtig.*

Daz houbet er ganz endacte[5]
Von der koifen[6] und dem stâlhuot,
Als ein gewisser[7] ritter tuot:
An den hals er ez hie;
Daz swert er in die hant vie
Und gie în zuo der porte;
Ein stege gein einem orte
Gevie[8] er unde eine tür:
Dâ gie er niht verre vür:
Ich wæne, er iht dar an verlür.

Nu hôrte er manic stimme dâ.
In die tür gienc er sâ:
Dâ vant er michel hêrschaft[9];
Dâ saz in ir magenkraft
Ûf einem rade hôch erhaben,
Von golde geslagen und gegraben,
Vrou Sælde und daz Heil, ir kint.
Von ir wâte ein winster wint[10],
Der daz rat umbe treip,
Dar under sie doch beleip
An einer stat mit stæte;
Wan sô der wint wæte,
Sô lief snelle umb daz rat
Und wandelte die ir stat,
Die an dem rade hiengen:
Swelhe stat sie geviengen,
Dâ muosten sie belîben.
Von mannen und von wîben
Hie ein schar an dem rade;

5. *entblößte.*
6. *Kappe.*
7. *rechter, wohlerzogener.*
8. *fand.*
9. *sehr viele Menschen.*
10. *ging ein heftiger Luftzug aus.*

Sîn walgern[11] was manegem schade
Und wart ouch vil manegem vrum:
Swelher kom an daz winster drum,
Der wart arm unde blôz;
Swelher aber her umbe geschôz,
Der wart rîch unde glanz
Und an allen dingen ganz.
Nu wil ich iuch bescheiden[12]
Die rede, von in beiden
Wan diu wandelunge kam,
Daz sie solch ende nam.
Vrou Sælde und ir kint, daz Heil,
Die wâren an dem rehten teil
Geziert von grôzer rîcheit
Beidiu lîp unde kleit,
Und was nâch vröuden gar gestalt;
Zer andern sîte schinen sie alt,
Blint, swarz unde bleich:
Von dem selben teil diu vröude weich,
Und was jæmerlîch getân;
Sie hâten bœse kleider an,
Zerizzen unde alsô swach,
Daz man den lîp dar durch sach:
Ein geisel hâte sie begriffen;
In was der vuoz entsliffen[13]
Von dem rade her ze tal;
Der palas was über al
An der linken sîten von in val[14].

Als nu Gâwein in den sal trat,
Dô stuont stille daz rat
Und wart vrou Sælde gelîche gevar[15]

11. Umdrehen.
12. berichten, erzählen.
13. ausgeglitten, abgeglitten.
14. hell.
15. gefärbt.

Über al schœne unde clâr,
Als si vor zem rehten teil schein;
Dar zuo disiu schar gemein
Jenhalp unde hie dissît
Begunden singen widerstrît[16]
Ein lop ir wol schône
Mit vil süezem dône,
Und begunden alle nîgen[17].
Nu hiez sie vrou Sælde swîgen.
Dô Gâwein nâhe kam ze ir,
Sie sprach ze ime: Wis mir,
Gâwein, und gote willekomen!
Hâstu disen sanc vernomen?
Dâ mite soltu sîn geêret,
Wan in ir vröude ist gemêret.
Gâwein, durch dîn êre
Sol ir aller sêre[18]
Durch dich sîn vertriben:
Ir keiner komt geschiben[19]
An daz winster teil an dem rade,
Wan ich sie ze mînen vröuden lade
Durch dîn zuokunft[20] und durch dich.
Lieber vriunt mîn, sprich,
Wes du wellest an mich gern:
Dar zuo wil ich dich gewern
Aller sælden von mînem teil,
Und gibe dir sige unde heil
An allen werltsachen,
Und wil durch dich machen
Dînen œheim, künec Artûs,
Sîn rîch und sîn hûs

16. um die Wette.
17. zu grüßen, sich grüßend zu verneigen.
18. Schmerz.
19. gedreht.
20. Ankunft.

Sô êwic und sô veste,
Daz ime iht gebreste:
Er habe al der werlde ze geben,
Und müeze êweclîche sweben
Nâch sînem willen vil eben.

Ir gnâden er dar umbe neic.
Vil balde sie der rede gesweic;
Sie gap ime ein vingerlîn
Und sprach: Daz sol ein zeichen sîn
Aller dinge sælekeit:
Die wîle ez hât unde treit
Artûs, sô mac niht zergên
Sîn hof und muoz iemer stên
Ganz von allen dingen;
Du solt ez ime bringen,
Und heiz ez in behalten;
Du solt ouch selbe walten
An allen dingen wunsches[21] gar.
Hie mite iuch beide got bewar:
Du maht niht langer wesen hie.
Gâwein neigte ir und gie
Wider ze sînem orse dan,
Dâ er ez vor hâte gelân,
Und kêrte danne wider ze wege.
Er reit in vrou Sælden pflege
Wider hin über den sê,
Den er was geriten ê.

21. Segen.

Weiterführende Leseliste

Da die ausgewählten Textbeispiele, sofern nicht in sich abgeschlossene Arbeiten, zentralen Werken entnommen sind, wird zunächst deren vollständige Lektüre empfohlen. Außerdem wird auf die Sammeleditionen wie *Althochdeutsches Lesebuch*, *Minnesangs Frühling* und *Die deutsche Literatur, Texte und Zeugnisse* verwiesen. Zusätzlich sind für weiterführende Texte folgende Titel zu nennen:

Deutscher Minnesang (1150–1300). Einführung sowie Auswahl u. Ausgabe der mittelhochdeutschen Texte von Friedrich Neumann. Nachdichtung von Kurt Erich Meurer. Stuttgart 1954 u. ö. (Reclams UB Nr. 7857 [2].)

Gottfried von Straßburg: Tristan und Isolde. In Auswahl hrsg. von Friedrich Maurer. Berlin [3]1970. (Sammlung Göschen 22.)

Hartmann von Aue: Der arme Heinrich nebst einer Auswahl aus der »Klage«, dem »Gregorius« und den »Liedern«. Hrsg. von Friedrich Maurer. Berlin [2]1968. (Sammlung Göschen 18.)

Hartmann von Aue: Erec. Mittelhochdeutscher Text u. Übertragung von Thomas Cramer. Frankfurt a. M. 1972. (Fischer Bücherei 6017.)

Hartmann von Aue: Gregorius. Der gute Sünder. Mittelhochdeutscher Text nach der Ausgabe von Friedrich Neumann. Übertragung von Burkhard Kippenberg. Nachwort von Hugo Kuhn. Stuttgart 1959 u. ö. (Reclams UB Nr. 1787 [3].)

Heliand und die Bruchstücke der Genesis. Aus dem Altsächsischen u. Angelsächsischen übertragen von Felix Genzmer. Stuttgart 1955 u. ö. (Reclams UB Nr. 3324 [2].)

Kudrun und Dietrich-Epen. In Auswahl, mit Wörterbuch. Hrsg. von Roswitha Wisniewski. Tübingen [6]1957. (Sammlung Göschen 10.)

Moriz von Craûn. Hrsg. von Ulrich Pretzel. Tübingen [2]1962. (ATB 45.)

Das Nibelungenlied. Übersetzt, eingeleitet u. erläutert von Felix Genzmer. Stuttgart 1955 u. ö. (Reclams UB Nr. 642 [4].)

Ausgewählte Forschungsliteratur

Das nachfolgend aufgeführte Titelverzeichnis enthält vor allem wichtige Arbeiten und Standardwerke zur Literaturgeschichte des Mittelalters. In ihnen findet der Leser Hinweise für seine weiteren Studien. Literaturangaben zu spezielleren Themen finden sich in den Bibliographien und in den Literaturgeschichten von de Boor und Ehrismann sowie z. T. auch in den Titeln der weiterführenden Leseliste.

Bibliographien

Eppelsheimer, H. W. (Hrsg.): Bibliographie der deutschen Literaturwissenschaft. Frankfurt a. M. 1957 ff.

Germanistik. Internationales Referatenorgan mit bibliographischen Hinweisen. Tübingen 1960 ff.

Hansel, J.: Bücherkunde für Germanisten. Studienausgabe. Berlin [3]1965.

Körner, J.: Bibliographisches Handbuch des deutschen Schrifttums. Bern [4]1966.

Raabe, P.: Einführung in die Bücherkunde zur deutschen Literaturwissenschaft. Stuttgart [7]1971.

Handbücher

Stammler, W. (Hrsg.): Deutsche Philologie im Aufriß. 3 Bde. Berlin [2]1951–62.

Walzel, O. (Hrsg.): Handbuch der Literaturwissenschaft. 24 Bde. Neudr. Darmstadt 1958–62.

Lexika

Kayser, W. (Hrsg.): Kleines literarisches Lexikon. 2 Bde. Bern u. München 1961.

Kosch, W.: Deutsches Literatur-Lexikon. Biographisches und bibliographisches Handbuch. 4 Bde. Bern [2]1949–58.

Merker, P. u. W. Stammler: Reallexikon der deutschen Literaturgeschichte. Berlin 1958 ff.

Stammler, W. u. K. Langosch (Hrsg.): Die deutsche Literatur des Mittelalters. Verfasserlexikon. 5 Bde. Berlin 1933–55.

Wilpert, G. von (Hrsg.): Lexikon der Weltliteratur. Biographisch-bibliographisches Handwörterbuch nach Autoren und anonymen Werken. Stuttgart, 2., erw. Aufl. 1975.

Wilpert, G. von (Hrsg.): Lexikon der Weltliteratur. Bd. 2: Hauptwerke der Weltliteratur in Charakteristiken und Kurzinterpretationen. Stuttgart 1968.

Literaturgeschichten, Gesamtdarstellungen

Bertau, K.: Deutsche Literatur im europäischen Mittelalter. Bd. I: 800–1197. München 1972. Bd. II: 1195–1220. München 1973.

Boor, H. de: Die deutsche Literatur. Von Karl dem Großen bis zum Beginn der höfischen Dichtung. 770–1170. München [8]1971. (Zitiert als: de Boor I.)

Boor, H. de: Die höfische Literatur. Vorbereitung, Blüte, Ausklang. 1170–1250. München [8]1969. (Zitiert als: de Boor II.)

Curtius, E. R.: Europäische Literatur und lateinisches Mittelalter. Bern [7]1969.

Ehrismann, G.: Geschichte der deutschen Literatur bis zum Ausgang des Mittelalters. 2 Teile (= 4 Bde.). München 1922–35. Unveränderter Neudruck 1966. (Zitiert als: Ehr. I–II 2,2.)

Genzmer, F. u. a.: Geschichte der deutschen Literatur von den Anfängen bis zum Ende des Spätmittelalters (1490). Stuttgart 1962.

Kuhn, H.: Dichtung und Welt im Mittelalter. Stuttgart [2]1969.

Le Goff, J.: Das Hochmittelalter. Frankfurt a. M. 1965. (Fischer Weltgeschichte. Bd. 11.)

Le Goff, J.: Kultur des europäischen Mittelalters. München 1970.

Maurer, F.: Dichtung und Sprache des Mittelalters. Gesammelte Aufsätze. Bern u. München 1963.

Wapnewski, P.: Deutsche Literatur des Mittelalters. Ein Abriß. Göttingen [2]1971. (Kleine Vandenhoeck-Reihe 96/97.)

Zu einzelnen Gattungen, Dichtern und Texten

Auerbach, E.: Mimesis. Dargestellte Wirklichkeit in der abendländischen Dichtung. Bern [2]1959.

Betz, W.: Das gegenwärtige Bild des Althochdeutschen. In: Der Deutschunterricht 5 (1953) H. 6, S. 94–108.

Kuhn, H.: Gattungsprobleme der mittelhochdeutschen Literatur. In: Sitzungsberichte der Bayerischen Akademie der Wissenschaften. Philosophisch-Historische Klasse. H. 4. München 1956.

Mohr, W.: Wandel des Menschenbildes in der mittelalterlichen Dichtung. In: Wirkendes Wort, 1. Sonderheft (1953) S. 37–48.

Rupp, H.: Deutsche religiöse Dichtungen des 11. und 12. Jahrhunderts. Untersuchungen und Interpretationen. Freiburg i. Br. 1958.

Soeteman, C.: Deutsche geistliche Dichtung des 11. und 12. Jahrhunderts. Stuttgart 1971. (Sammlung Metzler M 33.)

Lyrik

Burdach, K.: Reinmar der Alte und Walther von der Vogelweide. Halle 1928.

Halbach, K. H.: Walther von der Vogelweide. Stuttgart 1968. (Sammlung Metzler M 40.)

Kolb, H.: Der Begriff der Minne und das Entstehen der höfischen Lyrik. Tübingen 1958.

Mohr, W.: Minnesang als Gesellschaftskunst. In: Der Deutschunterricht 6 (1954) H. 5, S. 83–107.

Moser, H.: Die hochmittelalterliche deutsche »Spruchdichtung« als übernationale und nationale Erscheinung. In: Zeitschrift für deutsche Philologie 76 (1957) S. 241–268.

Neumann, E.: Zum »ritterlichen Tugendsystem«. In: Wirkendes Wort, 1. Sonderheft (1953) S. 49–61.

Neumann, F.: Der Minnesänger Walther von der Vogelweide. In: Der Deutschunterricht 5 (1953) H. 2, S. 43–61.

Sawinski, B.: Lehrhafte Dichtung des Mittelalters. Stuttgart 1971. (Sammlung Metzler M 103.)

Wapnewski, P.: Die Lyrik Wolframs von Eschenbach. Edition, Kommentar, Interpretation. München 1972.

Wießner, E.: Berührungen zwischen Walthers und Neidharts Liedern. In: Zeitschrift für deutsches Altertum und deutsche Literatur 84 (1952/53) S. 241–264.

Winkler, K.: Neidhart von Reuental. Kallmünz 1956.

Epik

Bindschedler, M.: Der Tristan Gottfrieds von Straßburg. In: Der Deutschunterricht 6 (1954) H. 5, S. 65–76.

Brogsitter, K. O.: Artusepik. Stuttgart 1971. (Sammlung Metzler M 38.)

Bumke, S.: Wolfram von Eschenbach. Stuttgart 1970. (Sammlung Metzler M 36.)

Cormeau, Ch.: Hartmanns von Aue »Armer Heinrich« und »Gregorius«. München 1966.

Fechter, W.: Über den Armen Heinrich Hartmanns von Aue. In: Euphorion 49 (1955) S. 1–28.

Heusler, A.: Nibelungensage und Nibelungenlied. Die Stoffgeschichte des deutschen Heldenepos. Dortmund 1955.

Köhler, E.: Ideal und Wirklichkeit in der höfischen Epik. Studien zur Form der frühen Artus- und Graldichtung. Tübingen 1956.

Maurer, F.: Leid. Studien zur Bedeutungs- und Problemgeschichte, besonders in den großen Epen der staufischen Zeit. In: Bibliotheca Germanica. Bd. 1. Bern u. München 1951.

Nagel, B.: Der Arme Heinrich Hartmanns von Aue. Eine Interpretation. Tübingen 1952.

Panzer, F.: Das Nibelungenlied. Entstehung und Gestalt. Stuttgart 1955.

Schieb, G.: Heinrich von Veldeke. Stuttgart 1965.

Schöne, A.: Zu Gottfrieds »Tristan«-Prolog. In: Deutsche Vierteljahrsschrift für Literaturwissenschaft und Geistesgeschichte 29 (1955) S. 447–474.

Schröder, W.: Zur Chronologie der drei großen mittelhochdeutschen Epiker. In: Deutsche Vierteljahrsschrift für Literaturwissenschaft und Geistesgeschichte 31 (1957) S. 264–302.

Schröder, W. J.: Der Ritter zwischen Welt und Gott. Idee und Problem des Parzivalromans Wolframs von Eschenbach. Weimar 1952.

Schröder, W. J.: Spielmannsepik. Stuttgart 1967. (Sammlung Metzler M 19.)

Wapnewski, P.: Hartmann von Aue. Stuttgart 1972. (Sammlung Metzler M 17.)

Weber, G.: Gottfried von Straßburg. Stuttgart 1968. (Sammlung Metzler M 15.)

Weber, G. u. W. Hoffmann: Nibelungenlied. Stuttgart 1968. (Sammlung Metzler M 7.)

Wehrli, M.: Wolfram von Eschenbach. Erzählstil und Sinn seines Parzival. In: Der Deutschunterricht 6 (1954) H. 5, S. 17–40.

Synoptische Tabelle

	Literatur	*Geschichte*	*Künste, Wissenschaft und Technik*
768		Karl der Große (bis 814) »lingua theodisca« wird zusammenfassender Begriff für die germ. Sprachen	
770/790	Hildebrandslied (bair. Fassung) Wessobrunner Gebet (Ende 8. Jh.)		
um 770	Einhard geb., Verf. der »Vita Caroli Magni«		
789	Admonitio generalis		
790	Älteste (Reichenau-Murbacher) Glossare		
790/800	Althochdeutscher Isidor		
802/817	Muspilli (Urfassung) Hildebrandslied (Fulda)	Lex salica (ältestes westgerm. Volksrecht)	

814–840		Ludwig der Fromme	
817		Synode von Inden	
um 830	Heliand Altsächsische Genesis (Fulda) Althochdeutscher Tatian		
842		Straßburger Eide	
843		Vertrag von Verdun: Teilung des karolingischen Reiches	
846		Sarazenen plündern Rom	
848			Leo IV. läßt Stadtmauer um Rom bauen: Leostadt
850–870	Hildebrandslied (Abschrift der nddt. Fassung in Fulda, um 850)	Angriff der Normannen auf England	
852		Erste Erwähnung von Handwerkergilden und -bruderschaften	Reliquienschrein von St. Vaast mit Gold aus Arabien vergoldet
863/871	Otfrieds Evangelienbuch		
870		Erneute Teilung des karolingischen Reiches	Erstes gedrucktes Buch in China

873/874		Große Hungersnot in Westeuropa	
873/885			Westwerk von Corvey
875			Erste Bilderhandschrift der Psychomachia des Prudentius
881	Ludwigslied		
885/886		Normannen belagern Paris	
888		Absetzung Karls des Dicken, des letzten karolingischen Kaisers	
890/900	Alfred der Große übersetzt Beda und Boëthius ins Angelsächsische		
10. Jh.	Merseburger Zaubersprüche		
900/910	Übersetzung des 138. Psalms (Freising)	Erste Ungarneinfälle in Bayern	
910		Gründung der Benediktinerabtei Cluny, Ausgangspunkt der Kirchenreform	

925	Ekkehart von St. Gallen: Waltharilied		Erste Veitskirche in Prag, Grabmal des hl. Wenzel (gest. 929)
um 935	Schriftliche deutsche Überlieferung bricht fast ganz ab (bis um 1050)		
936	Roswitha von Gandersheim geb.	Otto I., König von Deutschland; er fordert von allen Herzögen den Lehenseid	
941/942		Hungersnot in Westeuropa	
um 950		Beginn der großen Urbarmachungen in Europa	
955		Otto I. besiegt die Ungarn auf dem Lechfeld	
959		Reform der Abtei von Gorze	
960			Reichenauer Buchmalereien
962		Otto I. wird in Rom vom Papst zum Kaiser gekrönt	Stiftskirche von Gernrode (nach 962)
um 970	Roswitha von Gandersheim: Lat. Legenden u. Dramen		

980		Beginn der Eroberung Englands durch die Dänen	Buchmalereien des Codex Egberti (Reichenau)
983–1002		Otto III.	
um 990			Elfenbeinarbeiten des Echternacher Codex
1000		Schutzherrschaft Venedigs über Istrien und Dalmatien Aufschwung des Baugewerbes	Schule von Salerno (Medizin)
1005/06		Große Hungersnot in Westeuropa	
um 1010			Michaelskirche in Hildesheim Bamberger Apokalypse
1014		Die Dänen erobern London	Portal u. Glockenturm von Saint-Germain-des-Prés
1014–24		Kaiser Heinrich II.	
1015		Vertreibung der Araber aus Sardinien	Bronzetüren der Michaelskirche in Hildesheim
1022	Notker der Deutsche gest. (geb. 950)		
1024–39		Kaiser Konrad II., erster Salier	

1025			Konzil von Arras: Zur Unterweisung der Ungebildeten sollen die Kirchen mit Fresken ausgemalt werden
um 1030		Aufkommen der Familiennamen beim Adel Beginn der Kommunalbewegung in Italien	
1030–61			Dom zu Speyer
1037		Erblichkeit der Lehen in Norditalien	St. Aposteln in Köln
1043–45		Große Hungersnot im Abendland	
1044		Aufstand der Mailänder Bürger	
1050	Ruodlieb (Mitte 11. Jh.) Kloster Monte Cassino: literarische Blütezeit		
1052	Johannes von Fécamp: Mystische Schriften		Krypta von St. Emmeram (Regensburg)
1056–1106		Kaiser Heinrich IV.	

1060	Williram: Paraphrase des Hohen Liedes Wiener Genesis	Die Normannen erobern Sizilien	
1063	Ezzos Gesang (Bamberg)		
1065/1100	Chanson de Roland		
1066		Eroberung Englands durch Wilhelm den Eroberer	
um 1070	Älterer Physiologus		
bis 1080	Noker: Memento mori		
1071	Guilleaume IX. geb., Verf. der ersten Strophen mittelalterlicher Minnelyrik		
1072		Ansätze einer Zunftordnung in Venedig	
1073		Aufstand der Städter in Worms	
1074		Aufstand der Kölner gegen Erzbischof Anno	
ab 1075		Verfall der Königsmacht in Deutschland Aufstieg des Feudaladels	Kathedrale von Santiago de Compostela (bis 1122)

		Investiturstreit zwischen Kaiser und Papst (bis 1122)	
1077		Heinrich IV. in Canossa	
1079		Reform von Hirsau	
um 1085	Annolied	Privater Grundbesitz in England	
um 1090	Merigarto		Erfindung des Kompasses in China
1093		Lombardischer Städtebund gegen den deutschen Kaiser	Abteikirche Maria Laach (bis 1156)
1095		Urban II. in Clermont: Aufruf zum 1. Kreuzzug (1096–99)	Baubeginn von San Marco in Venedig
1096/97		Antisemitismus der Kreuzfahrer, Ausschreitungen auf dem Kreuzzug	Teppich von Bayeux, Arbeit der Königin Mathilde
1099		Eroberung Jerusalems durch die Kreuzfahrer: Königreich Jerusalem	
1100		Handelsvertrag Venedig – Königreich Jerusalem	Glasmalerei des Augsburger Domes

1100/50		Aufschwung der Landwirtschaft	
1108/09		Kommunen in Frankreich	
1110/40			Theophilus: De diversis artibus, erstes technisches Handbuch des Abendlandes
1118/22		Abälard und Héloïse	
um 1120	Ezzos Gesang (Vorauer Fassung)	Erste Zunftsatzungen	
1122		Beilegung des Investiturstreits im Wormser Konkordat	
um 1135	Kaiserchronik (Beginn), Regensburg		
1137		Ludwig VII. König von Frankreich (bis 1180), heiratet Eleonore (Aquitanische Hochzeit)	
1140/50	Pfaffe Lamprecht: Alexanderlied Hildegard von Bingen: Liber scivias Heinrich von Veldeke geb.		
1143		Gründung Lübecks	

1144–46		Große Hungersnot im Abendland	Skulpturen am Königsportal in Chartres
1147–49	Marienlied von Melk (vor 1150) Kaiserchronik, Abschluß (nach 1147)	2. Kreuzzug (Konrad III. und Ludwig VII.)	
1150/60	Jaufré Rudel besingt die »Liebste in fernen Landen« König Rother Salman und Morolf (Urfassung)		Entstehung der Universität Paris
1151		Große Hungersnot in Deutschland	Doppelkapelle Schwarzrheindorf (Wandmalereien)
1152		Scheidung Eleonores von Aquitanien, sie heiratet Heinrich Plantagenet	
1152–90		Friedrich Barbarossa	
1154		Heinrich der Löwe Herzog von Bayern	
um 1160	Heinrich von Melk Melker Marienlied Äneasroman Heinrich von Morungen geb. Der Kürenberger	Die Hanse eröffnet ein Kontor in Visby	

	Reinmar von Hagenau geb. Dietmar von Aist		
1162		Zerstörung Mailands durch Barbarossa Große Hungersnot im Abendland	
1163–1260			Notre-Dame in Paris
1165	Chanson de Roland aufgezeichnet	Barbarossa erobert Rom	
1168–83	Werke des Chrestien de Troyes		
um 1170	Pfaffe Konrad: Rolandslied Walther von der Vogelweide geb. Hausen-Kreis Eilhart von Oberge: Tristrant		
1172	Priester Wernher: Driu liet von der maget	Dreimaster und Galeere mit 25 Rudern in Venedig begünstigen den Handel	
1174		Privilegien für Professoren und Studenten in Paris	
1175	Wolfram von Eschenbach geb. Meinloh von Sevelingen	Niederlage Barbarossas durch die lombardischen Städte	

1180–90	Hartmann: Lyrik; Erec; Kreuzzugslieder Veldeke: Eneit Anfänge Reinmars Neidhart von Reuental geb. (1185/96)		
1180	Herzog Ernst Mariensequenz von Muri	Heinrich der Löwe verliert durch Barbarossa die Reichslehen	
1183	Chrestien de Troyes: Perceval	Selbstverwaltung der lombardischen Städte (Friede von Konstanz)	
1184		Mainzer Hoftag	
1189–92	Hausen, Hartmann, Johansdorf, Rugge auf dem 3. Kreuzzug	3. Kreuzzug (Barbarossa)	
1190	Tod Friedrichs von Hausen Anfänge Walthers	Tod Barbarossas	
um 1193		Heinrich VI. (bis 1197)	Albertus Magnus geb.
1193		Tod Saladins	
1195	Hartmann von Aue: Der arme Heinrich		Glasfenster in Chartres

1196/97		Große Hungersnot im Abendland	
1197/98	Otto von Botenlauben und Reinmar auf dem 4. Kreuzzug	(4.) Kreuzzug (Kaiser Heinrich VI.)	
1198	Walther verläßt Wien; geht an den Hof Philipps von Schwaben (Reichssprüche)	Philipp von Schwaben (bis 1208) Otto IV. (bis 1215) Innozenz III. (bis 1216)	
1200–1350	Deutsche Siedler in Schlesien: 1200 Dörfer		
um 1200/10	Veldeke gest.		
1200	Hartmann von Aue: Iwein Nibelungenlied Beginn von Gottfrieds »Tristan«		
1202–04		4. Kreuzzug	Kathedrale von Rouen (bis 1300)
1203	Walther in Wien		
um 1205	Reinmar gest.		
1208		Philipp von Schwaben ermordet	
1209	Johansdorf bezeugt	Krönung Kaiser Ottos IV.	Magdeburger Dom

1210	Gottfried von Straßburg gest. Wolfram: Parzival	Otto IV. gebannt	
nach 1210	Hartmann gest. Bligger von Steinach gest. Beginn Neidharts von Reuental		
1211			Notre-Dame in Reims
1212	Walther: Kaisersprüche	Fürstentag in Frankfurt Friedrich II. (bis 1250) Kinderkreuzzug	
vor 1214	Wolfram: Willehalm		
um 1215	Der Winsbecke Freidank Thomasin: Der Wälsche Gast		
1215		Magna Charta in England	
1217		Hermann von Thüringen gest.	
1217/18		Hungersnot in Mittel- und Osteuropa	
um 1220	Wolfram: Titurel Bruder Wernher: Sprüche Der Stricker		

1220–50	Walther erhält sein Lehen	Kaiser Friedrich II.	
1222	Morungen gest. Lichtenstein: Lieder Sachsenspiegel		
um 1224	Rudolf von Ems: Der gute Gerhard		
1224		Letzte allgemeine Hungersnot im Abendland des 13. Jh.s	
um 1225	Burkhart von Hohenfels Prosa-Lanzelot Rudolf von Ems: Legendendichtung		
1226–60			Kathedrale von Burgos
1227	Reinmar von Zweter: Sprüche		
1227–30	Walther: letzte Gedichte		
1227		Konzil von Trier: Verbot des Geldverleihs gegen Zinsen	Trierer Dom Kathedrale von Toledo
1228/29		5. Kreuzzug (Friedrich II.)	
1229–31		Streik an der Universität Paris	

um 1230	Walther gest. Freidank: Bescheidenheit Carmina Burana (nach 1230 bis um 1300) Heinrich von dem Türlîn: Der Aventiure Crône (vor 1230)		Mosaiken der Markuskirche in Venedig (bis 1240)

Quellenverzeichnis

Die Angaben in Klammern hinter der Fundstelle verweisen in Abkürzungen auf die ausführliche Behandlung und weitere Literaturangaben über den Autor oder Text in den Literaturgeschichten von de Boor und Ehrismann.
Überschriften, die mit einem Sternchen versehen sind, stammen vom Herausgeber, sind aber zumeist dem Text des Autors entnommen.

Abrogans

In: Althochdeutsche Literatur. Mit Proben aus dem Altniederdeutschen. Ausgewählte Texte mit Übertragungen und Anmerkungen. Hrsg., übers. u. mit Anmerkungen versehen von Horst Dieter Schlosser. Frankfurt a. M.: S. Fischer 1970. (Fischer Bücherei 6036.) S. 308. (de Boor I, S. 16. Ehr. I, S. 251.)

Albrecht von Johansdorf

In: Des Minnesangs Frühling. Nach Karl Lachmann, Moriz Haupt u. Friedrich Vogt neu bearb. von Carl von Kraus. Stuttgart: Hirzel ^{32}1959. (Zitiert als: MF.) Nr. XIII. – 1 (S. 120: 91,22), 2 (S. 113 f.: 87,5), 3 (S. 122–124: 94,15). (de Boor II, S. 274. Ehr. II 2,2, S. 231.)

Der Ältere Physiologus

1. Stück. In: Die Deutsche Literatur. Texte und Zeugnisse. Hrsg. von Walther Killy. Mittelalter. Hrsg. von Helmut de Boor. 2 Bde. München: C. H. Beck 1965. S. 554. (de Boor I, S. 16. Ehr. I, S. 251.)

Althochdeutscher Isidor

Kap. 4, 1–7. In: Althochdeutsche Literatur. Mit Proben aus dem Altniederdeutschen. Ausgewählte Texte mit Übertragungen und Anmerkungen. Hrsg., übers. u. mit Anmerkungen versehen von Horst Dieter Schlosser. Frankfurt a. M.: S. Fischer 1970. (Fischer Bücherei 6036.) S. 58 f. (de Boor I, S. 31. Ehr I, S. 273.)

Althochdeutscher Tatian

Die Bergpredigt*. Kap. 22, 7–24, 3. In: Tatian. Hrsg. von Eduard Sievers. Paderborn: Schöningh ^{2}1892. (Bibliothek der ältesten deutschen Litteratur-Denkmäler. Bd. 5.) S. 47–49. (de Boor I, S. 44. Ehr. I, S. 286.)

Burggraf von Regensburg

In: Des Minnesangs Frühling. Nach Karl Lachmann, Moriz Haupt u. Friedrich Vogt neu bearb. von Carl von Kraus. Stuttgart: Hirzel [32]1959. Nr. V. – 1 (S. 12: 16,15), 2 (S. 12: 16,1). (de Boor II, S. 247. Ehr. II 2,2, S. 225.)

Dietmar von Aist

In: Des Minnesangs Frühling. Nach Karl Lachmann, Moriz Haupt u. Friedrich Vogt neu bearb. von Carl von Kraus. Stuttgart: Hirzel [32]1959. Nr. VII. – 1 (S. 39: 39,18), 2 (S. 33: 37,4), 3 (S. 32: 34,3), 4 (S. 32: 34,11). (de Boor II, S. 244. Ehr. II 2,2, S. 223.)

Eilhart von Oberg

Der Minnetrank*. Aus: Tristrant und Isolde. V. 2336–2484. In: Die Deutsche Literatur. Texte und Zeugnisse. Hrsg. von Walther Killy. Mittelalter. Hrsg. von Helmut de Boor. 2 Bde. München: C. H. Beck 1965. S. 1058–60. (de Boor II, S. 32. Ehr. II 2,1, S. 65.)

Ezzos Gesang

Strophe 1–10. In: Die Deutsche Literatur. Texte und Zeugnisse. Hrsg. von Walther Killy. Mittelalter. Hrsg. von Helmut de Boor. 2 Bde. München: C. H. Beck 1965. S. 3–5. (de Boor I, S. 145. Ehr. II 1, S. 40.)

Friedrich von Hausen

In: Des Minnesangs Frühling. Nach Karl Lachmann, Moriz Haupt u. Friedrich Vogt neu bearb. von Carl von Kraus. Stuttgart: Hirzel [32]1959. Nr. IX. – 1 (S. 51 f.: 51,33), 2 (S. 58 f.: 45,37), 3 (S. 59–61: 47,9). (de Boor II, S. 254. Ehr. II 2,2, S. 228.)

Gottfried von Straßburg

Der Minnetrank*. Aus: Tristan und Isold. V. 11 645–874. In: G. v. St., Tristan und Isold. Hrsg. von Friedrich Ranke. Berlin: Weidmannsche Verlagsbuchhandlung [4]1959. S. 146–149. (de Boor II, S. 127. Ehr. II 2,1, S. 297.)

Hartmann von Aue

Lyrik. In: Des Minnesangs Frühling. Nach Karl Lachmann, Moriz Haupt u. Friedrich Vogt neu bearb. von Carl von Kraus. Stuttgart: Hirzel [32]1959. Nr. XXI. – 1 (S. 302 f.: 216,29), 2 (S. 289 f.: 205,1), 3 (S. 303 f.: 218,5). (de Boor II, S. 267. Ehr. II 2,2, S. 242.)
Der arme Heinrich. V. 1049–1352. In: H. v. A., Der arme Heinrich. Hrsg. von Friedrich Neumann. Stuttgart: Reclam o. J. (Universal-Bibliothek Nr. 456.) S. 62–71. (de Boor II, S. 77. Ehr. II 2,1, S. 196.)

Heinrich von Melk

Memento mori. V. 455–662. In: Die Deutsche Literatur. Texte und Zeugnisse. Hrsg. von Walther Killy. Mittelalter. Hrsg. von Helmut de Boor. 2 Bde. München: C. H. Beck 1965. S. 524–527. (de Boor I, S. 182. Ehr. II 1, S. 186.)

Heinrich von Morungen

In: H. v. M., Lieder. Mittelhochdeutsch und neuhochdeutsch. Hrsg. von Helmut Tervooren. Stuttgart: Reclam 1975. (Universal-Bibliothek Nr. 9797 [4].) 1 (S. 124–127), 2 (S. 84 f.), 3 (S. 108 f.), 4 (S. 64–67), 5 (S. 42–45). (de Boor II, S. 277. Ehr. II 2,2, S. 237.)

Heinrich von Rugge

In: Des Minnesangs Frühling. Nach Karl Lachmann, Moriz Haupt u. Friedrich Vogt neu bearb. von Carl von Kraus. Stuttgart: Hirzel [32]1959. Nr. XIV. S. 133 f.: 108,22. (de Boor II, S. 262. Ehr. II 2,2, S. 234.)

Heinrich von dem Türlîn

Gawein im Haus der Frau Sælde*. Aus: Der Aventiure Crône. V. 790 bis 930. In: Diu Crône von Heinrîch von dem Türlîn. Hrsg. von Gottlob Heinrich Friedrich Scholl. Stuttgart 1852. (Bibliothek des Litterarischen Vereins in Stuttgart. Bd. XXVII.) S. 194 f. (de Boor II, S. 195. Ehr. II 2,2, S. 10.)

Heinrich von Veldeke

Das Mainzer Hoffest*. Aus: Eneit. V. 13 221–252. In: Die Deutsche Literatur. Texte und Zeugnisse. Hrsg. von Walther Killy. Mittelalter. Hrsg. von Helmut de Boor. 2 Bde. München: C. H. Beck 1965. S. 1003. (de Boor II, S. 41. Ehr. II 2,1, S. 86.)
Das Erlebnis der Minne*. Aus: Eneit. V. 9735–9961. Ebenda, S. 1074–77. (de Boor II, S. 41. Ehr. II 2,1, S. 86.)
Lyrik. In: Des Minnesangs Frühling. Nach Karl Lachmann, Moriz Haupt u. Friedrich Vogt neu bearb. von Carl von Kraus. Stuttgart: Hirzel [32]1959. Nr. X. – 1 (S. 70 f.: 59,22), 2 (S. 72: 60,13). (de Boor II, S. 251. Ehr. II 2,2, S. 230.)

Heliand

V. 1279–1380: Die Bergpredigt*. In: Heliand. Hrsg. von Otto Behaghel. Tübingen: Niemeyer [6]1948. (Altdeutsche Textbibliothek 4.) S. 46–50. Übersetzung in: Heliand und die Bruchstücke der Genesis. Aus dem Altsächsischen und Angelsächsischen übertr. u. eingel. von Felix Genzmer. Stuttgart: Reclam 1955 u. ö. (Universal-Bibliothek Nr. 3324 [2].) S. 52–55. (de Boor I, S. 58. Ehr. I, S. 157.)

Herzog Ernst

V. 1243–1452 und 5887–6022. In: Herzog Ernst. Hrsg. u. übers. von Bernhard Sowinski. Stuttgart: Reclam 1970 u. ö. (Universal-Bibliothek Nr. 8352 [6].) S. 73–84 und 330–337. (de Boor I, S. 257. Ehr. II 2,1, S. 39.)

Hildebrandslied

In: Wilhelm Braune, Althochdeutsches Lesebuch. 14. Aufl. bearb. von Ernst A. Ebbinghaus. Tübingen: Niemeyer 1962. S. 84 f. Übersetzung in: Deutsche Balladen. Hrsg. von Konrad Nussbächer. Stuttgart: Reclam 1967 u. ö. (Universal-Bibliothek Nr. 8501 [7].) S. 3–5. (de Boor I, S. 65. Ehr. I, S. 121.)

Kaiserchronik

V. 16 618–761: Der Kreuzzug Gottfrieds von Bouillon*. In: Monumenta Germaniae Historica: Deutsche Chroniken. Bd. I. Hrsg. von Edward Schröder. Berlin: Weidmannsche Verlagsbuchhandlung 1895. Neudruck 1964. S. 381–383. (de Boor I, S. 223. Ehr. II 1, S. 267.)

Kaiser Heinrich

In: Des Minnesangs Frühling. Nach Karl Lachmann, Moriz Haupt u. Friedrich Vogt neu bearb. von Carl von Kraus. Stuttgart: Hirzel [32]1959. Nr. VIII. – 1 (S. 42 f.: 4,35), 2 (S. 43 f.: 5,16). (de Boor II, S. 250. Ehr. II 2,2, S. 227.)

Der von Kürenberg

In: Des Minnesangs Frühling. Nach Karl Lachmann, Moriz Haupt u. Friedrich Vogt neu bearb. von Carl von Kraus. Stuttgart: Hirzel [32]1959. Nr. II. – 1 (S. 5: 8,33), 2 (S. 6: 10,17), 3 (S. 4: 8,1 und S. 6: 9,29). (de Boor II, S. 242. Ehr. II 2,2, S. 220.)

Ludwigslied

In: Althochdeutsche Literatur. Mit Proben aus dem Altniederdeutschen. Ausgewählte Texte mit Übertragungen und Anmerkungen. Hrsg., übers. u. mit Anmerkungen versehen von Horst Dieter Schlosser. Frankfurt a. M.: S. Fischer 1970. (Fischer Bücherei 6036.) S. 274–277. (de Boor I, S. 90. Ehr. I, S. 228.)

Marienlied von Melk

In: Die Deutsche Literatur. Texte und Zeugnisse. Hrsg. von Walther Killy. Mittelalter. Hrsg. von Helmut de Boor. 2 Bde. München: C. H. Beck 1965. S. 406–408 (mit Anmerkungen). (de Boor I, S. 212. Ehr. II 1, S. 210.)

Meinloh von Sevelingen

In: Des Minnesangs Frühling. Nach Karl Lachmann, Moriz Haupt u. Friedrich Vogt neu bearb. von Carl von Kraus. Stuttgart: Hirzel [32]1959. Nr. III. – 1 (S. 7: 11,1), 2 (S. 8: 13,1), 3 (S. 8 f.: 13,14). (de Boor II, S. 248. Ehr. II 2,2, S. 226.)

Merigarto

Nr. 2. In: Wilhelm Braune, Althochdeutsches Lesebuch. 14. Aufl. bearb. von Ernst A. Ebbinghaus. Tübingen: Niemeyer 1962. S. 140–142. (de Boor I, S. 153. Ehr. II 1, S. 231.)

Muspilli

In: Althochdeutsche Literatur. Mit Proben aus dem Altniederdeutschen. Ausgewählte Texte mit Übertragungen und Anmerkungen. Hrsg., übers. u. mit Anmerkungen versehen von Horst Dieter Schlosser. Frankfurt a. M.: S. Fischer 1970. (Fischer Bücherei 6036.) S. 200–205. (de Boor I, S. 53. Ehr. I, S. 149.)

Namenlose Lieder

In: Des Minnesangs Frühling. Nach Karl Lachmann, Moriz Haupt u. Friedrich Vogt neu bearb. von Carl von Kraus. Stuttgart: Hirzel [32]1959. Nr. I. – 1 (S. 1: 3,1), 2 (S. 2 f.: 6,14), 3 (S. 1 f.: 3,17). (de Boor II, S. 238. Ehr. II 2,2, S. 222.)

Neidhart von Reuental

In: N. v. R., Lieder. Auswahl. Mit den Noten zu neun Liedern. Mittelhochdeutsch u. neuhochdeutsch. Hrsg. u. übers. von Helmut Lomnitzer. Stuttgart: Reclam o. J. (Universal-Bibliothek Nr. 6927 [2].) – 1 (S. 12 bis 15), 2 (S. 20–27), 3 (S. 44–47), 4 (S. 84–91). (de Boor II, S. 359. Ehr. II 2,2, S. 256.)

Nibelungenlied

39. Aventiure: Strophe 2324–2379. In: Nibelungenlied. Hrsg. von Helmut Brackert. Frankfurt a. M.: S. Fischer 1971. (Fischer Bücherei 6039.) S. 252–264. (de Boor II, S. 156. Ehr. II 2,2, S. 123.)

Noker von Zwiefalten

Memento mori. In: Rudolf Schützeichel: Das alemannische Memento mori. Das Gedicht und der geistig-historische Hintergrund. Tübingen: Niemeyer 1962. S. 126–133. (de Boor I, S. 148. Ehr. II 1, S. 184.)

Notker Labeo

Der 138. Psalm. V. 1–8. In: Althochdeutsche Literatur. Mit Proben aus dem Altniederdeutschen. Ausgewählte Texte mit Übertragungen und Anmerkungen. Hrsg., übers. u. mit Anmerkungen versehen von Horst Dieter Schlosser. Frankfurt a. M.: S. Fischer 1970. (Fischer Bücherei 6036.) S. 44–47. (de Boor I, S. 109. Ehr. I, S. 416.)

Otfried von Weißenburg

Evangelienbuch. Kap. I, 1. In: Althochdeutsche Literatur. Mit Proben aus dem Altniederdeutschen. Ausgewählte Texte mit Übertragungen und Anmerkungen. Hrsg., übers. u. mit Anmerkungen versehen von Horst Dieter Schlosser. Frankfurt a. M.: S. Fischer 1970. (Fischer Bücherei 6036.) S. 16–19. (de Boor I, S. 77. Ehr. I, S. 178.)

Pfaffe Konrad

Der göttliche Auftrag an Karl den Großen*. Aus: Rolandslied. V. 1–222. In: Das Rolandslied des Pfaffen Konrad. Hrsg. von Dieter Kartschoke. Frankfurt a. M.: S. Fischer 1970. (Fischer Bücherei 6004.) S. 6–15. (de Boor I, S. 240. Ehr. II 1, S. 255.)

Priester Wernher

Marias Geburt und Tempelgang*. Aus: Driu liet von der maget. V. 1031 bis 1188. In: Die Deutsche Literatur. Texte und Zeugnisse. Hrsg. von Walther Killy. Mittelalter. Hrsg. von Helmut de Boor. 2 Bde. München: C. H. Beck 1965. S. 440–442. (de Boor I, S. 214. Ehr. II 1, S. 217.)

Reinmar von Hagenau

In: Des Minnesangs Frühling. Nach Karl Lachmann, Moriz Haupt u. Friedrich Vogt neu bearb. von Carl von Kraus. Stuttgart: Hirzel [32]1959. Nr. XX. – 1 (S. 210–212: 158,1), 2 (S. 208–210: 157,11), 3 (S. 212–214: 159,1), 4 (S. 224 f.: 165,10). (de Boor II, S. 282. Ehr. II 2,2, S. 239.)

Straßburger Eide

In: Wilhelm Braune, Althochdeutsches Lesebuch. 14. Aufl. bearb. von Ernst A. Ebbinghaus. Tübingen: Niemeyer 1962. S. 56 f. (de Boor I, S. 48. Ehr. I, S. 354.)

Thomasin von Zerklære

Der Wälsche Gast. I. Buch, V. 141–246. In: Der Wälsche Gast des Thomasin von Zirklaria. Hrsg. von Heinrich Rückert. Berlin: de Gruyter 1965. (Deutsche Neudrucke. Reihe: Texte des Mittelalters.) S. 5–7. (de Boor II, S. 403. Ehr. II 2,2, S. 308.)

Vagantenlyrik

In: Vagantendichtung. Lateinisch/Deutsch. Hrsg. u. übers. von Karl Langosch. Frankfurt a. M.: S. Fischer 1963. (Fischer Bücherei, Exempla Classica 78.) – 1 (S. 52–57), 2 (S. 222–225). (de Boor II, S. 304. Ehr. II 2,2, S. 212.)

Waffen und Werkzeuge

In: Althochdeutsche Literatur. Mit Proben aus dem Altniederdeutschen. Ausgewählte Texte mit Übertragungen und Anmerkungen. Hrsg., übers. u. mit Anmerkungen versehen von Horst Dieter Schlosser. Frankfurt a. M.: S. Fischer 1970. (Fischer Bücherei 6036.) S. 309. (de Boor I, S. 16. Ehr. I, S. 251.)

Walther von der Vogelweide

In: Die Gedichte Walthers von der Vogelweide. Hrsg. von Carl von Kraus. Berlin: de Gruyter 1950. (Zitiert als: Wa.-Kr.)
Spruchdichtung: 1 (S. 10: 8,28), 2 (S. 9 f.: 8,4), 3 (S. 24 f.: 19,17), 4 (S. 14: 11,30), 5 (S. 45 f.: 34,4), 6 (S. 36: 28,1), 7 (S. 37 f.: 28,31), 8 (S. 30 f.: 24,3), 9 (S. 39 f.: 30,9).
Lieder: 1 (S. 151 f.: 111,22), 2 (S. 154 f.: 113,31), 3 (S. 79–81: 56,14), 4 (S. 120–122: 85,34), 5 (S. 103–105: 72,31), 6 (S. 71–73: 51,13), 7 (S. 52: 39,1), 8 (S. 64 f.: 46,32), 9 (S. 90 f.: 63,8), 10 (S. 170 f.: 124,1). (de Boor II, S. 292. Ehr. II 2,2, S. 244.)

Das Wessobrunner Gebet

In: Wilhelm Braune, Althochdeutsches Lesebuch. 14. Aufl. bearb. von Ernst A. Ebbinghaus. Tübingen: Niemeyer 1962. S. 85 f. (de Boor I, S. 52. Ehr. I, S. 137.)

Williram von Ebersberg

Paraphrase des Hohen Liedes. Kap. IV, 54–73. In: Wilhelm Braune, Althochdeutsches Lesebuch. 14. Aufl. bearb. von Ernst A. Ebbinghaus. Tübingen: Niemeyer 1962. S. 77. (de Boor I, S. 119. Ehr. II 1, S. 18.)

Der Winsbecke

Strophe 17–23 und 29–31: Hofzucht*. In: Winsbeckische Gedichte nebst Tirol und Fridebrant. Hrsg. von Albert Leitzmann. 3., neubearb. Aufl. von Ingo Reifferstein. Tübingen: Niemeyer 1962. (Altdeutsche Textbibliothek 9.) S. 10–14 und 17 f. (de Boor II, S. 408. Ehr. II 2,2, S. 312.)

Wolfram von Eschenbach

Lyrik. In: Peter Wapnewski, Die Lyrik Wolframs von Eschenbach. München: C. H. Beck 1972. – 1 (S. 19 f.), 2 (S. 147). (de Boor II, S. 327. Ehr. II 2,2, S. 242.)
Trevrizent*. Aus: Parzival. IX. Buch. In: Wolfram von Eschenbach. Hrsg. von Albert Leitzmann. Zweites Heft. Tübingen: Niemeyer [6]1963. (Altdeutsche Textbibliothek 13.) S. 91–106. (de Boor II, S. 90. Ehr. II 2,1, S. 225.)

Würzburger Markbeschreibung, Zweite

In: Althochdeutsche Literatur. Mit Proben aus dem Altniederdeutschen. Ausgewählte Texte mit Übertragungen und Anmerkungen. Hrsg., übers. u. mit Anmerkungen versehen von Horst Dieter Schlosser. Frankfurt a. M.: S. Fischer 1970. (Fischer Bücherei 6036.) S. 302 f. (de Boor I, S. 36. Ehr. I, S. 350.)

Zauberformeln, Segen

In: Wilhelm Braune, Althochdeutsches Lesebuch. 14. Aufl. bearb. von Ernst A. Ebbinghaus. Tübingen: Niemeyer 1962. S. 89. (de Boor I, S. 94. Ehr. I, S. 99.)